Lothar Heiser
Das Glaubenszeugnis
der armenischen Kirche

SOPHIA

Quellen östlicher Theologie
Herausgegeben von Julius Tyciak † und Wilhelm Nyssen
Band 22
Lothar Heiser
Das Glaubenszeugnis
der armenischen Kirche

PAULINUS-VERLAG TRIER
1983

Lothar Heiser

Das Glaubenszeugnis
der
armenischen Kirche

PAULINUS-VERLAG TRIER
1983

CIP-Kurztitelaufnahme der Deutschen Bibliothek

Heiser, Lothar:
Das Glaubenszeugnis der armenischen Kirche / Lothar Heiser
Trier: Paulinus-Verlag, 1983
(Sophia; Bd. 22)
ISBN 3-7902-1408-6
NE: GT

Imprimatur N. 8/1983
Treveris, die 4. 6. 1983
Vicarius Generalis
d. m. Israel

Inhalt

EINLEITUNG

Die ökumenische Bewegung unserer Zeit trägt Früchte mannigfacher Art. Zwar ist das Ziel, die Einheit der Kirche Christi in Vielgestalt, noch nicht erreicht, doch gegenüber dem Schweigen, der Verketzerung und der Bekämpfung während vieler Jahrhunderte ist die Begegnung zwischen den Christen der orthodoxen, evangelischen und katholischen Tradition eine erfreuliche Tatsache. Ob es sich um Dialoge auf höchster Ebene, um soziale Aktionen der breiten Basis, um gemeinsame liturgische Feiern handelt – überall ist das leichte Wehen des Heiligen Geistes unverkennbar. Besonders die Kenntnis des Christentums der griechisch-byzantinischen Tradition ist in den letzten Jahrzehnten durch Publikationen, Vorträge und Gottesdienste ausgeweitet und vertieft worden; denn gerade das fehlende Interesse an der von anderer Kultur geprägten Kirche hat zusammen mit der damit verbundenen Selbstüberschätzung den Boden für den Bruch zwischen Ost und West bereitet.

In den Dialog zwischen den Kirchenführern sind selbstverständlich auch die Christen der armenischen, syrischen und koptischen Tradition einbezogen. Doch ist die Kenntnis über diese Christen an der Basis der westlichen Kirchen noch sehr gering. Für viele Christen des Westens ist Armenien z. B. ein Land irgendwo im Osten. Vielleicht weiß man noch, daß dieses Land heute dreigeteilt ist in Sowjet-Armenien, Persisch-Armenien und Türkisch-Armenien und daß seine Einwohner weithin entrechtet oder über die ganze Welt zerstreut wurden. Vielleicht wird man auch aufgeschreckt, wenn man gelegentlich von gewalttätigen Anschlägen einiger Armenier gegen türkische Einrichtungen im Ausland hört, weil sie so versuchen, auf ihre fast hundert Jahre während Unterdrückung und Vertreibung aufmerksam zu machen. Bei diesem Stand der Information ist es begrüßenswert, daß in den letzten Jahren einige Bücher erschienen sind, die zu größerer Kenntnis über die Armenier führen, welche vor allem die Armenier als ein zu großem Kunstschaffen befähigtes Volk dem Westen vor Augen führen. In diesen Publikationen erfährt man auch, daß die Armenier das erste christliche Volk sind, daß das Christentum schon um das Jahr 300 bei ihnen zur Staatsreligion erhoben wurde.

Indes ist nur wenigen bekannt, welch große geistigen Schätze dieses Volk in den Werken seiner Kirchenväter und seiner Liturgie gesammelt hat. Den Reichtum und die Tiefe seiner vom Geiste Christi und der eigenen Kultur geprägten Tradition muß man heute mühsam heben. Schuld daran tragen vor allem die Vernichtung der Klosterbibliotheken im armenischen Heimatland und die ständige Unterdrückung und Fluchtsituation der Bevölkerung. Dennoch lassen sich die geistigen Schätze finden, wenn auch in verstaubten Folianten, die noch im vorigen Jahrhundert Mönche und Philologen gesammelt und gesichtet und z. T. in westeuropäische Sprachen übersetzt haben. Die armenische Sprache erweist sich als eine große Barriere, die umso größer ist, als es nicht nur gilt, das heutige Armenisch zu beherrschen oder wie in diesem Fall, wo der Autor des Armenischen nicht mächtig ist, irgendeinen Übersetzer zu finden, sondern jemanden, der auch die in altarmenischer Sprache abgefaßten Texte übersetzen kann. In diesem Buch konnten deshalb nur solche Schriften der armenischen Väter berücksichtigt werden, die bereits übersetzt waren. Die zumeist im vorigen Jahrhundert angefertigten Übersetzungen mußten allerdings geglättet und unserem Sprachduktus angepaßt werden, zumal die Übersetzer zuweilen nicht bedacht hatten, daß syrische oder griechische Vorlagen den armenischen Vätern bei der Abfassung ihrer Werke gedient hatten und daher eine rein wörtliche Übersetzung zu Ungereimtheiten führen kann. Zudem sind viele der überlieferten Kodizes durch falsches Abschreiben auch sinnentstellt worden. Oft sind die Predigten der armenischen Väter so lang, daß sie eher als Vorträge anzusehen sind; sie erwecken zuweilen wie z. B. die Reden Mesrops den Eindruck, als handle es sich um Mitschriften aus einem stundenlangen Seminar für Mönchsnovizen. Eine Kürzung oder die Wiedergabe in Auszügen war daher unvermeidlich. Doch wurde dabei der Grundsatz befolgt, nicht bruchstückhaft Gedanken vorzulegen, die mehr oder weniger die eigene Position untermauern, sondern Abschnitte von solcher Länge anzubieten, daß die Eigenart armenischen Geistes und Denkens deutlich wird. Zu den liturgischen Texten ist anzumerken, daß sie im allgemeinen sowohl von der armenisch-apostolischen Kirche wie von den mit Rom unierten Armeniern in gleicher Weise benutzt werden.

Die 32 Farbtafeln wollen nicht als Illustrationen verstanden werden; vielmehr gelten sie als Zeugnisse, in denen der gleiche Glaube wie im Wort zum Ausdruck kommt.

8

Bild und Wort ergänzen sich zur Einheit; Auge und Ohr tragen den gleichen Glauben zum Herzen des Menschen. Was das begriffliche Wort nicht anschaulich machen kann, leistet das Bild, und was im Bild mehrdeutig ist, klärt das Wort. Die Miniaturen sind dem freundlichen Entgegenkommen der armenischen Mechitharistenpatres in Wien und Venedig zu verdanken, die anderen Bildzeugnisse wurden auf mehreren Reisen des Autors in das westliche und östliche Armenien aufgenommen.

Um die Fülle des Materials zu ordnen, bedurfte es eines Schemas; es orientiert sich an der Heilsgeschichte und stellt Bild- und Wortzeugnisse in drei Abschnitten mit mehreren Kapiteln unter den Dreiklang des Wortes Christi, welcher »der Weg, die Wahrheit und das Leben« (Joh 14,6) ist.

Vergessene Christen darf es in christlicher Gemeinde nicht geben, ebensowenig vergessene Kirchen in der Gemeinschaft der Kirche. Diese Sammlung von Glaubenszeugnissen der armenischen Kirche soll ein kleiner Beitrag sein zum Verständnis der Christen untereinander, damit wir wieder verstehen, wie Gottes große Taten in allen Sprachen verkündet werden (Apg 2,11) unter dem vielfältigen Wirken des einen Heiligen Geistes.

GRUNDLAGEN

1. Die Armenier und ihre Heimat

Die Bezeichnung »Armenier« ist griechischen Ursprungs; sie taucht zuerst bei Herodot auf. Die Armenier selbst nennen sich »Haikh« und ihr Land »Hayastan«. Nach der Legende war der Stammvater ihres Volkes Haikh, ein Enkel des biblischen Japhet, eines Sohnes Noachs. Tatsächlich sind sie jedoch erst im 9. Jahrhundert v. Chr. als indogermanisches Volk in dieses Land eingewandert. Ihre Zahl heute läßt sich nur schätzen; es werden etwa 6 Millionen genannt, von denen die Hälfte in alle Welt zerstreut ist.

Armenien liegt im Osten Kleinasiens und seine Grenzen verlaufen – in grober Übersicht – vom Kaukasus im Norden bis zum Taurus im Süden, vom Kaspischen Meer im Osten bis zum Schwarzen Meer im Westen. In diesem Gebiet, dessen Kern die drei großen Seen, der Van-See in der heutigen Türkei, der Urmia-See in Persien, der Sevan-See in Sowjetisch-Armenien, umschließen, soll der Garten Eden gelegen haben; nach Genesis 2,10 »ging ein Strom von Eden aus, den Garten zu bewässern, und von dort teilte er sich in vier Arme«. Zwei von ihnen sind namentlich uns heute noch bekannt, der Euphrat und der Tigris, die in Armenien ihren Ursprung haben. Im Zentrum Armeniens liegt der 5156 m hohe Ararat, das Wahrzeichen dieses Landes; auf ihm landete Noach mit der Arche; von hier nahm das Leben seinen neuen Anfang nach der Sintflut (Gen 8,4.21).

Bedrängt wurde Armenien im Altertum von den beiden rivalisierenden Großmächten, von Persien und dem Römischen bzw. Byzantinischen Reich. Im Mittelalter wurde es bedroht von Arabern, Seldschuken, Mongolen und Ägyptern. In der Neuzeit wurde das Volk von den Türken durch Vertreibung und Völkermord im Westen seines Stammlandes fast völlig ausgetilgt. Armeniens Grenzen waren wie die so vieler Staaten im Altertum und im Mittelalter fließend und hingen von der Stärke der Nachbarstaaten ab. Die großen Verkehrswege, die Indien und Persien mit den Häfen am Mittelmeer verbanden, führten durch die armenischen Täler; seit Urzeiten zogen sie wegen des begehrten Obsidian, das vom Vulkan Ararat zutage gefördert wurde, durch dieses Gebiet. Die Mächte, die die Politik bestimmten und den Handel kontrollierten, trachteten danach, Armenien in ihre Einflußsphäre zu bringen.

Tafel I:
Landschaft um
den Van-See mit
der Kreuzkirche
von Achtamar

Armenien ist von hohen und kahlen Gebirgsketten durchzogen; weite Gebiete des Landes sind völlig unfruchtbar. Nur in den Talsohlen läßt sich Ackerbau und an den unteren Hängen der Gebirge Schaf- und Ziegenzucht betreiben. Jahrhundertelange Isolation in den abgeschlossenen Tälern hat jenen nationalen Charakter geprägt, der als Treue zum eigenen Volk auch heute noch bewundernswert in Erscheinung tritt. Die Notwendigkeit, die Heimat des Überlebens wegen als Karawanenführer oder Händler zu verlassen, hat einen ausgeprägten Handelssinn im Volk entstehen lassen. Fähigkeiten zur staatlichen Organisation blieben dagegen weithin unentwickelt, so daß Armenien immer nur für kurze Zeit als souveräner Staat existierte.

2. Wendepunkte in der Geschichte der armenischen Kirche

Es kann in diesem Buch nicht darum gehen, den Geschichtsschreibungen über die armenische Kirche eine weitere hinzuzufügen; vielmehr sollen nur jene Ereignisse skizziert werden, die Wendepunkte in der Geschichte dieses Volkes waren und kennzeichnend für die Eigenart seines Christentums geworden sind.

Die Geschichte des armenischen Volkes in christlicher Zeit steht unter den Zeichen großer Verfolgungen und unübertroffener Glaubenstreue. Das Verzeichnis seiner Martyrer und Heiligen reicht von der Frühzeit bis ins 20. Jahrhundert in ununterbrochener Folge. Trotz ihrer Diasporasituation haben die Armenier mehr als jedes andere Volk durch die gemeinsame Sprache und Religion ihre nationale Identität bewahrt; vor allem das Christuszeugnis eigener Prägung ist für dieses Volk zum einigenden und bewahrenden Kennzeichen geworden. Obwohl sich ein kleiner Teil der Armenier der römisch-katholischen Kirche angeschlossen hat und einige sich zur protestantischen Kirche bekennen, ist das Volk in seiner Gesamtheit, auch in der Zerstreuung, der apostolisch-gregorianischen Kirche treu geblieben.

12

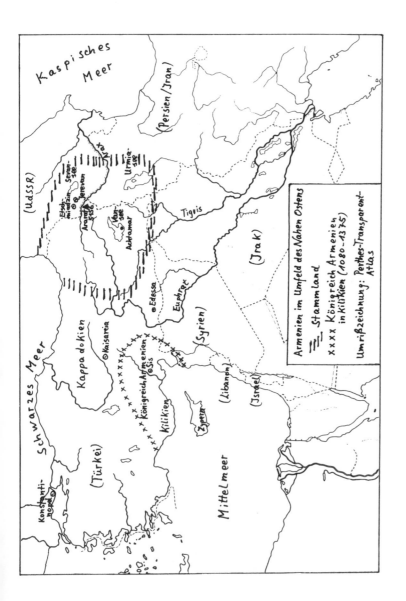

Karte 1: Armenien im Umfeld des Nahen Ostens

13

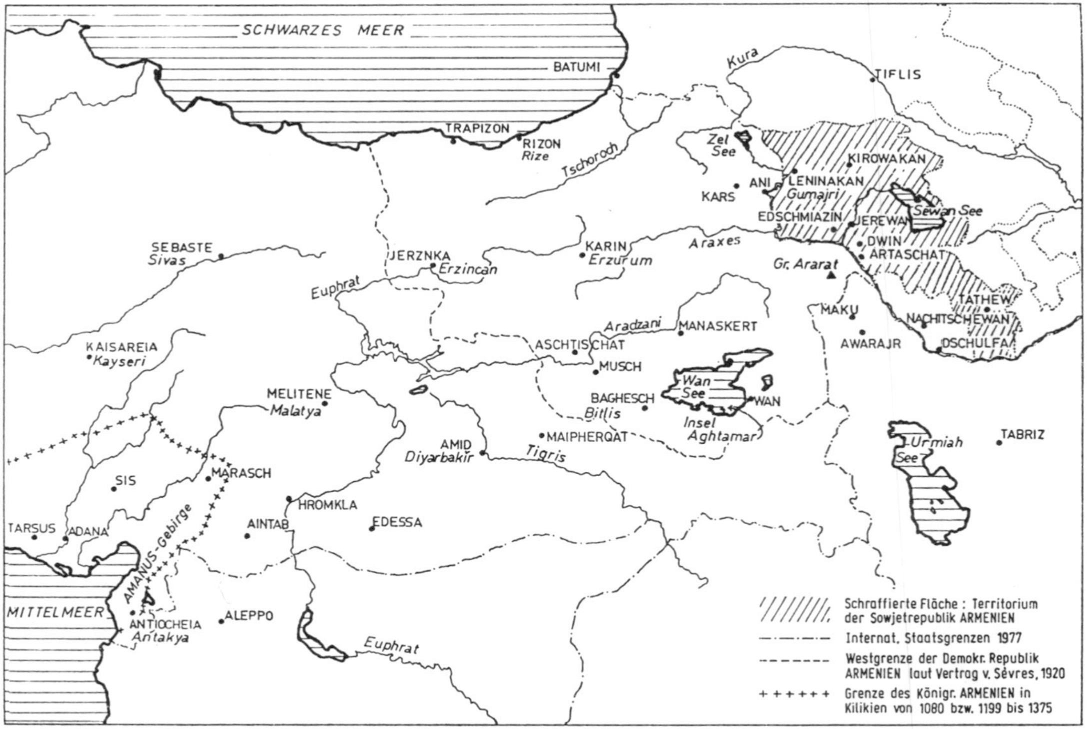

Karte 2: Armenien in seiner Geschichte (aus TRE Bd. 4)

Armenien, zunächst von den Persern, dann von den Seleukiden beherrscht, wurde im Jahre 66 v. Chr. von Pompeius für Rom erobert und erhielt den Status eines Klientelstaates, der als Puffer zu den Persern diente. Mehr oder weniger seine inneren Angelegenheiten selbst regelnd, befand es sich in der Folgezeit abwechselnd unter römischer oder persischer Oberhoheit oder war unter beide Mächte aufgeteilt. In diese Zeit fällt die im geschichtlichen Dunkel liegende *Missionierung* des Landes, die von Syrien und seiner Hauptstadt Antiochia her über die griechische Metropole Kaisareia in Kappadokien (Kleinasien) erfolgt ist. Der Einfluß syrisch wie griechisch geprägten Christentums auf die armenische Liturgie ist unverkennbar. – Die Armenier selbst führen ihr Christentum auf die Apostel Thaddäus und Bartholomäus zurück, die ihre Heimat besucht, dort den Martyrertod erlitten und begraben sein sollen. Sie nennen deshalb ihre Kirche offiziell *Heilige Armenische Apostolische Kirche.* Ja nach einer Legende soll Christus selbst zur Erde zurückgekehrt sein, um ihre Kirche zu gründen; im Namen des obersten Patriarchensitzes Etschmiadzin, zu deutsch: »der Eingeborene ist herabgestiegen«, bekundet sich diese Überzeugung. – Um das Jahr 300 hat dank des Wirkens des in der griechischen Kirche von Kaisareia ausgebildeten *Gregor des Erleuchters (240–332)* König Trdat (Tiridates) III. sich taufen lassen und das Christentum als Staatsreligion eingeführt. Gregor führt den Ehrentitel »Erleuchter«, da in der griechischen Tradition die Taufe als Erleuchtung durch Christus bezeichnet wird. Um 314 empfing er selbst die Bischofsweihe in Kaisareia und wurde erster Bischof Armeniens. Die Söhne heidnischer Tempeldiener weihte er zu Priestern und Bischöfen und ließ sie in armenischer Sprache predigen; so wurde das Christentum in kurzer Zeit Volksreligion. Ihm zu Ehren wird die armenische Nationalkirche auch *apostolisch-gregorianische Kirche* genannt.

Die nächste Epoche, die Zeit der *Organisation und Konsolidierung,* etwa von 300 bis 552, ist durch drei bedeutende Ereignisse gekennzeichnet. Die Schaffung eines eigenen *armenischen Alphabetes* um das Jahr 406, die dem Mönch Mesrop Maschtotz zugeschrieben wird, ermöglichte es, die Bibel aus dem Syrischen und Texte griechischer und syrischer Kirchenschriftsteller in die Landessprache zu übersetzen; zugleich war die Voraussetzung für eine eigene armenische Literatur geschaffen worden. Vor allem aber konnte die aus Kappadokien übernommene Basileios-Liturgie in der Volks-

DIE KIRCHEN, DIE AUS DER APOSTOLISCHEN GRÜNDUNG ANTIOCHIA HERVORGEGANGEN SIND

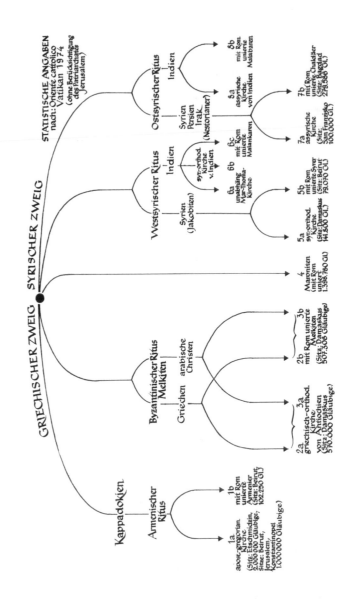

sprache gefeiert werden. Damit war der erste Grundstein zur Autokephalie, zur Eigenständigkeit der armenischen Kirche, gelegt.

Im Jahre 387 wurde Armenien unter Römern und Persern aufgeteilt. Damit begann für die unter persischer Herrschaft lebenden Armenier ein Existenzkampf auf Leben und Tod. Die Perser betrachteten die armenischen Christen, deren Oberbischof immer noch Weihe und Bestätigung vom Metropoliten von Kaisareia empfing, als Parteigänger Roms und wollten ihnen mit Gewalt die persische Staatsreligion, den zarathustrischen Mazdaismus, aufnötigen. Wegen dieser Bedrängnisse und aus Rücksichtnahme auf die persischen Herrscher konnte die armenische Kirche im Jahre 451 *keine Delegation zum 4. ökumenischen Konzil nach Chalkedon* entsenden. – Dieses Reichskonzil wollte das Verhältnis der beiden Naturen in Christus in einer allen Parteien entgegenkommenden Bekenntnisform zum Ausdruck bringen; seine Definition lautet: »Wir bekennen einen und denselben Sohn, unseren Herrn Jesus Christus; derselbe ist vollkommen der Gottheit nach und vollkommen der Menschheit nach... Er ist in zwei Naturen unvermischt und unverwandelt, ungeteilt und ungetrennt... Die Eigentümlichkeiten einer jeden Natur bleiben bewahrt, indem sie zusammenkommen (geeint sind) zu einer Person oder Hypostase.«[1] Die theologischen Diskussionen wurden mit griechisch-philosophischen Termini geführt, die in der Übersetzung für die Armenier nicht den gleichen Inhalt hatten. Als sie die Konzilsakten erhielten, lehnten sie es ab, in Christus zwei Naturen anzunehmen; sie sahen darin eine Zergliederung Christi nach der Irrlehre des Nestorios. Ihrer Überzeugung nach ist der menschgewordene Gott »ein Wesen, eine Person, eine Hypostase, eine Natur: eine Natur aus zwei Naturen«[2]. Mit dieser Formel soll nichts anderes als die unlösbare Einheit beider Naturen in Christus zum Ausdruck gebracht werden. Griechen wie Lateiner aber verkannten dieses Anliegen und warfen ihnen die Irrlehre des Monophysitismus vor, eine Unterstellung, die die Armenier mit Recht zurückweisen. Im Grunde basiert die armenische *Ablehnung des Konzils von Chalkedon* auf der Tatsache, daß bei ihnen Natur »soviel wie ›konkretes, individuelles Wesen‹ oder praktisch soviel wie ›Person‹ bedeutete. Das positive Bekenntnis zu ›einer Natur in Christus‹ war gleichbedeutend mit dem Bekenntnis zu einer Person, einem Sohn, einem Herrn, während die Formel von Chalkedon das Gegenteil, das Bekenntnis zu zwei Personen zu besagen schien.«[3] Mehrere Versuche der Reichskirche unter Führung der Kaiser in Konstantinopel, die

Einheit mit der armenischen Kirche wiederherzustellen, schlugen fehl, nicht zuletzt auch deshalb, weil die griechische Kirche auf der Synode von 692, dem sog. Trullanum, verschiedene Bräuche der Armenier, so z. B., daß sie dem konsekrierten Wein kein *Zeon*, heißes Wasser, beimischen, verurteilte; andererseits befürchteten diese, durch die kirchliche Einheit auch unter die politische Bevormundung von Byzanz zu geraten. So hatte die armenische Kirche nach der politischen Trennung vom Römischen Reich sich auch dogmatisch von der Reichskirche losgesagt. Im Jahre 505 wurde auf der Synode von Dwin das Bekenntnis von Chalkedon offiziell zurückgewiesen und ein weiteres Mal im Jahre 552. Nur die drei ersten Konzilien, jenes von Nikaia (325), das von Konstantinopel (381) und das von Ephesus (431), werden von den Armeniern als ökumenisch und ihre dogmatischen Entscheidungen als verbindlich anerkannt.

Da im Jahre 552 gerade der zweihundertjährige Kalender des Andreas von Byzanz, in dem die Ostertermine errechnet waren, ausgelaufen war, beschloß man, auch nach außen hin vom Römischen Reich Abstand zu nehmen. Auf dieser zweiten Synode von Dwin wurde eine *neue Zeitrechnung* mit dem Jahr 1 eingeführt. (Man hat von unserem Jahresdatum die Zahl 551 abzuziehen, um das armenische Jahr zu errechnen.)
So hatte die armenische Kirche ihre Autokephalie erlangt. Ihre geistlichen Oberhirten nennen sich (schon seit dem 5. Jh.) nicht wie die obersten Reichsbischöfe Patriarch, sondern Katholikos.

Im Jahre 642 entrissen den Römern und Persern die *Araber die Oberherrschaft über Armenien;* damit wurde ein kultureller und religiöser Niedergang eingeleitet. Erst im 9. Jahrhundert erreichte die Dynastie der *Bagratiden für Armenien politische Unabhängigkeit,* die allerdings nur 160 Jahre dauerte, von 885 bis 1045. In dieser Zeit erblühte das Handwerk, die Architekten erwiesen sich als äußerst schöpferisch, die Zahl der Klöster und der mit ihnen verbundenen geistigen Zentren nahm zu, die Literatur gelangte zur nationalen Eigenständigkeit und Blüte. Doch in der Mitte des 11. Jahrhunderts drangen die türkischen *Seldschuken,* die den Islam angenommen hatten, ins Land, zerstörten die armenische Hauptstadt Ani (1045) und besiegten schließlich in der Schlacht bei Mantzikert (1071), nördlich des Van-Sees, die Byzantiner. Nach diesem Sieg drangen sie unaufhaltsam durch ganz Kleinasien bis zum Mittelmeer vor. Seit dieser Zeit begann der *Exodus der Christen* aus Kleinasien, der Armenier wie der Griechen. Die Armenier gelangten z. T. bis nach Osteuropa, wo sie unter byzantinischer Herrschaft in Bulgarien angesiedelt wurden, z. T. fanden sie eine neue Heimat in schwer zugänglichen Tälern des östlichen Taurus, in *Kilikien.* Hier gründete der Fürst Ruben um 1080 ein *armenisches Fürstentum* mit der Hauptstadt Sis, nördlich des heutigen Adana in der Südtürkei gelegen. Kilikien war auch das Durchmarschgebiet der *Kreuzfahrer,* die bei den hier eingewanderten Armeniern militärische und wirtschaftliche Unterstützung fanden. Der Kontakt beider Gruppen, fern der eigenen Heimat, führte zur gegenseitigen kulturellen Bereicherung, die darin ihre – buchstäbliche – Krönung fand, daß Kaiser Friedrich Barbarossa dem Fürsten Leon II. (1187–1219) die Königswürde übertrug. Da Barbarossa jedoch im Saleph (heute Göksu bei Silifke) 1190 ertrank, ließ Heinrich VI. Leon am 6. Januar 1199 durch seinen Kanzler Kardinal Konrad von Wittelsbach, Erzbischof von Mainz und päpstlicher Legat, in der Sophienkathedrale von Sis zum ersten König des *armenischen Königreiches von Kilikien* krönen; der armenische Katholikos nahm die Salbung vor. König Philipp-August von Frankreich, Richard Löwenherz von England und Papst Cölestin III. sandten Glückwünsche. Die Byzantiner wollten nicht nachstehen, und Kaiser Alexios III. (1195–1203) sandte Leon ebenfalls eine Krone. Mit Unterstützung der Kreuzfahrer bestand dieses Königreich, das Bollwerk gegen die Seldschuken im Norden, gegen die Araber im Osten und gegen die ägyptischen Mameluken aus dem Süden, fast zweihundert Jahre. 1375 wurde die Hauptstadt Sis von den Mameluken erobert und zerstört; der letzte König Leon VI. wurde gegen Lösegeld nach Frankreich entlassen. Das Katholikat wurde 1443 wieder in das ruhigere Etschmiadzin verlegt, wo bis heute der oberste Katholikos residiert. (Eine opponierende Gruppe aber blieb in Sis; dieser Patriarchensitz, der sich heute noch Katholikat von Kilikien nennt, wurde 1921 nach Syrien verlegt und befindet sich seit 1940 in Antelias bei Beirut im Libanon.) Diese drei Jahrhunderte, in denen die Armenier in Kilikien eine Heimat gefunden hatten, waren für die armenische Kultur äußerst fruchtbar. Mönche und Künstler schufen hervorragende Werke der Buchmalerei, die in Armenien zwar schon seit dem 6. Jahrhundert gepflegt wurde, die aber jetzt in verschiedenen Schulen zur höchsten Vollendung gelangte.

Nach der Eroberung von Kilikien durch die ägyptischen Mameluken gerieten die Armenier unter die *totale Herrschaft des Islam,* die bis ins 19. Jahrhundert andauerte und heute noch in der Türkei andauert. Westarmenien wurde von den seldschukischen Türken und Ostarmenien von den Persern beherrscht. Nachdem Konstantinopel als letztes christliches Bollwerk im Osten im Jahre 1453 gefallen war, verlor der Westen auch Armenien für Jahrhunderte aus den Augen. Nach dem im *Osmanischen Türkenreich gültigen Millet-System* erhielten die Armenier 1461 den Sonderstatus einer religiösen und ethnischen Minderheit, die sich unter Führung des vom Sultan in Istanbul neu errichteten Patriarchats selbst verwalten mußte.[4] Weniger Rechte besaßen die *Armenier in Persien,* so daß sie sich schließlich um den Schutz der russischen Zaren bemühten. Im Russisch-Persischen Krieg von 1826/27 entrissen die Russen den Persern Transkaukasien und brachten das Gebiet um Etschmiadzin unter ihre Herrschaft. Da das zaristische Rußland sich als Verteidiger der orientalischen Christen betrachtete, intervenierte es zugunsten der Westarmenier auch gegen das Osmanische Reich. Im *Russisch-Türkischen Krieg* von 1877 konnte es aber nur einige Grenzgebiete der östlichen Türkei erobern. Für die im Osmanischen Reich wohnenden Armenier begannen nun Jahre der *Unterdrückung und der Ausrottung durch die Türken.* Die Armenier hatten, um ihre Rechte durchzusetzen, 1890 politische Parteien gegründet. Als sie sich 1894 in Bitlis gegen die Übergriffe der Kurden mit Waffengewalt zur Wehr setzten, griff die türkische Regierung ein und ließ in den türkischen Ostprovinzen durch das Militär ca. 90.000 Armenier massakrieren. Erst der Einspruch Englands brachte ihnen für einige Jahre Ruhe. Doch schon 1905 wurden in Kilikien etwa 20.000 Armenier umgebracht; viele flohen damals nach Palästina und in den Libanon, wo sich seitdem starke armenische Kolonien befinden. Als im Verlauf des 1. Weltkrieges die Türkei ihre Provinzen auf dem Balkan, im Nahen Osten und in Nordafrika verlor, brach in der Türkei gegen alle religiösen und ethnischen Minderheiten ein fanatischer Rachefeldzug ohnegleichen aus. Unter dem Kampfruf: »Türkei nur für Türken!« wurde im Jahre 1915 an den letzten Armeniern ein beispielloser Völkermord verübt. Wer bei der Erstürmung der armenischen Dörfer mit dem Leben davongekommen war, wurde in die damals noch zur Türkei gehörende Syrische Wüste deportiert; die meisten von ihnen verhungerten dort. Über eineinhalb Millionen Armenier sind durch Mord, Hunger und Krankheit umgebracht worden. In Westarmenien, der östlichen Türkei, trifft man heute kaum noch einen Armenier an; Kirchen und Klöster sind Ruinen.

Nach der russischen Oktoberrevolution von 1917 und dem Verlust des 1. Weltkrieges durch die Türkei konnten sich die armenischen Provinzen in der Osttürkei und in Rußland zu einem *unabhängigen Staat* vereinen, der allerdings nur von Mai 1918 bis November 1920 überdauerte. Denn als die türkische Armee unter Kemal Atatürk dieses freie Armenien zu annektieren begann und die Einwohner neuen Repressionen unterwarf, riefen – angeblich kommunistische – Armenier die Sowjetarmee zu Hilfe, die das ehemals unter zaristischer Herrschaft stehende östliche Armenien als Räterepublik dem Sowjetimperium einverleibte. Schon drei Wochen später (17. Dezember 1920) verstaatlichte die *sowjetarmenische Regierung* alle kulturellen und sozialen Einrichtungen der Kirche mit ihrem beweglichen und unbeweglichen Eigentum. Wie in der gesamten Sowjetunion wurden auch hier viele Gläubige unter dem Druck der atheistischen Staatspropaganda verfolgt, verbannt, getötet. Erst als im 2. Weltkrieg die Moskauer Zentralregierung ihre Religionspolitik änderte, um die Gläubigen der verschiedensten Konfessionen für den Vaterländischen Krieg zu mobilisieren, konnte sich die Kirche in Sowjetarmenien erholen. Da die Verbindung der Auslandsarmenier mit ihrer Kirche in der Heimat sehr eng ist, erfreut sich die *Armenische Kirche in der Sowjetunion* unter den gegebenen Verhältnissen mehr als die russisch-orthodoxe Kirche einer regen Lebendigkeit; etwa die Hälfte der Armenier bekennt sich hier zu ihrer Kirche. Die Armenische SSR ist heute das einzige Gebiet, wo dieses leidgeprüfte Volk in angestammter Heimat seine eigene Kultur pflegen kann.

So ist Armenien seit 1920 dreigeteilt: In Sowjetarmenien und einigen Diözesen in anderen Gebieten der Sowjetunion leben etwa 3,4 Millionen Armenier; im Iran, in der Provinz Azerbaidjan und bei Isfahan, etwa 190.000; in der Türkei nur noch 50.000, davon allein in Istanbul 40.000 Armenier. In das armenische Heimatland in der Osttürkei sind heute zumeist Kurden eingesiedelt. – Neben diesen politisch getrennten Gruppen gibt es noch etwa zweieinhalb Millionen Armenier, die über die ganze Welt zerstreut sind.

Die armenische Kirche gliedert sich in *vier Patriarchate:* An der Spitze steht der Katholikos von Etschmiadzin; ihm unterstehen im geistlichen, nicht im juristischen Sinn die Patriarchen von Jerusalem und Konstantinopel. Daneben gibt es noch seit der kilikischen Periode das Katholikat von Sis mit heutigem Sitz in Antelias im Libanon. Ein fünftes Patriarchat ist seit der Zusammenarbeit mit den Kreuzfahrern aus verschiedenen Unionen mit der römisch-katholischen Kirche hervorgegangen; als *armenisch-katholisches Patriarchat* hat es seinen Sitz in Beirut im Libanon; ihm unterstehen ca. 100.000 Gläubige. Außerdem gibt es noch eine kleine Gruppe *armenisch-evangelischer Christen,* die seit der Mitte des 19. Jahrhunderts aus der amerikanischen Mission in der Türkei erwachsen ist. – Durch seine wissenschaftliche Erforschung der armenischen Geschichte und Kultur ist der mit Rom unierte *Mönchsorden der Mechitharisten* von Venedig und Wien, der nach der Regel des hl. Benedikt lebt, für alle Armenier zu einem geistigen Zentrum geworden.

3. Die Väter und Lehrer Armeniens

Es können hier nicht alle Kirchenschriftsteller vorgestellt werden (siehe dazu die einschlägigen Darstellungen in der Literaturliste), sondern nur jene, die zu den bedeutendsten zählen oder die in diesem Werk zu Worte kommen.

Mit der Entwicklung eines eigenen Alphabets um das Jahr 406 besaß das schon hundert Jahre zuvor zum Christentum bekehrte Volk endlich die Möglichkeit, seinen Glauben liturgisch und literarisch zum Ausdruck zu bringen. Der Mönch *Mesrop Maschtotz* (361–440), der in Kaisareia (Kappadokien) und Konstantinopel eine vorzügliche griechische Bildung erfahren hatte und in seiner Heimat als Priester und Missionar wirkte, war der Überzeugung, daß ein Volk die Heilige Schrift in seiner Muttersprache lesen und hören muß, wenn es von der Botschaft Christi durchdrungen sein soll. Liturgie und Predigt wurden bis dahin in den Sprachen der christlichen Nachbarvölker gehalten, der Syrer im Süden und der Griechen im Westen. Da deren Alphabete aber keine Buchstaben enthielten, die die eigentümlichen Laute des Armenischen wiedergeben konnten, mußte eine eigene nationale Schrift geschaffen werden. Unter der Förderung des tatkräftigen Katholikos Sahak (390–440) gelang es Mesrop nach mehreren Versuchen, aus den griechischen und syrischen Vorlagen ein 36 Buchstaben umfassendes Alphabet zu erstellen. Zunächst wurde von ihm und seinem Schülerkreis die heilige Schrift in der syrischen Überlieferung ins Armenische übertragen. Bald folgten Übersetzungen der wichtigsten exegetischen, liturgischen, kirchenrechtlichen und hagiographischen Werke der angesehensten Väter der griechischen und syrischen Kirche. Homilien des Johannes Chrysostomos, des Goldmundes unter den griechischen Vätern, Bibelkommentare des Kyrill von Alexandrien, die Katechesen des Kyrill von Jerusalem, die Liturgie des Basileios von Kaisareia und seine Regeln für die Mönche, des Syrers Ephraim Kommentare zur Heiligen Schrift, um nur einige Beispiele zu nennen, wurden mit klassischer Eleganz in die armenische Sprache übertragen. Manche der griechischen und syrischen Werke, die im Laufe der Jahrhunderte verlorengingen, blieben uns dank der armenischen Fassung erhalten. Leider dauerte diese goldene Epoche nur bis zum Jahre 451; damals wurden die Armenier in blutige Glaubenskämpfe mit den Persern verwickelt, die ihnen ihre zarathustrische Religion aufzwingen wollten.

Mesrop dehnte seine missionarische Tätigkeit auch auf die beiden nordöstlich wohnenden Völker, die Georgier und Albanier im Kaukasus, aus. Er entwickelte sogar für sie ihrer Sprache angepaßte Alphabete. Trotz seiner ausgedehnten Reisen zur Festigung des christlichen Glaubens betätigte sich Mesrop auch schriftstellerisch. Für die Fastenzeit verfaßte er Bußlieder; zudem ist eine Sammlung von 23 Homilien, die aber eher als theologische Abhandlungen zu bezeichnen sind, von ihm erhalten. In älteren Ausgaben wurden diese Homilien als das Werk des heiligen Gregor des Erleuchters ausgegeben; sie stammen jedoch aus der Feder Mesrops.[5] Obwohl reich an tiefen, zuweilen dunklen Gedanken, ist ihre Sprache jedoch arm an Bildern. »Alles weist darauf hin, daß wir hier einen der ersten Versuche vor uns haben, das Armenische zur Literatursprache zu erheben.«[6]

Koriun, ein Schüler Mesrops, hat uns in glühender Verehrung für seinen Meister dessen Leben aufgezeichnet und damit die armenische Geschichtsschreibung eröffnet. Alles, was über den Zeitraum von 407 bis 440 von der armenischen Kirche bekannt ist, verdanken wir diesem Werk. Schon früh hatte Mesrop ihn zusammen mit Lewondes (Leontius) nach Konstantinopel geschickt, damit sie dort die Schriften der griechischen Väter übersetzten.[7] Wenn auch die altarmenischen Übersetzungen nicht mit seinem Namen überliefert sind, so dürften sie doch wohl auf seine Tätigkeit zurückzuführen sein. – Koriuns Todesjahr ist unbekannt.

Eznik von Kolb, einem armenischen Dorf, war einer der wichtigsten Mitarbeiter Mesrops Maschtotz's, der ihn zusammen mit Joseph von Palen nach Edessa (heute Urfa in der Südosttürkei) sandte, damit sie die Werke der syrischen Väter ins Armenische übertrügen. Nach Erledigung dieser Aufgabe begaben sie sich nach Konstantinopel und beteiligten sich an der Übersetzertätigkeit Koriuns und Lewondes'; um 435 kehrten sie von dort mit den Beschlüssen der ersten drei Konzilien (Nikaia, Konstantinopel und Ephesus) in ihre Heimat zurück. In ihrem Gepäck befand sich ein auserlesenes Exemplar einer griechischen Bibelhandschrift; nach dieser »Musterbibel« wurden die bisherigen Übersetzungen revidiert. – Eznik wurde zum Bischof von Bagrevand bestellt. Er verfaßte das bedeutende Werk »Wider die Irrlehren«, in dessen vier Büchern er die Irrtümer der Heiden (Ewigkeit der Materie und ewige Personhaftigkeit des Bösen), des persischen Mazdaismus (Dualismus einer guten und bösen Gottheit und fatalistische Lebenseinstellung), der griechischen Philosophen (Vielheit der Götter und ewige Materie als Ursprung des Bösen) und des christlichen Gnostikers Markion (Geheimlehre, die zu wissen vorgab, was Paulus im dritten Himmel geschaut hat) widerlegt. Dieses Werk »ist der erste Versuch eines eben aus Barbarei und Unkultur zu christlichem Denken erwachten reichbegabten Volkes, die heidnische Weltanschauung in ihren Hauptsystemen und nach ihren Grundgedanken spekulativ zu bekämpfen«[8]. Eznik hat auch Homilien veröffentlicht, die jedoch verlorengegangen sind.

Komitas, Katholikos von 611–628, hat für die ersten Martyrerinnen der armenischen Kirche, der hl. Rhipsime und ihrer Gefährtinnen, eine Gedenkstätte errichten lassen und ihnen zu Ehren einen Hymnus mit 36 Strophen, beginnend mit je einem Buchstaben des Alphabetes, verfaßt. Er soll auch »das Siegel des Glaubens« zusammengestellt haben, eine Sammlung dogmatischer Lehren der griechischen Väter.[9]

Elische (Elisäus), mit dem Titel *Vardapet* (Lehrer), gilt als der bedeutendste Geschichtsschreiber Armeniens. Bis gegen Ende des 19. Jahrhunderts hielt man ihn für einen Historiker des 5. Jahrhunderts, der »Die Geschichte des armenischen Krieges«, den Heldenkampf der Armenier unter ihrem Feldherrn Vardan gegen die Perser, »ein

Werk von hinreißender Sprachgewalt und glühendem Patriotismus«[10], verfaßt habe. Neuere Untersuchungen weisen ihn in das 7. Jahrhundert. Um 660 hat dieser Elische den Aufstand gegen Schah Chesrau I. im Jahre 571 und den Krieg gegen die Perser in den Jahren 572–580 behandelt. Die Geschichte dieses Religionskrieges hat ein Unbekannter schließlich umgearbeitet und dem Glaubenskampf von 451 angepaßt; in dieser Redaktion ist das Werk überliefert. – Elische hielt sich um 645 in Palästina und im Verklärungskloster auf dem Sinai auf; sein Werk »Worte der Ermahnung an die Einsiedler« dürfte auf die Erfahrungen dort zurückgehen. Weiter sind von ihm überliefert »Die Erklärung des Vaterunser« und Homilien über das Leben Christi. Verloren sind seine exegetischen Arbeiten.

Dem *Johannes Mandakuni,* der um 478 Katholikos wurde, werden 25 Reden zugeschrieben. Da diese Predigten aber nicht in der Sprache jener Zeit verfaßt sind, dürften sie wohl wie auch einige Gebete des Breviers von *Johannes von Tsakhnut* stammen, der um 650 lebte, von dem aber weiter nichts bekannt ist.[11]

Mambre Verzanogh (Vertsnol), von dem nur zwei Homilien überliefert sind, galt bisher als Schüler Mesrops; es handelt sich aber tatsächlich um einen Schriftsteller des 7. Jahrhunderts.[12]

Als bedeutendster Geschichtsschreiber Armeniens gilt *Moses (Movses) von Choren,* so nach seinem Geburtsort genannt. Die dürftigen Nachrichten über sein Leben spann die Legende aus, nach der er im 5. Jahrhundert lebte und im Auftrag Mesrops zur Weiterbildung nach Syrien, Palästina, Alexandrien, Griechenland und Rom reiste. Er wird der erworbenen Gelehrsamkeit wegen mit dem Beinamen »Vater der Gelehrten« geehrt. Bei seiner Rückkehr soll er ein zerstörtes und verwüstetes Armenien vorgefunden haben. Der Epilog der von ihm verfaßten »Geschichte Armeniens« jedenfalls ist ein ergreifendes Klagelied auf seine von den Persern verwüstete Heimat und das durch Machtkämpfe zerrüttete Volk. Seine Geschichte ist das wohl am häufigsten in andere Sprachen übersetzte armenische Werk; es umfaßt drei Bücher. Das erste enthält eine Genealogie der armenischen Urgeschichte; es beginnt bei Adam und führt über Haikh, einem Nachkommen des Noach-Sohnes Japhet, bis zum Beginn der Arsakiden-Dynastie im Jahre 149 v. Chr. Im zweiten Buch wird »die mittlere Geschichte unserer Vorfahren« bis zur Christianisierung Armeniens und dem Tode Gregors des Erleuchters behandelt. Das dritte führt bis zum Sturz der Arsakiden im Jahre 428; es beklagt, daß das Katholikat nicht mehr mit dem Stamm Gregors verbunden ist und erwähnt noch den Tod des Katholikos Sahak und seines Freundes Mesrop Maschtotz um 440. Das Werk ist angeblich im Auftrag des Bagratiden-Fürsten Sahak, der 482 gegen die Perser fiel, verfaßt. Tatsächlich ist es zugleich eine Verherrlichung der Bagratiden-Dynastie, die im 9. Jahrhundert alle anderen Adelsfamilien überstrahlte und nach der Befreiung von Persien die Könige stellte.[13] Neuere Untersuchungen machen darauf aufmerksam, daß dieses große Geschichtswerk Quellen aus der Zeit nach dem 5. Jahrhundert verwertet, und zeigen auf, daß sein Autor der Zeit um 850 zuzurechnen ist.[14] Es ist nicht bekannt, ob dieser Moses von Choren Laie, Mönch oder Kleriker gewesen ist.

Als größter Mystiker der armenischen Kirche gilt *Gregor von Narek,* so benannt nach dem Kloster, in dem er wirkte. Er wurde 945 als jüngster von drei Söhnen dem Khosrow von Antsevatsik geboren, der sich durch seine Erklärung der Gebete der Meßliturgie einen Namen gemacht hat.[15] Bereits in jungen Jahren rühmte man Gregor als einen gelehrten und frommen Mönch. Er starb im Jahre 1010. Sein Lebenswerk sind umfangreiche Dichtungen von großer religiöser Tiefe: Zwanzig Hymnen zu den Festen des Kirchenjahres; ein Kommentar zum Hohenlied; eine Lobrede auf das hl. Kreuz anläßlich der Überführung einer Kreuzpartikel in das Kloster Aparank; ferner Lobreden zu Ehren des Heiligen Geistes, der Kirche, der Gottesgebärerin, der Apostel und der siebzig Jünger, des hl. Jakob von Nisibis. Sein berühmtestes lyrisches Werk ist aber »Das Buch der Gebete«, heute einfach »Narek« genannt; es besteht aus 95 als »Wort« bezeichneten Kapiteln mit insgesamt 366 litaneiartigen Gebeten und Hymnen, die wohl den Tagen eines Jahres zugeordnet sein sollen. Viele dieser Lieder und Gebete haben Eingang gefunden in das Hymnarium und Brevier der armenischen Kirche.

Als letzter in der Reihe der berühmten Väter und Dichter ist *Nerses Schnorhali* (der Anmutige, Begnadete) zu nennen; diesen Beinamen verdankt er seinem dichterischen Werk. Geboren wurde er 1102 auf der Burg Dzovk im kilikischen Königreich Armenien. Zusammen mit seinem älteren Bruder, dem späteren Katholikos Gregor III.

(1113–1166), erhielt er seine Ausbildung in der Heimat. Als Priester und Bischof stand er seinem Bruder in den bedrängten Zeiten des kilikischen Reiches zur Seite. Er reiste mit ihm 1139 nach Antiochien, um dort an einer von lateinischen Bischöfen einberufenen Synode teilzunehmen; sie diente nicht zuletzt der Anbahnung einer Einheit von armenischer und römischer Kirche. Nerses war mit seinem ökumenisch geprägten Geist ein glühender Förderer der kirchlichen Einheit zwischen Armeniern, Griechen, Syrern und Lateinern. In einer Reihe von Briefen an verschiedene Persönlichkeiten in Staat und Kirche entwickelt er seine Vorstellung von der ersehnten Einheit, die nicht »durch Zwangsgewalt von Königen, sondern durch Demut«[16] gewonnen werden kann. Von 1166 bis zu seinem Tode im Jahre 1173 leitete Nerses als Katholikos die Geschicke der armenischen Kirche.

Seine literarische Tätigkeit erstreckte sich über ein halbes Jahrhundert; fast alle Werke sind erhalten geblieben.[17] Mit 19 Jahren vollendete er seine »Geschichte Armeniens« in Versform; in 1600 Zeilen durcheilt dieses Epos die Geschichte vom Beginn bis ins 12. Jahrhundert. Seine »Elegie auf Edessa« berichtet in 2690 Zeilen die Eroberung dieser Stadt, in der 30.000 Armenier lebten, durch den islamischen Herrscher von Aleppo im Jahre 1145 und schildert die unheimlichen Verwüstungen und Massaker; es werden die Schwestern Rom und Antiochien eingeladen, Edessas Schicksal mitzubeweinen. Nerses Schnorhalis großartigste Dichtung mit 4000 Zeilen beginnt mit den Worten »Jesus, der Sohn« und wird auch so zitiert. In drei Teilen wird die Heilsgeschichte des Alten Testamentes, des Neuen Bundes und die Zeit der Kirche zwischen Geistsendung und Vollendung besungen. Im mystischen Erleben wird die erzählte Geschichte immer wieder zum persönlichen Gebet des Verfassers. Kleinere dichterische Werke sind die rhythmische Darlegung der christlichen Lehre: »Wort des Glaubens« mit 1500 Zeilen, das Prosagebet mit 24 Versen entsprechend den Stunden des Tages: »Gläubig bekenne ich« mit »einer tiefen Spiritualität, in der die gnädige Anwesenheit Gottes spürbar ist«[18]. Außerdem sind von ihm überliefert ein Gebet, das er anläßlich seiner Weihe zum Katholikos 1166 verfaßte, und eine bald darauf versandte Enzyklika an das armenische Volk. Zahlreiche Hymnen zu den kirchlichen Festtagen schuf er; viele werden noch heute gesungen. Selbst die Melodien zu den Hymnen komponierte er.

In dieser Übersicht soll nicht ein Hinweis auf das Entstehen der *armenischen Liturgie* und die Herkunft ihrer Texte fehlen. In ihrer bewegten Geschichte haben die Armenier aus vielen Quellen geschöpft, sie mit eigenem Können bereichert und sich so in vielen Jahrhunderten ihre eigene liturgische Ordnung geschaffen.[19] Aus drei Quellen strömten dem armenischen Ritus die ersten Kräfte zu: Noch erkennbar sind jene Elemente, die im 4. Jahrhundert aus der alten syrisch-jerusalemischen Jakobus-Liturgie über Edessa und Kaisareia (Kappadokien) nach Armenien gelangten. Nachdem sich im 5. Jahrhundert in Kappadokien die Basilius-Liturgie durchgesetzt hatte, übernahmen die Armenier diese Form, fügten ihr aber ältere syrische Elemente ein. Seit dem 7. Jahrhundert wurden zudem Gebete aus der Stadtliturgie von Konstantinopel, die mit dem Namen des Johannes Chrysostomos verbunden ist, übernommen. Nebeneinander gab es viele Meßformulare; bis zu 15 sind nachweisbar. Schließlich hat auch die römische Liturgie während der Zeit der Kreuzzüge auf die armenische Meßfeier eingewirkt. Doch enthält sie auch Eigenschöpfungen voll tiefer Poesie. Das heute einzig gültige Meßformular, das seit dem 13. Jahrhundert nachweisbar ist und das von der Armenisch-Apostolischen Kirche wie von den mit Rom unierten Armeniern benutzt wird, bildet »eine äußerst originelle Synthese«[20] aus den alten Liturgien der großen Schwesternkirchen und eigener Tradition; ihren Grundstock jedoch lieferte die griechische Basilius-Liturgie.

Vom 13. bis zum 17. Jahrhundert hat auch das *Hymnarium*, die Grundlage für das Stundengebet, seine endgültige Form erhalten. Mehr als jedes andere liturgische Buch ist es ein Zeugnis eigenständigen Schaffens armenischer Dichter, die in ihm zu Wort kommen mit ihren schönsten Liedern. Das Hymnarium enthält 1150 Hymnen, 13 Lieder und 36 psalmenartige Strophen.[21] Die Hymnariumhandschriften, die zwischen dem 12. und 16. Jahrhundert entstanden, sind zumeist ausgeschmückt worden mit erlesenen Miniaturen, die die besungenen Festgeheimnisse illustrieren.

4. Die kirchliche Kunst der Armenier

Architektur, Skulptur und Malerei entwickelten sich bei den Armeniern in enger Verbindung mit ihrem christlichen Glauben. Aus vorchristlicher Zeit sind nur wenige

28

Zeugnisse übriggeblieben, und der politischen und militärischen Unterdrückung durch die persischen, arabischen und türkischen Nachbarvölker ist es zuzuschreiben, wenn von der reichen und großartigen kirchlichen Baukunst heute oft nur noch Ruinen oder stark beschädigte Gebäude erhalten sind und viele der kostbaren Bücher aus den Klosterbibliotheken vernichtet wurden. Doch lassen die wenigen Zeugen noch etwas vom einstigen Glanz der christlichen Sakralkunst ahnen.

Die Blüte der *Architektur* fällt in das 9.–11. Jahrhundert, als Armenien während der Bagratiden-Dynastie ein unabhängiger Staat war. Einflüsse in der Baukunst aus Syrien, Persien und Byzanz sind unverkennbar; doch haben die Armenier dabei ihren unverwechselbaren eigenen Stil entwickelt und in der Bautechnik sogar einen eigenen Weg beschritten. Sie führten die großen Gebäude von der Basis bis zur Spitze einschließlich der stets gewölbten Decken aus einem Gemisch von Bruchsteinen und von ebenso kräftig wie rasch abbindendem Mörtel auf. Diese Mischung wurde zwischen einen aus behauenen Steinen bestehenden Mauermantel gegossen. Der Mantel war zur Innenseite der Kirche nur unregelmäßig, an den Schauseiten nach außen jedoch mit peinlicher Sorgfalt gearbeitet. Die erstarrende Gußmasse verband sich mit den Steinen zu einem einheitlichen Körper. Reihe auf Reihe so übereinander schichtend, schuf man ein haltbares, gegen Erdbeben sicheres Mauerwerk. Das eingegossene Konglomerat verspannte die Bauglieder lückenlos und entlastete die außen liegenden Decksteine von jeglicher Beanspruchung. Auf diese Weise konnten Hallenkirchen mit hohen Seitenwänden entstehen und das Dach auf die Außenwände gelagert werden, ohne daß diese durch druckauffangende Strebebögen gestützt werden mußten. Zudem konnte man die parabolischen oder hufeisenförmigen steinernen Gewölbe ohne Leergerüst ausführen. Die Kirchen weisen zumeist einen kurzen dreischiffigen basilikalen, manchmal kreuzförmig erweiterten Grundriß auf. Das Gewölbe ist nach außen mit einem steinernen Satteldach in Kreuzform abgedeckt. Seit dem 7. Jahrhundert wurde über der Dachvierung eine Kuppel erbaut. Über der Gewölbevierung erhebt sich zunächst ein acht- oder zwölfeckiger Tambour, auf dem die Kuppel mit ihrer Kreisbasis liegt. Ihr Gewicht verteilt sich dank der in Gewölben und Wänden erstarrten Gußmasse gleichmäßig auf alle Bauelemente, so daß tragende Stützpfeiler für Tambour und Kuppel nicht notwendig wurden. Nur in größeren Kirchen errichtete man Bündelpfeiler; die von ihnen ausgehenden Bögen stützen Gewölbe und Kuppel. Nach außen sind die Kuppeln stets mit einem steinernen Pyramidendach bekleidet; es soll an den heiligen Berg der Armenier, an den Ararat erinnern. (Auch die Mönche tragen als unverkennbares Zeichen ihrer nationalen Herkunft eine Kapuze, die den Pyramiden-kegel des Ararat darstellen soll.)

Die Außenwände mit ihren verhältnismäßig großen Flächen sind durch dekorative Elemente belebt und gegliedert: Halbsäulen, Blendbögen, Flechtornamente und Schmuckbänder um die schmalen Fenster, Weinranken und geometrische Figuren zieren die glatten Flächen und lösen sie auf.

Die hochragenden Pfeiler mit ihrem Gurtwerk und den leicht gespitzten Bögen er-innern stark an die abendländische Gotik. Allerdings haben die Armenier diese Bau-technik schon im 10. Jahrhundert beherrscht, während derartige Pfeiler und Bögen im Abendland erst zweihundert Jahre später aufgeführt wurden. Sicherlich war die leb-hafte Begegnung zwischen Kreuzfahrern aus dem Abendland und den Armeniern in Kilikien während des 11. und 12. Jahrhunderts nicht nur auf militärische und religiöse Unterstützung beschränkt; wieweit eine kulturelle und künstlerische Bereicherung stattfand, bedarf noch eingehenderer Untersuchungen. Eine gewisse Nähe im dyna-mischen Ausdruck wird auch zwischen der abendländischen und armenischen Buch-malerei dieser Zeit deutlich.

Die Einfälle und Eroberungen der seldschukischen Türken im 11. Jahrhundert und die der Mongolen im 13. Jahrhundert haben der armenischen Baukunst schließlich ein Ende gesetzt. Wo, wie in Persien im 18. Jahrhundert, noch neue Kirchen errichtet wurden, griff man auf die alten und bewährten Modelle und Schmuckmuster zurück.

Die *Skulptur* diente in Armenien der Architektur als Dekoration; eine eigenständige Rolle hat sie nicht gespielt. Das mag darauf zurückzuführen sein, daß die in der grie-chischen Reichskirche von Kleinasien, Syrien und Ägypten sich anbahnende Bildtheo-logie isolierte Rundplastiken, insofern sie heidnische Vorstellungen von der Einwoh-nung einer Gottheit förderten, ablehnte und, wenn überhaupt, nur flächenhafte oder höchstens reliefartige Bildwerke als Kultbilder zuließ. Die armenischen Steinbildner zerlegten biblische Szenen und einzelne Figuren in rechteckige Bildelemente und meißelten diese mit größter Sorgfalt in die Schauseiten der Steinblöcke oder aus diesen heraus; schließlich wurden die bearbeiteten Blöcke mit exakter Genauigkeit zu Wänden zusammengefügt. Vor Errichtung einer Kirche mußten die Gebäudeseiten in allen Teilen konzipiert und graphisch festgelegt werden.

Das Hauptwerk armenischer Bildhauerkunst ist der Reliefschmuck am Außenbau der Kreuzkirche von Achtamar im Van-See aus den Jahren 915–921. Hier wechseln biblische Szenen und Heiligengestalten, ganzfigurig oder als Brustbild in Form eines Medaillons, mit Tierdarstellungen und reicher Rankenverzierung, die der syrischen und persischen Welt entlehnt sind. Trotz dieser Entlehnungen einzelner Elemente trägt der Skulpturenschmuck in seiner Gesamtheit ausgeprägte armenische Züge. Der theologische Sinn solchen Außenschmuckes an den Kirchen ist darin zu sehen, die Gotteshäuser als himmlisches Eden auf Erden, als irdischen Gottesgarten, auszuweisen. Im Schmuck des Kirchengebäudes vereinen sich die Vorstellungen vom Paradies mit den Hoffnungen auf das neue Jerusalem. Das wird ebenfalls deutlich, wenn wir zum Vergleich die Thaddäuskirche bei Makku in Persien heranziehen; sie wurde schon im 6. Jahrhundert erbaut, erhielt aber ihren herrlichen Außenschmuck erst bei der Renovierung im 18. Jahrhundert.

In diesem Zusammenhang müssen auch die *Khatchkare* erwähnt werden; es sind Kreuzsteine, die überall im Lande anzutreffen sind. Als im 4. Jahrhundert heidnische Tempel in Kirchen umgewandelt oder solche an zerstörten Kultstätten errichtet wurden, stellte man zum Zeichen der Christusweihe an diesen Orten Kreuze auf, zunächst Holzkreuze, in den nächsten Jahrhunderten steinerne Kreuze. In der Periode der politischen Freiheit und kulturellen Renaissance, die im 9. Jahrhundert begann, erhielten die Kreuze jene unverkennbare Form, die sie als Khatchkare ausweisen; vom 13. bis zum 16. Jahrhundert erreichten sie ihre vollendete Feinheit. In die polierte Seite von Findlingen oder eigens geschnittenen und geglätteten Steinplatten wurden Schmuckkreuze und als Ornamente Weinranken, Fruchtbänder oder geometrische Muster eingeschnitten, die von der hohen Kunst der Handwerker zeugen. Die Steinbearbeitung war eine äußerst schwierige Arbeit; das Material, im Umkreis des Ararat gefunden, ist zumeist vulkanischen Ursprungs. Der Künstler war mit seiner ganzen Person gefordert, mit seinem handwerklichen Können wie mit seiner schöpferischen und formschaffenden Vorstellungskraft.

Sollten die Kreuze der frühen Zeit die Ausbreitung des christlichen Glaubens dokumentieren, so wollen die Khatchkare die Freude über die erlösende Kraft Christi bezeugen und die Betrachter zu Gebet und Meditation anregen. Gegenüber den benachbarten und herrschenden islamischen Persern und Arabern bekundeten sie zugleich die Unüberwindbarkeit der Kirche und die Einheit und den Freiheitswillen des armenischen Volkes, die im Glauben an den befreienden Gott und in der Erlösung durch Christus begründet sind. Bei vielfältigen Gelegenheiten wurden Khatchkare errichtet, zur Erinnerung an militärische Siege wie zum Gedenken an die gefallenen Krieger, zur Einweihung von Kirchen und Klöstern wie zur Markierung von Wegkreuzungen, als Dankesgaben für neue Brunnen oder Brücken wie als Gedenksteine auf Friedhöfen. Sie sind in die Wände der Gebäude, neben den Türen wie in der Höhe unter dem Dach, eingefügt oder sie stehen, einzeln oder in Gruppen, frei im Gelände; sie zählen zu Tausenden.

In das Mittelfeld der Khatchkare ist ein großes Kreuz zumeist über einer Kosmoskugel eingeschnitten; sie symbolisieren den Lebensbaum und die Weltharmonie. Neben dem Kreuz stehen oft zwei kleinere Kreuze, die an das Geschehen von Golgotha erinnern. Selten ist an dem Kreuz der gekreuzigte Herr zu sehen; wegen der muslimischen Beherrscher und des Koran, nach welchem die Darstellung lebender Wesen verboten ist, konnten die Armenier öffentlich keine Kreuzsteine mit dem Crucifixus aufstellen. Das Umfeld neben dem Kreuz ist geschmückt mit einem Netzwerk verschiedener pflanzlicher oder geometrischer Motive, die in einem Endlosband von einem Muster ins andere übergehen. Die Feinheit vieler Netzwerke erinnert an das Filigran der Silberschmiedekunst oder an die Feinheit Brüsseler Spitzen. Durch das Endlosband von Weinranken und anderen Pflanzen wird dem strukturierten Stein das Zeichen von Ewigkeit und Unendlichkeit eingeprägt. Das harte Material wird dadurch gleichsam entmaterialisiert. Im unteren Bereich der Khatchkare finden sich zuweilen Szenen aus der neutestamentlichen Botschaft, im oberen Feld das Bild Christi, des Allherrschers, umgeben von Engeln und Heiligen, die an seinem Thron Fürbitte für die Menschen und den Betrachter des Kreuzsteines einlegen.

In der Zeit vom 16. bis zum 18. Jahrhundert, einer Zeit politischer und religiöser Unterdrückung, wurden noch unzählige Khatchkare auf Friedhöfen aufgestellt; sie erreichten aber nicht mehr die Eleganz der mittelalterlichen Kreuzsteine.

Der Ararat,
mit ewigem
Eis bedeckt,
ein Erstling
der Schöpfung

Die Kreuzkirche
von Achtamar
(915 – 921),
ein Juwel
armenischer
Baukunst

Tafel IV

Adam und Eva
neben dem
Lebensbaum
im Frühlicht der
aufgehenden Sonne

Bärin mit ihren Jungen
zwischen den süßen Früchten des Weinstocks

Abrahams
Opferbereitschaft
und Glaubenstreue

Die Parabel vom Propheten Jona

Tafel XII

Gleichnis von den
zehn Jungfrauen
Hymnarium,
16./17. Jh.,
Kodex 986,
Mechitharisten-
kloster, Wien)

Tafel XIII

Auferweckung
des Lazarus
(Evangelien-
handschrift des
Boghos, 1307,
Mechitharisten-
kloster, San Lazaro,
Venedig)

Tafel XIV

Einzug
in Jerusalem
(Hymnarium,
16./17. Jh.,
Kodex 986,
Mechitharisten-
kloster, Wien)

Tafel XV

Abendmahl

(Evangelien-
handschrift, 15. Jh.,
Kodex 295,
Mechitharisten-
kloster, Wien)

Tafel XVI
(Kreuzigung Jesu
Evangelien-
handschrift des
Boghos, 1307,
Mechitharisten-
kloster, San Lazaro,
Venedig)

Tafel XVII

Erweckung
der Ureltern
zum neuen Leben
durch Christus
(Hymnarium,
16./17. Jh.,
Codex 986,
Mechitharisten-
kloster, Wien)

Tafel XVIII

Sendung des
Heiligen Geistes
(Evangelien-
handschrift des
Boghos, 1307,
Mechitharisten-
kloster, San Lazaro,
Venedig)

afel XIX

ereitung
es Thrones zur
Wiederkunft Christi
Evangelien-
andschrift, 14. Jh.,
Mechitharisten-
loster, San Lazaro,
Venedig)

Kathedrale von Etschmiadzin,
Mutterkirche der armenischen Christen

Thaddäuskirche in Westpersien

Altar und Marien-
bild – die Zeichen
der leben-
spendenden
Entäußerung Christi

Bilder des Heils:
Wandkacheln in der Etschmiadzinkapelle zu Jerusalem

Maria, Wegweiserin zu Christus
und Fürsprecherin bei ihm

Patriarch Elisäus und seine Gemeinde
bei der Vesperliturgie
zu Ehren des hl. Jakobus d. Ä.

Tafel XXVIII

Katschkar

in Etschmiadzin

mit dem Kreuz

als Lebensbaum und

Versöhnungszeichen

(15./16. Jh.)

Die Familie Jesu,
irdischer Wurzelgrund seiner Opferbereitschaft
und Vorbild der kirchlichen Gemeinschaft
(Ausschnitt aus Tafel XXVIII)

Der „alles erlösende"
Christus
auf dem Katschkar
von 1279
in Etschmiadzin

Tafel XXXI

Das Kreuz als
Lebensbaum
über dem Kosmos,
Kratschkar
aus dem 15. Jh.
Etschmiadzin

Apostel- und Johanneskirche
über dem Sewansee in Sowjet-Armenien

Von der Ausmalung der armenischen Kirchen sind nur spärliche Reste erhalten. Das Fehlen der *Wandmalereien* in den meisten Gotteshäusern hat seinen Grund darin, daß eine sehr dünne, leicht abfallende Putzschicht als Bildträger verwendet wurde. Wie die wenigen Malreste zu erkennen geben, besaßen alle Kirchen reiche Freskenzyklen. Das Faltenwerk der Personen war zu rhythmischen Linien stilisiert; die Behandlung des Raumes erfolgte ohne Perspektive und ist durch unterschiedliche Größenverhältnisse der Personen gekennzeichnet, wie es auch in der syrischen und ägyptischen Malerei bekannt ist.

Schon im 5. Jahrhundert, als Bilder in immer stärkerem Maße Eingang in den liturgischen Raum fanden, beschäftigt sich Eznik von Kolb mit ihrer Berechtigung. Er wendet sich gegen den Brauch der heidnischen Umwelt, Bilder »zu verehren und wie Gott anzubeten«. Eine Unterscheidung zwischen Verehrung und Anbetung wird noch nicht gemacht. Eznik gibt aber zu verstehen, daß Bilder als Erinnerungszeichen oder als Schmuck geduldet werden können:

> *Wenn jemand dem wahren Gott dient, so vollbringt er ein edles Werk. Wenn er jedoch den wahren Gott verläßt und Stein und Holz wie Gott verehrt, so begeht er ein schweres Unrecht. Denn er begibt sich in die Abhängigkeit von vernunftlosen Geschöpfen. Fertigt jemand ein Bild an, nicht etwa aus Liebe zu einem Freund, der seinen Augen durch den Tod entzogen wurde, oder um seine Kunst zu zeigen, sondern um es zu verehren und wie Gott anzubeten, so begeht er eine böse Tat.*
> *Enznik von Kolb, Wider die Irrlehren, I, 10; nach Schmid, 43, und Weber, 43*

Da sich Armenien zur Zeit des Ikonoklasmus im Byzantinischen Reich bereits von der Reichskirche getrennt hatte, fand hier eine Auseinandersetzung um die Berechtigung der Bilder im Kult nicht statt. Zudem war unter arabischer Herrschaft eine zurückhaltende Einstellung in dieser Frage geboten. Trotzdem hat die armenische Kirche die Beschlüsse des 7. ökumenischen Konzils von 787, das die Verehrung der Ikonen als biblisch gerechtfertigt erklärt, angenommen.[22] In der Praxis hat aber die Bewertung der Bilder als Ikonen, die nach orthodoxer Überzeugung eine mysterienhafte Vergegenwärtigung des himmlischen Urbildes ermöglichen, keine so ausgeprägte Gestalt gefunden wie in der griechischen Kirche. Tatsächlich vertritt die armenische Kirche die Position, die zu Anfang des 7. Jahrhunderts der Vardapet Vrthanes Kherthogh lehrte: Das Bild ist ein Erinnerungszeichen; es führt den gläubigen Beter zum unsichtbaren Urbild. Eine gnadenhafte sakramentale Vergegenwärtigung des Urbildes im Bild wird damit jedoch nicht gelehrt. Auch die religiöse Übung bezeugt sie nicht.

Wenn wir uns vor dem Evangelienbuch verneigen oder es küssen, verneigen wir uns nicht vor dem Elfenbein oder vor dem Farbenschmelz, sondern vor dem Wort des Heilandes, das auf dem Pergament geschrieben ist. So ist es auch nicht der Farbe wegen, daß wir uns vor den Ikonen verehrend niederwerfen, sondern Christi wegen, in dessen Namen sie gemalt sind. Denn wir erreichen das Unsichtbare durch das, was sichtbar ist, und das Email und die Gemälde sind Erinnerungszeichen des lebendigen Gottes und seiner Diener. [23]

In diesem Sinne als »Erinnerungszeichen« müssen auch die herrlichen *Miniaturen*, mit denen armenische Künstler unzählige Kodizes ausgemalt haben, verstanden werden. Die Miniaturmalerei kam im 6. Jahrhundert auf, bald nachdem die Armenier in ihrer eigenen Sprache die Bibel und andere religiöse Schriften vorliegen hatten. Die ersten Anregungen zur Gestaltung und Farbgebung kamen aus Syrien, wo zu jener Zeit die Illuminierung der Manuskripte schon hohe Blüte aufwies. Über ein Jahrtausend wurde diese Kunst gepflegt; erst zu Beginn des 19. Jahrhunderts ist sie erloschen. Wie viele Handschriften illuminiert wurden, wird niemals feststellbar sein, da zahlreiche Werke in den Wirren politischer Unterdrückung und religiöser Verfolgung vernichtet wurden. Von den noch etwa 25.000 existierenden Handschriften [24] ist etwa ein Viertel mit Miniaturen versehen [25]; sie befinden sich hauptsächlich im Jerewaner Matenadaran, dem Institut zum Studium alter Bücher, im Jakobuskloster des Patriarchats von Jerusalem und in den Bibliotheken der Mechitharisten zu Venedig und Wien.

Evangelienbücher und Hymnarien wurden am häufigsten ausgeschmückt. Obgleich die Zahl der geeigneten Evangelienperikopen und der kirchlichen Festtage begrenzt ist, bemühten sich die Maler, keine Monotonie in ihren Darstellungen aufkommen zu lassen. Zudem haben sie die Miniaturen im Bildfeld oder in den Randleisten und die Initialen der Evangelienanfänge mit unzähligen Ornamenten nach Motiven aus der Tier- und Pflanzenwelt verziert. In der ersten Periode bis zum 11. Jahrhundert bezogen die Künstler vielerlei Anregung bei der Gestaltung der Motive aus Syrien und darüberhinaus aus Ägypten; sie gaben ihren Schöpfungen jedoch jenes unverwechselbare Aussehen, das armenischen Miniaturen eigen ist. Ihre Blüte erreichte die Miniaturmalerei in der kilikischen Epoche vom 11. bis zum 14. Jahrhundert, in welcher der in politischer Eigenständigkeit gepflegte Kontakt mit den Kreuzfahrern und Byzantinern zur großen Bereicherung der armenischen Kultur führte. Die Künstler verstanden es, die Motive verschiedenen Ursprungs zu harmonischen Kompositionen eigener Art zu verbinden. Die Lebhaftigkeit der Gesten und der Gesichter der dargestellten Personen und die Intensität und Variation der Farben und der Goldauflagen heben die Miniaturen des 12. und 13. Jahrhunderts von der hieratischen Art byzantinischer Buchmalerei ab, und man könnte meinen, in ihnen schon die Bewegtheit und Eleganz gotischer Malerei vorgezeichnet zu finden. Es gab aber zur gleichen Zeit klösterliche Malerschulen von unterschiedlicher Qualität; so finden sich neben der lebendigen Formgebung auch Malereien von ziemlich steifer und hölzerner und unbeweglicher Art. Die fähigsten kilikischen Künstler waren um die Gestaltung lebendiger Gesichtsausdrücke bemüht, so daß man Bildnisse ihrer Zeitgenossen vor sich zu haben meint. In der Anmut und Feinheit der Ausführungen, gelöst von der hieratischen Struktur byzantinischer Ikonographie, in der Verwendung neuer Farbkompositionen und in der Zartheit der ornamentalen Muster gibt sich unverkennbar armenische Miniaturkunst zu erkennen.

Ein Nachklang der Wandmalerei und Miniaturkunst eigener Art ist in den illuminierten *Kacheln* zu sehen, die die Wände der Etschmiadzin-Kapelle im Patriarchat von Jerusalem schmücken. Armenische Künstler schufen sie in Kütahya in Westanatolien. Hierher waren ihre Familien nach der Eroberung Persiens durch die Türken (1514) aus Ostarmenien eingewandert und hatten die im Iran in hoher Blüte stehende Kunst der Herstellung von Fayence-Kacheln mitgebracht. Um das Jahr 1719 faßten Lateiner, Griechen und Armenier gemeinsam den Plan, das heilige Grab in der Auferstehungskirche neu zu gestalten; in Kütahya bestellten sie dafür die Kacheln. Im späten 17. und 18. Jahrhundert haben armenische Künstler für zahlreiche Kirchen und Moscheen im Osmanischen Reich Dekorationskacheln mit pflanzlichen und geometrischen Motiven hergestellt. Doch wegen ihres Bildschmucks sind die Etschmiadzin-Kacheln einzigartig in der Welt. Leider kam der Plan, die Grabeskapelle mit ihnen auszuschmücken, nicht zur Ausführung; die Kacheln gelangten zum armenischen Patriarchat, wo sie bis heute inmitten hunderter ornamentbemalter Kacheln die Etschmiadzin-Kapelle zieren. Sie zeigen, mit erklärenden armenischen Inschriften versehen, Szenen aus dem Alten und Neuen Testament und die Gestalten beliebter Heiliger.

I.
DER WEG ZU CHRISTUS

1. Gottes Schöpfermacht und Güte

Zu den heiligen Bergen der Menschheit zählt der 5156 m hohe, von ewigem Eis bedeckte Vulkankegel des Ararat. Bei allen Völkern der Erde, die Himmelsgottheiten verehren, gelten Berge als Verbindung von Himmel und Erde; als Urbestandteile der Erde und als Weltachse ragen sie empor in die himmlische Sphäre und sind Thronsitz der Gottheit und ihres Hofstaates. Auch den vorchristlichen Armeniern, die als indogermanisches Volk im 9. Jahrhundert vor Christus aus dem Norden in das Hochland um den Ararat einwanderten und zu seinen Füßen seßhaft wurden, galt dieser Berg als heiliger Gottesberg.

Als die christlichen Missionare die Botschaft vom dreieinigen Gott, von seiner Schöpfermacht und seiner erlösenden und heiligen Liebe den Menschen im Lande unter dem Ararat brachten, konnten sie an ihrer vorchristlichen Überzeugung anknüpfen und zur Bestätigung auf das Alte Testament verweisen, das den Ararat als Berg der göttlichen Treue erwähnt: Nach der Sintflut und ihrer vom Bösen reinigenden Gewalt »gedachte Gott des Noach und aller Tiere und allen Viehs, das bei ihm in der Arche war. Gott ließ einen Wind über die Erde wehen, so daß das Wasser sank, ... und am siebzehnten Tag des siebten Monats ruhte die Arche im Gebirge Ararat. ... Und Gott sprach: Meinen Bogen setze ich in die Wolken; er soll das Bundeszeichen sein zwischen mir und der Erde« (Gen 8,1.4;9,13). Es ist unerheblich, ob die Bibel tatsächlich diesen bestimmten Berg in Armenien meint oder nur allgemein ein im Norden von Euphrat und Tigris gelegenes Bergland. Für die christlichen Armenier jedenfalls stellte dieser Gottesspruch den Ararat an die Seite des Berges Sinai, wo Gott mit dem Volk Israel seinen Bund erneuerte und ihm seine Weisungen erteilte, und des Berges der Seligpreisungen, auf dem Christus die Lebensordnung des Gottesreiches verkündete.

»Ehe die Berge geboren wurden, die Erde entstand und das Weltall, bist du, o Gott, von Ewigkeit zu Ewigkeit« (Ps 90,2). – Für die Armenier gehört der Ararat zu den Erstlingen der Schöpfung; in besonderer Weise ist er für sie Sinnbild ihres Glaubens an

Tafel II:
Der Ararat,
mit ewigem
Eis bedeckt,
ein Erstling
der Schöpfung

37

Gott, seine Herrlichkeit und Macht, an seine Güte und lebenschaffende Liebe. Die Mönche und Priester bedecken aus diesem Grund ihr Haupt mit einer Kapuze, die dem Kegel des Ararat nachgebildet ist; im Stundengebet singen sie zur Ehre Gottes:

Du bist gelobt in Ewigkeit!

Gott der Väter und aller Ewigkeit,
du bist gelobt in Ewigkeit!

Der du auf den Cherubim thronst,
du bist gepriesen und verherrlicht in Ewigkeit!

Lobt den Herrn und verherrlicht ihn in Ewigkeit!

Denn er ist der unsterbliche König;
verherrlicht ihn in Ewigkeit!

Ihn, der auf dem Thron der Herrlichkeit sitzt,
verherrlicht ihn in Ewigkeit!
Ter-Mikaëlian, Das armenische Hymnarium, 95

Anfangloser Vater und himmlischer König,
du wirst verherrlicht von den himmlischen, unsterblichen Heeren;
wir loben dich, anfangloser Vater!

Du stiegst aus der Höhe herunter zu unserer Erlösung,
Erretter der Gebundenen und Arzt unserer Seelen;
wir preisen dich, eingeborener Sohn!

Teil hast du am Wesen des Vaters und am Ruhm des Eingeborenen,
Spender der Gaben und Gnadengeber;
wir verherrlichen dich, heiliger und wahrhaftiger Geist!

Ruhm sei dir, Gott!
Die himmlischen Heere verherrlichen dich

38

mit wunderbarer Stimme und sprechen:
Der du auf den Cherubim thronest,
Ruhm sei dir, Gott!

Die erdgeborenen Menschenkinder
rufen Psalmen und Lobgesänge und sprechen:
Unzertrennbare Dreieinigkeit,
Ruhm sei dir, Gott!

Mesrop, zwei Dreifaligkeitshymnen;
Ter-Mikaëlian, Das armenische Hymnarium, 93.94

In der Meßliturgie beugt sich die ganze Gemeinde vor der Heiligkeit Gottes und singt ähnlich wie in der byzantinischen Chrysostomus-Liturgie den Dreimal-Heilig-Hymnus, das Trishagion. Sie betet die Güte des Schöpfers an, der »alle Geschöpfe aus dem Nichtsein ins Dasein gerufen«, den Menschen aber nach seinem Bild geschaffen hat und den Sünder nicht verläßt:

Heiliger Gott,
Heiliger Starker,
Heiliger und Unsterblicher,
erbarme dich unser!

Heiliger Gott, der in den Heiligen ruht,
mit dem Dreimal-Heilig-Gesang loben dich die Seraphim,
die Cherubim preisen dich
und alle himmlischen Mächte beten dich an.
Alle Geschöpfe hast du aus dem Nichtsein ins Dasein gerufen;
den Menschen aber hast du geschaffen
nach deinem Bild und als dein Gleichnis.
Du hast ihn geschmückt mit deinen Gaben
und ihn gelehrt, nach Weisheit und Einsicht zu suchen.
Du hast den Sünder nicht verlassen,
sondern ihm zur Rettung die Umkehr aufgetragen.
Du hast uns, deine demütigen und unwürdigen Diener,

gewürdigt, in dieser Stunde vor die Herrlichkeit
deines heiligen Altares zu treten und dir darzubringen
die gebührende Anbetung und Verherrlichung.

So nimm, Herr, aus dem Munde von uns Sündern
den Lobgesang des Dreimal-Heilig an
und bewahre uns durch dein Erbarmen;
verzeihe uns all unsere Vergehen,
freiwillige und unfreiwillige;
heilige unsere Seelen, das Gemüt und unseren Leib
und verleihe uns,
dir alle Tage unseres Lebens in Heiligkeit zu dienen,
durch die Fürbitte der heiligen Gottesgebärerin
und aller deiner Heiligen,
an denen du von Ewigkeit Wohlgefallen hast.
Denn du bist heilig, Herr, unser Gott,
und dir gebührt Herrlichkeit, Macht und Ehre,
jetzt und immer und von Ewigkeit zu Ewigkeit. Amen.
Trishagion-Hymnus der Meßliturgie; Steck, Liturgie, 37 f.

Im meditativen Gebet öffnet der Beter sein »Herz, das so steinern ist«, vor dem
dreieinigen Gott, dessen Güte ihm in Christus erschienen ist. In mystischem Erleben
wird seine Seele vom Gotteslicht durchdrungen und gereinigt. Neben der Allmacht
Gottes sind seine Schönheit und Menschenfreundlichkeit das Ziel des betrachtenden
Gebetes:

Du Aufgang meines Lichtes, Sonne der Gerechtigkeit,
scheine in meine Seele.
Du, von Gott her fließend, laß aus meiner Seele fließen
Worte, die dir gefallen.
Dreieinige Einheit, Träger von allem Seienden,
Erbarme dich mein!
Mach dich auf, Herr, und hilf!

40

Wecke mich aus dem Schlummer,
damit ich mit den Engeln wache.
Dein Name, Christus, ist der eines Liebenden.
Erweiche mit deiner Liebe
dies mein Herz, das so steinern ist.
Durch das dir eigene Mitleiden, durch die dir eigene Gnade
laß mich erneut leben.
Retter aller Wesen, eile mich zu retten
aus den Stricken der Sünde.
Reiniger vom Schmutz der Sünde,
reinige mich jetzt, da ich singe,
auf daß ich dich dort drüben preise.
Nerses Schnorhali, Hymnus auf die Dreieinigkeit;
Nersessian, Das Beispiel eines Heiligen, 68 f.

Die armenischen Lehrer der Frühzeit widmeten sich mit ihren Schriften der Unterweisung der Mönche, Priester und Missionare, damit diese das aus dem Heidentum kommende Volk in den biblischen Gottesglauben einführen konnten. Die Verfasser waren durch griechische Schulen gegangen; ihren Schriften ist daher eine vom griechischen Denken geprägte Sprache anzumerken; zuweilen ist in ihnen auch syrischer Geist unverkennbar. – Die literarischen Werke dienten darüberhinaus der geistigen Auseinandersetzung mit der von den Persern bei den Armeniern verbreiteten altiranischen Glaubenslehre des Mazdaismus, der ins Volkstümliche abgeglittenen Lehre Zarathustras. Danach stehen sich, umgeben von einem Gesinde von Untergöttern, im dualistischen Kampf der gute Gott Ormazd, Schöpfer und Richter der Welt, und der böse Geist Ahriman, Schöpfer der Welt des Bösen, gegenüber. Den guten Gott identifizierte das Volk zudem mit dem altpersischen Gott Mithras und verehrte ihn wie diesen im Zeichen der Sonne, die ihre sichtbare Personifizierung war, und ihre Dienstgötter in den Naturelementen und Gestirnen. Die »Weisen«, eine mächtige Priesterkaste, stand für diese Lehren, die sie in kultischen Feiern und Opfern veranschaulichte.

Ihnen gegenüber verkündeten die armenischen Väter, daß Gottes Wesen unerforschlich ist, seine Existenz aber der bezeugen kann, der durch die Stille der Meditation und der geistigen Läuterung gegangen ist. Wie Gott das Leben schenkt, so führt er auch zur wahren Erkenntnis über sich durch die Werke seiner Schöpfung. Er ist die Ursache aller Geschöpfe; er erhält sie im Dasein, ohne sich zu verausgaben. Sonne, Gestirne und Naturelemente werden von den Christen nicht geringgeachtet, doch sind sie nicht von göttlichem Wesen, sondern zum Dienst für die Menschen bestimmt:

Will jemand die Frage nach dem Unsichtbaren und seiner ewigen Macht erörtern, muß er, da er ein leibliches Wesen ist, seinen Geist erhellen, seine Gedanken läutern und seine Gemütserregungen stillen, um das gesteckte Ziel erreichen zu können. Wer die Strahlen der Sonne schauen will, muß alles aus den Augen entfernen, was diese trübt, Schmutz und Tränen, damit nicht Schleier sie bedecken und sie daran hindern, das Licht klar zu schauen.

Da Gott in seinem Wesen unerforschlich ist und seiner Natur nach unfaßbar, müssen wir vor seiner Unerforschlichkeit unsere Unwissenheit bezeugen, seiner Existenz gegenüber aber bekennen, daß wir um sie wissen, ohne sie erforschen zu können. Denn »der da ist« (Ex 3,14) muß ewig und ohne Anfang sein; von niemandem kann er den Anfang zum Werden erhalten haben. Er hat niemand über sich, den man als seine Ursache bezeichnen könnte oder von dem man annehmen müßte, er habe ihm den Anfang des Seins geschenkt. ... Vielmehr ist er selbst die Ursache aller Geschöpfe, die in ihrem Werden und Entstehen vom Nichtsein zum Dasein kamen, wie z. B. der obere (unsichtbare) Himmel (der Engel) mit allem, was in ihm ist, und der sichtbare Himmel mit seinen Wassern und die Erde mit allem, was von ihr und in ihr ist. Von ihm ist alles, er selbst aber ist von niemandem. Er hat allem nach seiner Art das Dasein gegeben, den unsichtbaren und körperlosen wie den sichtbaren und körperhaften Geschöpfen. Wie er das Leben zu schenken vermag, so kann er auch zur Erkenntnis seiner unerschaffenen Wesenheit führen und sie an den Werken der Schöpfung offenbaren (vgl. Röm 1,20).

Nicht deshalb nur ist er bewundernswürdig, weil er das Seiende vom Nichtsein ins Dasein und vom Nichts zum Etwas gebracht hat, sondern auch deshalb, weil er, ohne sich zu verausgaben und ohne sich aufzugeben, die Geschöpfe erhält. Neidlos hat er den Geschöpfen das Leben geschenkt, um seine Güte zu offenbaren. ... Er ist der Lebendige und die Quelle des Lebens. Allem gibt er das Leben und bleibt doch selbst voll unerschöpflichen Lebens. Er kräftigt das Schwache mit seiner großen Kraft, und seine schöpferische Macht verringert sich nicht dabei. Allen Unwissenden schenkt er das Wissen und bewahrt doch in sich vollkommen die Allwissenheit. Über alle ergießt er unaufhörlich Weisheit, bleibt aber ungeschmälert in seiner Allwissenheit...

Gut ist die Sonne und schön von Natur, uns und allen Geschöpfen unter dem Himmel von Nutzen und zur Fürsorge, wie ein Licht in einem großen Haus zwischen Decke und Boden entzündet, um die Finsternis... zu vertreiben. Aber sie weiß nicht, ob sie ist oder ob sie nicht ist; denn sie gehört nicht zu den vernunftbegabten und erkenntnisfähigen Wesen. So ist es auch mit den anderen unbeseelten Geschöpfen. Wasser, Feuer, Erde und Luft wissen nicht, ob sie sind oder ob sie nicht sind. Doch unaufhörlich vollziehen sie ihren Dienst, zu dem sie bestimmt sind, unter der Führung dessen, der sie gebildet hat. Wir achten sie nicht gering, erweisen ihnen aber auch nicht Anbetung. Wenn wir sie anschauen, verherrlichen wir vielmehr den, der sie erschaffen und ihnen ihre Bestimmung gegeben hat. Denn uns dienen sie zum Gebrauch und ihrem Schöpfer zum Ruhm.

Eznik von Kolb, Wider die Irrlehren, I. 1.3; nach Schmid, 19–26, und Weber, 25–30

Der heidnischen Anschauung, daß Gott seine Macht zu teilen habe mit Neben- und Untergöttern und wie beim Wechsel der Mondphasen der Stärke und Schwäche unterworfen sei, wird die Frage entgegengehalten: Wer macht ihn wieder stark? – Nein, der Gott, den die Christen verkünden, »ist mächtig und vollkommen, ... er vervollkommnet und stärkt alle, ... Veränderung gibt es nur bei den Geschöpfen«. Wie alle Geschöpfe ihm Dasein und Erhaltung verdanken, so schulden ihm darüberhinaus die Menschen ihre Weisheit und den Verstand und die Kraft, trotz ihrer Schwäche »über gewalttätige Widersacher zu siegen«. Das Preislied der vom Babylonierkönig Nebukadnezzar ihres Glaubens an den Schöpfergott wegen verfolgten drei Jünglinge im Feuerofen ist darum auch der Gesang, den die von den persischen Herrschern bedrängten armenischen Christengemeinden bei ihren liturgischen Feiern singen. Inmitten heidnischer Umwelt ist es ihr Bekenntnis zum wahren Gott:

Wer behauptet, Gott sei stark, aber auch schwach, der steht nicht im wahren Glauben. Einige Leute sagen: Manchmal ist Gott mächtig, manchmal nicht. Diese

Toren! Wenn Gott schwach ist, wer ist es denn, der ihn stark macht? Ferne seien diese schlechten Lehrer und ihre schlechten Lehren! Denn Gott ist mächtig und vollkommen. Niemals mangelt es ihm an Vollkommenheit und Macht; vielmehr vervollkommnet und stärkt er alle; er selbst aber wird von niemandem vervollkommnet und gestärkt. ... Alle Geschöpfe bedürfen der Hilfe des Schöpfers, der Schöpfer ist aber nicht auf die Hilfe der Geschöpfe angewiesen. Gott ist unveränderlich. Veränderungen gibt es nur bei den Geschöpfen, wenn z. B. das Kind zum Jugendlichen, der junge Mann zum Greis, der Greis zum gebrechlichen Menschen sich wandeln, wenn der Frühling zum Sommer, der Sommer zum Herbst, der Herbst zum Winter wird, der alle Lebensregungen in Bäumen und Pflanzen aufhören läßt. Auch die Sonne kennt Veränderung; je nach den Jahreszeiten bestimmt sie nach Gottes Willen Länge und Kürze der Tage. »Am Ende des Himmels geht sie auf und läuft bis ans andere Ende; nichts kann sich vor ihrer Glut verbergen« (Ps 19,7). So ist nach des Schöpfers Befehl die Sonne zum Dienst für die Geschöpfe bestimmt. Gleicherweise hat auch der Mond seinen Dienst zu vollziehen; entsprechend den Zeitabläufen hat er abzunehmen oder voll zu werden, damit wir an ihm die Vergänglichkeit des Irdischen, aber auch die Erneuerung in der Auferstehung erkennen. Selbst die Sterne dienen in der Nacht den Seeleuten; noch andere Erkenntnisse ziehen die Menschen aus ihren Bewegungen, doch keine heidnischen Albernheiten, welche von Zufall und Geburten reden.

Gott ist es, der alles gemacht und eingerichtet hat, der den Geschöpfen eine Grenze gesetzt hat, die sie seiner Anordnung nach nicht überschreiten (vgl. Ijob 14,7). Alle Geschöpfe kommen von ihm her und bleiben durch seine fürsorgende Macht und Weisheit mit ihm in Verbindung. Er kennt die Mittel und die notwendigen Künste dazu; die Ordnung und Einrichtung, das Maß und Gewicht haben seine Vorsehung und Fürsorge festgelegt. Niemand steht über ihm und ist mächtiger als er; von ihm erhält jeder Einsicht und Kraft. Er selbst ist alles in allem, die Quelle der Güter; er führt zur Vollendung Himmel und Erde und alle Geschöpfe auf ihr. Alles hat er aus nichts geschaffen und er kann es wieder vernichten, wenn er will. In ihm ist grundgelegt Wissenschaft und Verstand, Weisheit und Macht, wie man an den Geschöpfen erkennen kann. Denn durch seine Macht hat er den Himmel über das Wasser erhoben und die Erde mit den Flüssen, Bergen und anderen Geschöpfen über das

Meer. Himmel und Erde bedürfen keiner Säulen und Stützen als Fundament, sie bleiben vielmehr durch seine Macht an ihrem Ort und gehen nicht unter ohne seinen Willen...

Von Gott empfangen die Schwachen Kraft, von ihm erhalten die Gerechten Mut, so daß sie über gewalttätige Widersacher siegen; durch die Beobachtung seiner Gebote leben sie tugendhaft und werden weise zum Guten. Wer steht über Gott? Wer kann den Gefährdeten in der Bedrängnis besser helfen als der, welcher der Versuchung ein Ende setzt?

Aber auch jene schlechten Zungen laßt uns zurückweisen, die behaupten, Gott bekomme Hilfe von den himmlischen Mächten oder aus dem Lande der Gerechten. Nicht er erhält von ihnen Hilfe, sondern ihr Dienst ist auf jene gerichtet, die nach dem Willen des Schöpfers durch sie das Heil erben sollen (vgl. Hebr 1,14). In Wahrheit sind auch die himmlischen Mächte seine Geschöpfe und aus nichts geschaffen, und seine Gnade hat die Heiligen aus den Menschen auserwählt. Die verständigen und vernünftigen Engel hat er in ihrer freien Entscheidung gefestigt und die rechtschaffenen Menschen hat er mit ihnen verherrlicht. Sie haben seine Gebote beobachtet und sind Erben seines Reiches geworden, in dem Gott alles in allem ist, den Engeln und den Menschen. »Durch das Wort des Herrn wurden Himmel und Erde geschaffen, durch den Hauch seines Mundes all ihre Kräfte« (Ps 33,6).

Darum ermuntern die heiligen Jünglinge im Feuerofen immerfort alle Geschöpfe zum Lob der allmächtigen und allkräftigen und allgepriesenen Dreifaltigkeit. Sie sprachen: »Preiset den Herrn, all ihr Werke des Herrn« (Dan 3,57); preiset den Schöpfer des Himmels und der Erde und aller Geschöpfe, der sichtbaren und unsichtbaren, auf ihr! Alle rufen sie dann mit Namen zum Lob und Preis und zur Verherrlichung des allerheiligsten Namens... Auch uns wurde dieser geistige Gesang überliefert; durch solche geistigen Lieder sollen wir bei den liturgischen Feiern der Heilsgeheimnisse, an den Festen der Menschwerdung Christi und unserer Erlösung, an den Gedächtnistagen der Heiligen und der reuevollen Büßer die allerheiligste Dreifaltigkeit preisen, loben und verehren, die alle Geschöpfe erschaffen und uns Trost und gute Hoffnung verliehen hat zu ihrem Ruhm.

Mesrop, 22. Rede: Das unveränderliche Wesen Gottes; nach Schmid, 247–250

In heidnisch-iranischer Umwelt mit ihrer polytheistischen Götterwelt war es schwer, den christlichen Glauben vom dreipersönlich-einen Gott zu bezeugen. Schnell wurde dieser Glaube wie später auch von den arabisch-islamischen Eroberern als Drei-Götter-Lehre mißverstanden. So betonen die Väter, daß nach christlicher Überzeugung der drei-eine-Gott stets als Einheit im Wesen wirkt: Die Dreifaltigkeit erschafft die Welt und schafft das Heil. Mit eindrucksvollen Bildern aus dem verständlichen Naturbereich versuchen sie an das Geheimnis der Offenbarung heranzuführen:

Eines Wesens ihrer Natur nach ist die allerheiligste Dreifaltigkeit; das Selbstsein verdankt sie sich und nicht einem anderen Wesen. Der Vater ist der Ursprung des anfanglosen Sohnes und Geistes. Er ist ungezeugtes Sein, unbegrenzte Ewigkeit, unveränderliche Wahrheit, Leben und Lebensspender für alles Lebende. Er ist der Vater des Sohnes und die Quelle des Geistes. Gott ist er und Schöpfer der sichtbaren und unsichtbaren Geschöpfe ... Er ist der Schöpfer der himmlischen und irdischen Kräfte, der Erde und der Geschöpfe auf ihr. Er ist die Fülle und Vollkommenheit und erfüllt alles in allem. Kein Mangel ist an ihm. Er muß sich nicht erneuern und er altert nicht; er wird nicht erfüllt und nimmt nicht ab. Er bleibt immer derselbe in seiner Fülle und Unermeßlichkeit. Von keiner Seite erfährt er einen Zuwachs oder eine Vermehrung seiner unendlichen, unerreichbaren, unbegrenzten und ganz vollkommenen Natur. – Kein Verstand kann das begreifen; selbst die Engel verstehen das nicht, die doch einen schärferen Verstand besitzen als die Menschen. Wo der Wille des Schöpfers winkt, da verrichten sie ihren Dienst im Himmel und auf Erden. Wie der Himmel mit seiner Pracht gefestigt ist durch das WORT Gottes und alle Kräfte durch seinen Geist, so ist es auch mit der Erde und ihren Bergen und Ebenen, mit den Meeren, Flüssen und Quellen und mit den dichtbelaubten Bäumen. Es gibt keinen anderen Schöpfer als die heilige Dreifaltigkeit, die allmächtige Herrlichkeit, die reine, einfache und allmächtige Kraft. Sie sprach, und es ward (Gen 1,3); sie befahl, und alles war erschaffen (Ps 148,5). Sie wohnt im Himmel über den Himmeln und sorgt doch für alle Geschöpfe. Durch ihre Vorsehung und ihre unendliche Weisheit leitet sie alles im Himmel und auf Erden. Allem ist sie Leben und Lebensspenderin; in allem ist sie unbegrenzt, unbegreiflich, unaussprechlich. Sie ist Liebe und voll lebendiger Seligkeit, unnahbares Licht, furchtbar und wunderbar. Wissen und Weisheit haben ihre Wahrheit in ihr. Lebendig ist sie und belebend, barmherzig und gütig in ihren Wohltaten, langmütig ist sie und sie schafft das Heil. ...Der unermeßliche und unerforschliche Gott spendet das Leben und sorgt für es. Ihn vermag der Verstand der Geister nicht zu erfassen, weder den Vater noch den Sohn noch den Heiligen Geist. Allein an ihren Werken und Wohltaten können die körperhaften und die körperlosen Wesen die eine Gottheit und allmächtige Herrlichkeit erfahren und erkennen. – Wie Strahlen, Licht und Wärme der einen Sonne und nicht verschiedenen zugesprochen werden, wie Quelle, Wasser und Bach von einer Natur sind, so ist es auch mit dem Verstand, der Vernunft und dem Geist des Menschen; ebenso ist es auch von der einen Natur und Gottheit des Vaters und des Sohnes und des Geistes zu verstehen. Die Sonne ist nicht ohne Licht und Wärme, die Quelle nicht ohne Wasser und Fluß, der Verstand nicht ohne Wort und Geist. So ist auch der Vater nicht ohne Sohn und Heiligen Geist.

Mesrop, 1. Rede: Von der heiligsten Dreifaltigkeit; nach Schmid, 15–18, und Sommer und Weber, 254–256

Wenn Gott der Schöpfer aller Dinge ist und in seiner Güte für die Menschen wie ein Vater sorgt, dann kann ein Christ sich nicht mehr nach heidnischer Art abergläubischen Praktiken hingeben. Er würde dann den Geschöpfen Gottes jene Macht zusprechen, die allein dem Schöpfer zukommt. Jedem abergläubischen Verhalten liegt die ausgesprochene oder unausgesprochene Überzeugung zugrunde, daß Gott seine Macht mit anderen Wesen teilen muß und daß der Mensch deshalb auch ihnen zu dienen hat. Die frühen Christen in Armenien mußten sich wie auch andere Völker, die nicht durch die lange und harte Schule der jüdischen Religion gegangen waren, aus den Fesseln der alten religiösen Gewohnheiten und Traditionen mühselig befreien. Gott hat die Geschöpfe dem Menschen untertan gemacht; wer sich aber in abergläubischen Handlungen ihnen unterwirft, gibt seine Würde, Ebenbild Gottes zu sein, preis. Auch die Sonne und die Gestirne, denen der persische Mazdaismus göttliche Kraft zusprach, stehen im Dienst der Menschen. Unter allen Geschöpfen hat Gott den Menschen allein zur Freiheit erschaffen. Der Mensch untersteht in seinem Handeln weder einem zwanghaften Naturgesetz noch irgendwelchen Vorherbestimmungen. (Selbst Satan besitzt keine Macht über den Menschen, wenn dieser sich ihm nicht ausliefert.) Auch durch angebliche Schriften »vom Himmel«, neue Offenbarungen etwa, dürfen sich die Christen nicht verwirren lassen; Gott hat in Christus seine ganze unüberbietbare Wahrheit den Menschen bereits verkündet.

Johannes Mandakuni, dem wir diese Rede gegen den Aberglauben verdanken, lebte um 650. Zu jener Zeit trafen erstmals die Glaubensboten Mohammeds in Persien und Armenien ein und stellten gegen das Evangelium den Koran und gegen die Überzeugung, daß der Mensch in Freiheit Ebenbild Gottes sei, den Glauben, daß er unter dem Kismet Allahs stehe. So können sich die letzten Ausführungen Mandakunis auch gegen die Lehre des Islams wenden: Gott hat den Menschen keine über das Evangelium hinausführende Botschaft gesandt; der Koran ist nicht, wie er vorgibt, »vom Finger Gottes geschrieben«; der Mensch handelt nicht unter Vorherbestimmungen:

Da Gott allein der Schöpfer ist, warum sollen wir uns die Fesseln der Zauberer und Wahrsager anlegen und uns dadurch versündigen, daß wir abergläubisch den Tagen unterschiedliche Kraft beimessen? Glaubst du etwa, daß von einem bestimmten Tag her Gras, Reben, Ernte, Weinlese, Aussaat und all die Arbeiten, die von euren Händen verrichtet werden, Schaden oder Förderung erfahren? Wie magst du nur auf den Aberglauben und die unterschiedliche Bewertung der Tage verfallen sein? Gib mir Antwort! Weshalb soll denn der Samstag und der Mittwoch schädlich sein? Wer das annimmt, ist nur dem Namen nach ein Christ. – Der Name eines Tages allein ohne Licht und Wärme kann weder etwas vernichten noch ins Leben rufen. Licht und Wärme aber kommen von der Sonne. Die Sonne jedoch geht nicht am Mittwoch und am Samstag anders auf als an den übrigen Tagen; sie geht immer auf gleiche Weise auf, und das wird immer so bleiben. Wenn aber der Sonnenaufgang am Mittwoch und am Freitag, am Samstag und am Sonntag der gleiche ist, wie sollen dann bei einem und demselben Aufgang einmal Schaden eintreten und ein andermal nicht? . . . So laß ab von deiner Torheit, mit der du in abergläubischer Weise die Tage unterscheidest. Antwort kannst du ja doch nicht geben, vielmehr ist es nur dein absurder Irrglauben, der dich dazu veranlaßt. – Doch sage: Wie kommt es, daß du auch hinsichtlich des Mondes vom Aberglauben befangen bist und ihm Unglück oder Glück zuschreibst? Wenn du abergläubische Vorstellungen von der Sonne hättest, so könntest du unter Umständen noch antworten: Von der Sonne kommt die Wärme;

sie kann sprießen und reifen, austrocknen und verdorren lassen. ... Was hat aber der Mond für eine Macht, zu verderben oder zu nutzen? In ihm ist weder Hitze noch Luft, weder Erde noch Wasser. Einzig dazu wurde er für uns erschaffen, daß er leuchte in der Nacht. Er kreist um die Erde und geht auf und unter; so ist er ein Bild des Lebens. Er weiß aber nichts davon, nicht einmal, ob er ist oder nicht ist; denn er hat weder Seele noch Leben, vielmehr bewegt er sich und ist da wie Feuer und Wasser uns zu Nutzen und Diensten nach Gottes Willen. ... Vielleicht entgegnest du: Warum soll ich denn den Wahrsagern kein Vertrauen schenken? Sehen wir doch, wie alles danebengeht an den Unglückstagen. – Mensch, laß dich doch nicht täuschen! Es gibt kein Geschöpf, das ohne Fehler, unvergänglich und unveränderlich ist. Unzerstörbar und unveränderlich ist nur der Schöpfer. Die Geschöpfe, die uns durch die Hände gehen, sind dagegen voller Fehler, vergänglich, zerstörbar und den Verhältnissen unterworfen. Und ihr Zugrundegehen unter bestimmten Umständen hängt ab von der Menge des Regens, von der Hitze der Sonne und der Einwirkung schädlicher Witterung, nicht aber vom Mond. Denn auf ihm gibt es nicht Regen, Hitze und Wetter, die Pflanzen und Aussaat schaden könnten oder deiner Arbeit, deren Verrichtung du von Glücks- oder Unglückstagen abhängig machst. Der Mond ist nur eine Leuchte für die Geschöpfe, und niemals trifft dich von ihm her ein Schaden...

Wenn du ferner glaubst, Satan sei schuld daran, daß dir deine Arbeiten mißlingen, so wisse, daß er ohne deine Einwilligung und ohne Zulassung Gottes nichts über Gottes Geschöpfe vermag. ... Er hat nur Gewalt über den, der ihm gehorcht. Bedenke auch du: Satan ist ein Menschenhasser, kein Menschenfreund. Hätte er Macht, die Werke unserer Hände zu verderben, dann hätte er sie schon lange vernichtet, und nicht nur unsere Werke, sondern auch uns selbst vollständig; das ist ja seine Absicht. Doch er besitzt dazu nicht die Macht. Mißlingt dir also deine Arbeit, dann denke daran.

Gott erschuf dich nach seinem Ebenbild und machte dich zum Herrn über alle Geschöpfe; er befahl dir, alles im Glauben, mit Hilfe der Gnade und unter dem Schutz des heiligen Kreuzes zu verrichten. Wenn du aber abergläubische Praktiken übst, hast du den wahren Gott, den Glauben und das schützende Kreuz verlassen und

machst zum Gebieter über deine Werke den Samstag und die Tage der Zauberei.
... Genügen uns nicht die Priester Gottes, warum gehen wir zu den irrgläubigen
Wahrsagern? Genügen uns nicht die wahren Gesetze, die den Willen Gottes voll-
ständig enthalten, warum machen wir uns falsche Gebete und Briefe zu eigen, die
die Worte der vom Geist erfüllten Propheten, die Predigt der heiligen Apostel und die
Lehre des heiligen Evangeliums als mangelhaft und unvollkommen hinstellen? Sie
verpflichten zu Praktiken, die im Gesetz nicht vorgeschrieben sind, und erwecken
den Anschein, als stammten sie vom Himmel und seien vom Finger Gottes geschrie-
ben. Hören wir doch auf Paulus, wenn er spricht: »Laßt euch nicht verwirren weder
durch ein Wort noch durch einen angeblich von uns stammenden Brief«
(2 Thess 2,2). ... Nach der Ankunft Christi wird uns kein Brief mehr vom Finger
Gottes geschrieben. Denn wenn uns ein solcher vom Himmel her nötig wäre, wäre
das Auftreten Christi unzureichend und mangelhaft gewesen. Dem ist aber nicht so.
Vielmehr hat uns Gott seinen Willen vollständig kundgetan durch Mose und Jesus.
Danach kommt nur noch das Gericht und das Reich. Ein weiteres Gesetz, vom
Himmel gegeben, geschrieben von Gottes Hand, wird uns nicht mehr gesandt.
... Darum wollen wir auf die Gebote Gottes achten und seine Weisungen erfüllen.
Lassen wir uns nicht irre machen wie die Heiden durch den Glauben an Zufall,
Schicksal und Vorherbestimmung. ... Wenn der Mensch unter Vorherbestimmun-
gen handelt, dann kann er natürlich seiner Sünden wegen nicht gerichtet werden;
wir würden ja nur die Vorherbestimmungen ausführen. Dann werden wir auch
nicht für unser Leben in Tugend die Krone empfangen; denn wir vollbringen das
Gute ja nicht nach unserem Willen, sondern nach einer Vorherbestimmung, ohne
eigenen Willen. Dann dürfen die Könige auch den Dieb, den Ehebrecher und den
Mörder nicht bestrafen; denn sie tun das ja nicht aus freiem Willen, sondern erfüllen
nur die Vorherbestimmung. Wenn dann ein ruchloser Mensch mordet oder wenn die
Schwiegertochter die Schwiegermutter oder der Nachbar den Nachbarn oder der
Diener den Herrn oder die Magd die Herrin oder der Schüler den Lehrer beleidigt
und tötet, dann dürfte man sie nicht unter Anklage stellen und bestrafen; denn sie
haben ja nur die Vorherbestimmungen erfüllt. Auch die Räuber dürften wir nicht
anklagen und vertreiben; denn sie fallen, wie du sagst, über uns her aufgrund der
Vorherbestimmung. – Doch dem ist nicht so. Alle Geschöpfe unterstehen dem

Naturgesetz und der Knechtschaft und der Bestimmung Gottes, und nicht einmal ein
Sperling fällt in die Schlinge ohne seine Bestimmung. Den Menschen allein aber er-
schuf Gott zum Herren und erhob ihn über die Bestimmung. Denn wie Gott selbst
keiner Bestimmung als Knecht untersteht, sondern frei ist und bei seinem Tun seinem
eigenen Willen folgt, so hat er auch den Menschen, als er ihn als sein Ebenbild schuf,
frei und selbstmächtig erschaffen mit der Fähigkeit, das Gute oder das Böse zu voll-
bringen.
Johannes Mandakuni, Reden, Brief gegen Zaubereien und Beschwörungen; nach Blatz, 257–269

2. Die Berufung des Menschen zum Leben mit Gott und seine geistigen Fähigkeiten

Eines der eindrucksvollsten Zeugnisse des Kunstschaffens und der Glaubensüberzeugung der Armenier ist die Kreuzkirche auf der Insel Achtamar im Vansee. Dieses
Gebiet, von hohen Bergen umschlossen, war im 10. Jahrhundert autonom und die
Insel Sitz des Kleinreiches Waspurakan. König Gagik I. (904–938) ließ sich dort einen
großfürstlichen Palast bauen; nichts davon ist mehr erhalten. Nur die in der Nähe des
Palastes zwischen 915 und 921 errichtete »Kirche des heiligen Kreuzes« steht noch,
wenn auch als Ruine; doch aus dieser leuchtet noch der einstige Glanz hervor. Rost-
bräunlicher Sandstein wurde aus dem oberen Tigrisgebiet, fast 300 km entfernt, als
Baumaterial herbeigeschafft. Die Kirche ist ein Zentralbau in Kreuzform, gekrönt von
einem Tambour mit Kuppel – Kegel – Dach; nach ihrer Konzeption verkörpert sie den
frühchristlichen Baustil armenischer Kirchen. Ihre Ausmaße sind gering: der Mittel-
raum mißt 11,60 m zu 14,80 m; dagegen liegt der Scheitel der inneren Kuppel 20,40 m
über dem Boden. Der Baumeister, der Mönch Manuel, war ein Mann »von Wissen
und großer Geschicklichkeit, der aus der Kirche ein Meisterwerk seiner Kunst machte«[26], wie der Chronist jener Tage, Thomas Artsruni, berichtet. Dank seiner meister-
lichen Fähigkeit, plastisches Bild und Licht, Flachrelief und Sonnenstand harmonisch
miteinander zu vereinen, schuf Manuel ein Kunstwerk, das seine Zeitgenossen zu den
Wundern rechneten: »Er hat dort die vollkommen entsprechenden Bilder von Abraham bis David und Christus, die Reihe der Propheten und Apostel dargestellt, jeden

Tafel III:
Die Kreuzkirche
von Achtamar
– ein Juwel
armenischer
Baukunst

nach der Regel, bewundernswürdig anzuschauen. Er schuf und vereinigte in den Teilen der Kirche Massen von wilden Tieren und Vögeln, Wildschweinen und Löwen, Stieren und Bären einander gegenüber, die Gegensätze ihrer Natur zeigend. Er zeichnete auch an den Wänden der Kirche in getrennten Feldern Weinlauben mit Trauben, Winzern, Versammlungen von Tieren und Reptilien, nach Arten geordnet, deren Darstellung den Blick erfreute. An den vier Seiten der Apsis des Heiligtums stellte er die vier Evangelisten dar, Heilige, die Krone der Freuden der heiligen Kirche bildend. An die Vorderseite der Kirche machte er auch das Kreuz und das Bild des Erlösers als Mensch sichtbar. Ihm gegenüber sah man ein vollkommen ähnliches Bildnis des Königs Gagik mit Nimbus, der auf den Armen mit hoher Inbrunst ein Modell der Kirche trägt, als wenn es ein Goldgefäß wäre, gefüllt mit Manna, dem Düfte entströmen. Der Monarch erscheint in der Haltung eines Menschen, der um die Vergebung seiner Sünden bittet.«[27]

Der Reliefschmuck der Kirche ist in den 1000 Jahren ihres Bestehens nie restauriert worden; die Beschädigungen rühren aus der Zeit der Armenierverfolgung im Jahre 1915. Viele Einschüsse im Mauerwerk sind erkennbar; die Kirche wurde damals geplündert und das Kloster daneben dem Erdboden gleichgemacht. Die farbigen Steine und Perlen, die die Gewandsäume der Skulpturen, das Fell der Tiere und das Gefieder der Vögel zierten oder, als Augen geformt, den Gestalten Lebendigkeit verliehen, sind im Laufe der Jahrhunderte verschwunden. In einer alten Beschreibung ist zu lesen: »Die Bilder waren ursprünglich farbig und vollkommen vergoldet, die Überreste davon sieht man noch stellenweise, so daß die Kirche durch den Reflex der Sonnenstrahlen als eine zweite Sonne auf dem blauen See glänzte und von weitem sichtbar war.«[28] – Der Vansee liegt in einer Trockenlandschaft von 1700 m Höhe; hier scheint die Sonne durch klare, dunstfreie Luft fast das ganze Jahr hindurch. Die Reflexe der Sonnenstrahlen auf dem Wasser und ihr Widerschein in den mit farbigen Steinen besetzten und vergoldeten Reliefs machte die Kreuzkirche zu einer »zweiten Sonne auf dem blauen See«. Noch in ihrer Ruinengestalt läßt sie den Glanz dieses einstigen Prunkbaus aufleuchten. Der ganze großartige Bildschmuck, den byzantinische Kirchen als Mosaike oder Fresken nach innen richten, ist hier nach außen gewendet, der Sonne zugekehrt. (Auch die Kreuzkirche besaß einst eine Innenmalerei; doch ist sie bis auf wenige Reste von den Wänden abgeblättert.) Die in Flachrelief ausgeführten Bildkompositio-

52

nen und Ornamente scheinen im Sonnenlicht zu schweben und machen die Kirche zu
einem lebendigen Bilderbuch der Heilsgeschichte, das die Freude über Gottes Schöpfung und sein Heilswirken am Menschen in die Welt hineinleuchten läßt.

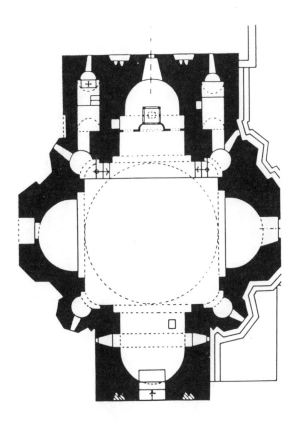

Grundriß der Kirche des heiligen Kreuzes
(aus: Ipşíroğlu, Die Kirche von Achtamar, 16)

Tafel IV:
Adam und Eva
neben dem
Lebensbaum
im Frühlicht
der aufgehenden
Sonne

Der Bilderzyklus beginnt auf der Nordseite, deren Reliefs im Sommerhalbjahr im Schräglicht der frühen Morgensonne und der späten Abendsonne plastisch aus dem Baukörper hervortreten. Hier auf der Nordkonche finden wir zwei Reliefs der Ureltern: Einmal erscheinen Adam und Eva, der Morgensonne zugewandt, hochaufgerichtet neben dem Lebensbaum des Paradieses stehend, dann im Licht der untergehenden Sonne Eva, von der Schlange betört, unter dem gleichen Baum zu Boden gesunken. Der Künstler hat es verstanden, mit sparsamen Mitteln unter Einbeziehung des Standortes und der Lichteinwirkung das Wesen des Menschen, seine Geschöpflichkeit und seine Berufung zum ewigen Leben, seine Schwäche und Todesverfallenheit und Gottes Treue zu ihm herauszuarbeiten. Als Weiterführung dieser Grundverfaßtheit des Menschen folgen auf der Nordwand neben der Konche weitere alttestamentliche Szenen: links Simson im Kampf mit einem Philister (Ri 15), rechts die drei Jünglinge im Feuerofen (Dan 3) und Daniel in der Löwengrube (Dan 6). Diese Erzählungen verdeutlichen das Weiterwirken des Bösen, dem die Ureltern Eingang in die Menschheitsgeschichte ermöglichten, aber auch die Kraft Gottes, die in denen wirksam ist und die rettet, welche dem Bösen widerstehen (1 Petr 5,9).

Der Baumeister von Achtamar hat die Voraussetzung für dieses einmalige Kunstwerk dadurch geschaffen, daß er von der üblichen Form des rechteckigen Grundrisses abwich und der Kreuzkirche außen stark gebrochene, den Rundungen des inneren Raumes folgende Wandflächen gab. So konnten die Außenwände der Kirche unter dem ständig wechselnden Einfall des Lichtes zum Schauplatz lebendiger Heilsgeschichte werden, wobei die einzelnen Szenen und Figuren unter dem Lauf der Sonne langsam aus dem Dunkel ins helle Licht treten und dann wieder verschwinden. Bedenkt man, welche Bedeutung der Sonne und ihrer göttlichen Verehrung bei den Persern und im Mithrasmythos zukam, so wird einsichtig, daß der Schöpfer dieses Bauwerkes sich bewußt mit der heidnischen Umwelt auseinanderzusetzen bemüht war und deren Überzeugung gerade dadurch überwand, daß er die Sonne und ihre Kraft in Dienst nahm für die Menschen und ihre Heilsgeschichte. In dieser gleichzeitigen Indienstnahme so gegensätzlicher Naturelemente, des harten Steines wie des unfaßbaren Sonnenlichtes, kommt in hervorragender Weise die Geistigkeit des Menschen und seine Fähigkeit zum künstlerischen Schaffen zum Ausdruck. Die Kunstfertigkeit werten daher die armenischen Väter als erfahrbare Gottesbildhaftigkeit des Menschen.

54

Wie Gott den Kosmos und seine Harmonie aus nichts ins Dasein gerufen hat, so schafft der Mensch aus den ihm vorgegebenen Elementen seine harmonische Welt und macht sie sich zur Heimat. Der Künstler von Achtamar hat die »Heimat« des Menschen in dies Bauwerk eingebracht: Ein »endloser« Weinlaubfries, der in seinem Rankenwerk die Lebenswelt des Menschen und seine naturgegebene Umwelt umschließt, führt oberhalb der biblischen Szenen um das ganze Kirchengebäude. Dieser Laubkranz in seinem Formenreichtum und mit einer großen Anzahl von arbeitenden und spielenden Menschen und einer überreichen Fülle von Tieren ist der Kirche wie eine Krone aufgesetzt. »Das üppig wuchernde Gewächs zieht hier um den ganzen Bau herum, sich vermehrend und bereichernd, und gibt somit das Beispiel einer organisch-ornamentalen Gestaltung, die der geometrischen Arabeske völlig entgegengesetzt ist. Eine Wiederholung der Bildmotive wird der Regel nach vermieden; nicht um fertige Muster, sondern um lebendige Formen geht es hier. Das Bild der Reben- und Granatfüllungen gestaltet sich überall zu neuen und einmaligen Formungen, die während der Modellierung aus dem Einfall des Augenblicks entsprungen zu sein scheinen. Und die Ranke, die sich dem Fries als Leitmotiv aufzwingt, entwickelt sich nach dem Gesetz und dem Rhythmus des organischen Wachstums; ihre Äste umschlingen in unregelmäßigen Abständen die einzelnen Bildfüllungen, bindend oder trennend, oder sie springen über die Darstellungsfelder hinweg und verdichten sich im Weinstock zu einem sich windenden und verknotenden Bandmuster. Auch hier ist Improvisation am Werke. Aber das Weinlaub gibt wiederum nur den Rahmen für eine Fülle von Bildszenen, die in seinem Dickicht wesen.«[29] Wir sehen Menschen bei der Arbeit auf dem Feld, im Weinberg, in der Kelter, bei der Jagd, als Tänzer oder Ringer, als Raufende oder beim Spiel mit den Tieren wie etwa einen auf einem Bären reitenden Knaben; wir schauen symbolhafte Darstellungen, Masken und menschliche Gesichter, die aus Pflanzen hervorwachsen, wie sie auch auf den Kapitellen romanischer Kirchen bekannt sind; wir erblicken Vögel, die im Weingarten von den süßen Früchten naschen, oder Tiere im friedlichen Beieinander, wie es Jesaja als paradiesische Zukunft visionär schaute (vgl. Jes 11,6–9).

Eine Bärin läßt es sich an den prallen süßen Früchten im Weingarten gut gehen, während das eine Junge sich an ihr nährt und das andere einen behaglichen Ruheplatz

Tafel V:
Bärin mit ihren Jungen zwischen den süßen Früchten des Weinstocks

55

auf dem breiten Rücken des Muttertieres gefunden hat. In diesem Bild kommt die Güte Gottes allen Geschöpfen gegenüber zur Sprache: »Aller Augen warten auf dich, und du gibts ihnen Speise zur rechten Zeit. Du öffnest deine Hand und sättigst alles, was lebt, nach deinem Gefallen« (Ps 145,15 f.). – Durch die fast plakativhafte Beschränkung auf die wesentlichen Grundformen und die Hervorhebung der charakterisierenden Merkmale hat der Künstler ein Werk geschaffen, in welchem die Bärin in ihrer von Gott geschaffenen Natur lebendig wird. Der Mensch läßt in seinem Werk erstehen, was Gott ihm in der Natur vorgegeben hat. In diesem Mitschaffen mit Gott zeigt sich die Ähnlichkeit des Menschen mit seinem Schöpfer.

Vögel und Fische, Löwen und Gazellen, Wölfe und Rehe, Hasen und Geier, Bären und Lämmer – sie alle zusammen mit den Menschen werden umschlungen vom Rankenwerk des Weinstocks, der mit seinen Früchten die Tiere nährt und »des Menschen Herz erfreut« (Ps 104,15) und den Christus zum Symbol seiner Lebensgemeinschaft mit den Gliedern an seinem mystischen Leib erwählte (Joh 15,1–5).

Freiheit und Selbstbestimmung des Menschen werten die armenischen Väter als »Erbwürde« und sie verteidigen sie gegen den Fatalismusglauben der iranischen Beherrscher des Landes und ihrer Priesterkaste. Vielmehr, so sagen sie, sei gerade die Sonne, Symbol des Göttlichen bei den Persern, dem strikten Befehl Gottes, der sich in den Naturgesetzen bekundet, unterworfen. Gott nötige den Menschen nicht, sein Heil zu suchen, sondern ermuntere ihn wie ein sorgender Vater dazu. Entgegen iranischer Überzeugung bedeutet die Würde der Freiheit für den Menschen nicht Unheil, sondern sie ermöglicht ihm erst, das Gute zu erkennen und zu tun. Der Mensch ist kein Spielball oder Kampfplatz für einen guten und einen bösen Gott, sondern der wahre Gott hat ihm die Gabe geschenkt, an seinem ewigen Heil selbst mitzuwirken:

Der erste Mensch, den Gott erschaffen hat, besaß Selbstbestimmung und Freiheit, und seine Nachkommen erben sie von ihm. Im Besitz der Selbstbestimmung kann der Mensch dienen, wem er will. Das ist eine große Gabe, die ihm Gott geschenkt hat. Denn alle anderen Geschöpfe sind notwendig dem göttlichen Befehl unterworfen. Betrachtest du den Himmel: Er steht fest und bewegt sich nicht von dem ihm zugewiesenen Ort. Weist du auf die Sonne hin: Sie vollführt den ihr bestimmten Lauf

*und kann nicht von ihrer Bahn abweichen, sondern dient, dem Naturgesetz unter-
worfen, dem Befehl des Herrn. So sehen wir auch die feste Erde, welche den Befehl
des Gebieters in sich trägt. ...Doch der Mensch, welcher die Selbstbestimmung erhalten hat, dient, wem er will. Nicht dem Naturgesetz unterworfen oder von einer
Macht genötigt, daß er das Rechte tue, sondern allein aus dem Gehorsam gewinnt er
Nutzen und vom Ungehorsam Schaden. Diese Freiheit, so behaupten wir, ist dem
Menschen nicht zu seinem Unheil gegeben, sondern zu seinem Heil. Denn wenn er
wie die anderen Geschöpfe erschaffen wäre, welche Gott dienen müssen, so wäre er
nicht würdig, Lohn für seinen freien Dienst zu empfangen; er wäre nur wie ein
Werkzeug (in der Hand) des Schöpfers, das, ob es nun zum Schlimmen oder zum
Guten dient, weder Tadel noch Lob verdient; denn die Ursache seiner Taten wäre
jener, der sich seiner bedient. Ja selbst das Gute würde der Mensch nicht einmal kennen; denn er hätte nur Verständnis von der Sache, zu der er bestimmt ist. Doch Gott
wollte den Menschen zu solcher Würde erheben, daß er ihm die Selbstbestimmung
verlieh, damit er das Gute erkenne und imstande sei zu tun, was er wolle. Doch leitete er ihn auch an, seine Freiheit auf das Gute auszurichten. Er macht es wie ein
Vater, der seinen Sohn, wenn er einen Beruf erlernen soll, mahnt, beim Lernen nicht
lässig zu sein, und ihn antreibt, nach dem Besseren zu streben. Weil er weiß, daß er
Fortschritte zu machen vermag, erwarte er von ihm auch die Kenntnisse, welche ihm
geboten werden. So müssen wir auch von Gott denken: Er ermuntert den Menschen,
seinen Geboten zu folgen. Aber die Macht des freien Willens nimmt er ihm nicht,
dank dessen er den Geboten folgen kann oder nicht. Er mahnt den Menschen nur
und ermuntert ihn, nach dem Guten zu trachten, damit er seiner großen Gaben
würdig werde, wenn er ihm gehorche, obwohl er auch die Möglichkeit hat, nicht zu
gehorchen. Denn nicht ohne sein Bemühen will Gott, der das ewige Leben ist, dem
Menschen seine Gaben schenken.*

<small>Eznik von Kolb, Wider die Irrlehren, I, 11; nach Schmid, 44 f., und Weber, 44 f.</small>

Während der iranische Mazdaismus zwei sich bekämpfende Götter lehrt, denen der
Mensch schicksalshaft ausgeliefert ist, betonen die christlichen Lehrer, daß der
Mensch in freier Entscheidung, wohl durch Verführung, aber nicht unter Zwang, den
Weg zum Tode beschritten habe. Das Problem stellt sich dann aber umso eindring-

licher, woher das Böse und seine verführerischen Kräfte kommen, wenn es das Böse nicht an sich, von Natur aus und als göttliche Macht, gibt. Die Väter leugnen nicht die Existenz Satans, sie weisen aber darauf hin, daß er wie jedes Geschöpf von Gott gut geschaffen wurde, doch seine Bosheit in seinem Neid begründet ist; er habe dem Menschen die Würde, Abbild Gottes zu sein, mißgönnt. Aufgrund der Möglichkeit, sich frei zu entscheiden, hat Satan Gott den Gehorsam verweigert und neidvoll für sich gefordert, was Gott dem Menschen geschenkt hat, sein Ebenbild zu sein.

Daß der Mensch ebenfalls in freier Entscheidung unter der neidvollen Verführung Satans sich von Gott abgewandt habe und durch die Entfremdung von seinem göttlichen Ursprung dem Tod verfallen sei, belustigte die iranischen Mitbürger. Sie spotteten darüber, daß der angeblich einzige und gute Gott die Menschen so hart bestraft habe »wegen einer Feige«. Doch halten die armenischen Väter unbeirrbar am monotheistischen Glauben fest und versuchen den Heiden klarzulegen, daß die göttliche Strafe sich nicht nach dem Objekt der Verfehlung richtet, sondern nach der Gesinnung des Menschen:

> Woher kannte die Schlange, der Satan, die Eigenart des Bösen, wenn es doch noch nichts Böses gab? – Wir meinen, daß der Satan die Möglichkeit des Ungehorsams gegen Gott als böse ansah; deshalb trieb er den Menschen dazu an. Es verhält sich so, wie wenn ein Feind, der seine Feindschaft verheimlicht, jemandem einen Schaden zufügen will: Da er nicht weiß, wie er's anstellen soll, sucht er nach geeigneten Mitteln, bis er bemerkt, wie ein Arzt seinem Gegner die Vorschrift gibt, sich bestimmter Dinge zu enthalten und bestimmte Speisen nicht zu kosten, damit er wieder zur Gesundheit gelange. Mit solchem Wissen schlüpft er nun in die Rolle eines Freundes, tadelt den Arzt, stellt dessen Rat als schädlich hin, gibt den ärztlichen Anordnungen entgegengesetzte Weisungen und fügt ihm so Schaden zu. Der Feind kannte zunächst nicht die Eigenart der Schädigung, sondern hat erst aus den Anordnungen des Arztes das Mittel gefunden, Schaden anzurichten. So kann man auch von Satan annehmen, daß er den ersten Menschen beneidete, das Böse und seine Eigenart aber noch nicht gekannt hat. Denn es gab noch nichts Böses, dessen Eigenschaften er hätte erkennen können. Doch als er vom Gebote Gottes hörte, das den Menschen vor dem Kosten der todbringenden Frucht bewahren sollte, empfahl er sie ihm gerade. Es ist

nicht so, als ob die Frucht an sich als Nahrung für den Menschen ungeeignet oder von Natur aus eine giftige Pflanze gewesen wäre, so daß er gewarnt worden wäre, von ihr zu essen, sondern der Ungehorsam wurde dem Menschen die Ursache des Todes wie bei jemandem, der zum Verbrecher wird, weil er die Befehle übertritt, die sein Gebieter ihm aufgetragen hat.

Der Feind hat also den Menschen dazu verleitet, Gottes Gebot zu übertreten. Er wußte zunächst nicht mit Sicherheit, daß er ihm auf diese Weise schaden könne... Erst aus der Strafe, welche Gott wegen der Übertretung des Gebotes verhängte, erkannte er, daß die Übertretung der Gebote zum Tode führt und daß er und der Mensch mit Recht bestraft worden sind; der Mensch, den er zum Ungehorsam verleitet hatte, vom Baume zu kosten, welcher nicht von Natur aus todbringend war, sondern kraft der Strafandrohung Gottes die Ursache eines solchen Verhängnisses geworden ist. Wir können den Arzt nicht beschuldigen, weil er Verhaltensregeln gegeben hat, wie der Mensch genesen könne, wenn dieser die ärztlichen Vorschriften in den Wind schlägt und auf den Feind hört, der ihm einen verderblichen Rat gibt...

Der Anfang des Bösen ist also der Neid, und zwar der Neid über die große Ehrung des Menschen durch Gott, und das Böse kommt aus dem Ungehorsam des Menschen. Denn Gott hat den Menschen so sehr geehrt (daß er ihn zu seinem Bild und Gleichnis machte); er aber war ungehorsam und mißachtete das Gebot. Daher wissen wir, daß alles, was böse ist, nicht von Natur aus böse ist, sondern, wenn Handlungen gegen Gottes Willen geschehen, sind sie böse.

Eznik von Kolb, Wider die Irrlehren, I, 12; nach Schmid, 47–50, und Weber, 47–49

Wenn man spottet, wegen einer einzigen Feige habe Gott den Tod geschaffen, so entgegnen wir: Geringer als eine Feige ist ein Stück Pergament. Wenn nun ein Wort des Königs darauf geschrieben wird – wer es zerreißt, wird mit dem Tod bestraft. Darf man deshalb etwa dem König Böses unterstellen? Das sei ferne! Ich behaupte das nicht, vielmehr belehre ich jedermann, derartiges nicht zu tun, indem ich zum Werke noch die Ermahnung füge.

Elische, Geschichte des Armenischen Krieges, 2. Kap.; Nirschl, Patrologie, III, 257

Nachdem die Väter der Frühzeit das Rüstzeug zur Auseinandersetzung mit der heidnischen Umwelt geliefert hatten, konnten die späteren Generationen sich die biblische Lehre von der Würde des Menschen, seinem Fall und dem göttlichen Erbarmen als geistiges Erbe der apostolischen Überlieferung in Liturgie und Gebet zu eigen machen. In mystischer Tiefe und poetischer Schönheit hat Nerses Schnorhali das Geschick Adams als sein eigenes durchlebt. Der Beter sieht sich im ersten Adam eingebettet und seine eigene Sündhaftigkeit in der Verfehlung der Ureltern vorweggenommen. Es liegt ihm aber fern, eine ihm innewohnende Unfähigkeit, aus sich heraus das Gute zu tun, die in der abendländischen Theologie als Erbsünde bezeichnet wird, zu lehren; im Gegenteil: Er betont, daß er in gleicher Freiheit wie Adam noch häufiger »zum Baum des Todes« eilte als jener. Seine Verfehlungen seien härter zu beurteilen, da er trotz der Taufgnade »das Kleid des Freundes« gegen »das Tierfell« Satans eingetauscht habe. Seine Todesverfallenheit sieht er nicht nur in der Abstammung von Adam begründet, »in dem wir allzumal gesündigt und unser Glück verloren haben«, sondern ebenso darin, daß er »mit eig'ner Hand die Dornen und die Disteln in dem Beet der Sünde« anbaute:

> *Gleich wie der erste Adam,*
> *der in der Sünde heißt der alte,*
> *in dem wir allzumal gesündigt*
> *und unser Glück verloren haben –*
> *ach, so wie er hab ich gesündigt*
> *und gleich der Übertretung Mutter Evas.*
> *Ja mehr als jene noch ward ich erfunden*
> *als Übertreter heiligen Gesetzes.*
> *Denn ihr Gebot war eines nur*
> *ob einer einz'gen bittren Frucht.*
> *Hingegen viele werden mir gepredigt,*
> *der ich mich morde ob der vielen,*
> *wovon mich fernzuhalten, ich geheißen werde,*
> *auf daß ich nicht des Todes sterbe.*
> *Und ich, gefesselt steh ich ihnen gegenüber,*
> *gefesselt mit dem Strick der Sünde, wie geschrieben steht.*
> *Die Ohren öffnete ich dem Betrüger*

und das Gehör der bösen Schlange.
Mit meiner Zunge gab ich Antwort
dem unverständ'gen Bösewicht,
auf Frivoles warf ich die Augen,
das mir der Satzung Wort verboten hatte.
Es eilten meine Füße ungestüm
und trugen mich zum Baum des Todes hin.
Und nach des Baumes Zweigen streckt' ich aus die Hand,
die Frucht, die todgebärende, für mich zu pflücken.
Der Mund empfand Geschmack wie Honig,
im Leibe war es bitt're Galle.
Das Gift der Schlange floß aus ihr,
der Pestgeruch des Mörders
taucht' ein das Herz in Unreinheit,
die Nieren in die Glut der Leidenschaft.
Das Kleid des Freundes heil'gen Wandels,
das einst ich angezogen in der Taufe,
das legt' ich ab durch Teufelstrug,
warf mir das Tierfell um.
Anstatt des Lebensgartens Wonne,
der von der Weisheit war ein Bild,
bebaute ich mit eig'ner Hand
die Dornen und die Disteln in dem Beet der Sünde.
Anstatt der Freiheit mühelosen Lebens,
das in der Hoffnung Ruhe heißt,
verzehre ich des einen Tags Erträgnis
und kehr' zum Staub, von dem ich bin genommen, wieder.
Nerses Schnorhali, Jesus, der Sohn, I, 29 – 72; Theol. Quartalschrift 80, 250 f.

Trotz der Abwendung des Menschen von seinem göttlichen Ursprung hat der Schöpfer die Berufung zum ewigen Leben nicht zurückgezogen. Der Mensch hat die Gnade erhalten, dieser Zukunft in der Gemeinschaft mit Christus entgegenzuwachsen. In dem Maße, wie er seine geistigen Fähigkeiten und seine körperlichen Kräfte auf die Tugenden und den Dienst am Mitmenschen richtet, verwirklicht er sich selbst, d. h. er wird seinem Wesen, Abbild Gottes zu sein, gerecht. »An allen Gliedern« hat Christus uns in der Taufe gerechtfertigt, so daß der Mensch mit all seinen Sinnen auf die göttliche Lebensordnung ausgerichtet sein kann. Dadurch daß Christus sich mit der menschlichen Natur bekleidet und sie mit seiner göttlichen vereinigt hat, wurde der Mensch »zur Freiheit erneuert«:

Wie die Kinder, die noch im dunklen Mutterleib geborgen sind, nicht die Schönheit der Erde kennen, nicht den Glanz der Sonne, den Lauf des Mondes und der Sterne, nicht den Wechsel der Zeiten und Monate, nicht die Fruchtbarkeit von Pflanzen und Bäumen zur Freude der Lebenden, nicht die Scharen der Tiere, des Wildes und der Vögel, die den Menschen zur Nahrung dienen und seinem Willen unterworfen sind, ob sie nun auf dem Land oder im Wasser leben, und die von Jägern mit kunstvollen Fallen gefangen werden, nicht die anderen Schönheiten, die es sonst noch gibt, etwa die herrlichen Gebäude oder Gold, Silber und Edelsteine, welche zum Schmuck für die Menschen und zum Prunk für die Könige verarbeitet werden, an denen sich auf das Irdische bedachte Menschen so freuen, – wie also Kinder dieses Leben nicht kennen und wie dieses Leben nicht dem Leben im Mutterleib vergleichbar ist, ebenso verstehen auch wir das künftige Leben nicht. Dieses Licht und Leben hier gleichen nicht jenem Leben und der Erleuchtung, die die Schönheit der allmächtigen Herrlichkeit gewährt. Denn »es hat kein Auge gesehen und kein Ohr gehört und in keines Menschen Herz ist es gedrungen, was Gott denen bereitet hat, die ihn lieben« (1 Kor 2,9), nämlich die unendlichen Seligkeiten in Jesus Christus...

Für dieses Leben hier hat Gott in seinem allwissenden Willen uns Verstand und Sinne gegeben, damit wir sie für Reinheit, Wahrheit und alle anderen guten Werke einsetzen, so daß in dem Bemühen um diese Güter wir uns selbst verwirklichen und auch anderen dabei helfen und den Herrn erfreuen. Der Mund soll die Wahrheit des Glaubens und die Lebensweise in Reinheit verkünden, damit die Menschen sich wachsam für das Heil bewahren und alle übereinstimmen in Ehrbarkeit, Ehrfurcht, Liebe und Gehorsam gegen die Gesetze des Geistes. ... Die Augen, die auf die Wahrheit schauen, sollen unter der Führung des Geistes vor Irrtum und allem Schäd-

lichen bewahrt bleiben; denn sie müssen für alle Glieder rein und ungetrübt ihren Blick auf Gott richten. »Die Leuchte des Leibes ist das Auge«, sagt der Herr (Mt 6,22). Wessen Augen voller Licht sind, dessen ganzer Leib ist erleuchtet. ... Die Ohren sind offen als Pforten der Achtsamkeit, mit der die wahre Predigt aufgenommen wird und die den Verstand und die anderen Sinne für das lebendige Wort des Glaubens und aller Wahrheit des göttlichen Gesetzes empfänglich macht. ... Die Nase, der Geruchssinn, unterscheidet den lieblichen Wohlgeruch der Gnaden... von den häßlichen körperlichen Leidenschaften. ... Die Hände sollen entsprechend göttlicher Fürsorge fruchtbarer Arbeit dienen; sie sollen Bedrängte und Bedürftige hilfreich mit allem Notwendigen unterstützen. . . . Die Füße sollen wie Pferde Erbauung und Frieden, gute Lebensführung und wahre Predigt zu Fernen und Nahen tragen. ... Der Verstand in Hirn und Kopf ist die Krone über den Gliedern, das geistige Organ für die Sinne, der Führer der Bewegungen, der Aufseher, Lehrer und Befehlsgeber für alle Glieder. Die Irrenden soll er leiten, die Schwankenden festigen, die Unwissenden belehren, die Bedürftigen erfüllen, damit er mit allen Mitteln sein Heil und das der anderen finde. Er ist für Nahe und Ferne das Schatzhaus geistiger Weisheit, die ihm der Heilige Geist, die Quelle aller Güter und Weisheit, zugeteilt hat...

An allen Gliedern sind wir dank der Gnade Christi in der lichtvollen Taufe durch die Wiedergeburt gerechtfertigt worden. Er hat uns befreit von der Knechtschaft der Sünde und zur Freiheit erneuert. Er hat unseren Leib und unsere Seele angezogen und sie in seiner unendlichen Liebe mit seiner Gottheit vereinigt. Er hat alle menschlichen Leiden außer den Sünden ertragen und uns ermuntert, auf seinen Wandel zu schauen und ihm, die Wahrheit, durch reinen Lebenswandel zu gleichen, damit wir, teilhaft der Leiden, auch seiner Verherrlichung teilhaft werden dank seiner Liebe.

Wir haben das Gebot erhalten, ihn zu lieben, wie auch er uns geliebt und sich für uns hingegeben hat als Sühnepreis für alle (Eph 5,2). Denn an zwei Geboten, sagt der Herr (Mt 22,37–40), hängen Gesetz und Propheten: Gott lieben und den Nächsten lieben. Wer Gott liebt, hält sich fern von jeder offenkundigen und geheimen Ungerechtigkeit; er steht nah der Gerechtigkeit und Reinheit. In der Kraft der göttlichen Liebe kämpft er jene unerlaubte Liebe nieder, die Verstand und Sinne gefan-

gennimmt. Gleiches gilt von dem, der den Nächsten liebt nach dem Vorbild Christi, der sie reich an die Menschen vergossen hat. Diese Liebe, sagt der Apostel, sollen wir in uns tragen in Einheit und Übereinstimmung mit dem Willen Gottes. Dann fliehen wir vor der Sünde der Selbstsucht und achten in Demut den Nächsten höher als uns selbst. Geistig und rein Gott und dem Nächsten gegenüber bewährt, werden wir das Himmelreich erben.

Mesrop, 20. Rede: Christliche Wissenschaft und Weisheit; nach Schmid, 226–233

Gott hat wegen der Sünde des Menschen seine Heilsgeschichte mit ihm nicht abgebrochen, sondern nur geändert. Seine Güte, die er den Stammeltern entgegenbrachte, hat er in Barmherzigkeit gewandelt; nicht der Würde des Menschen wegen, sondern seiner Bedürftigkeit entsprechend, kommt er ihm entgegen. Der Christ lebt in der Befolgung des Liebesgebotes wieder wie einst die Ureltern in der göttlichen Heilsordnung und wird in der Sorge um den Nächsten zum Mitarbeiter Christi:

Dem Menschen hat Gott die Würde eines Herrschers verliehen; er hat ihn zum Herrn über die Erde, über alle Geschöpfe mit Ausnahme der Engel, bestellt. Wir sollen die Fürsorge und Liebe des Schöpfers erkennen, Schüler seines Gesetzes werden und in Gerechtigkeit leben; dann wird er uns auch zur Zeit des Gerichtes das Gute vergelten und am künftigen Leben in Unverweslichkeit teilnehmen lassen.

Wie am Anfang das Leben der Erstgeschaffenen ohne Sünde war, so sollen auch wir in uns die reine Liebe verwirklichen »wie Christus, der uns geliebt und sich für uns hingegeben hat als Gabe und Opfer für Gott zum lieblichen Wohlgeruch« (Eph 5,2). Obwohl wir den Schöpfer, da wir seinen Geboten nicht folgten, erzürnt haben, hat er in seiner Liebe uns doch seine Fürsorge bezeugt, nicht den Dankbaren, sondern den Undankbaren, wie es Eigenart Gottes ist (vgl. Lk 6,35). Denn die Güte, die Gott am Anfang den Menschen gezeigt hat, hat er, besiegt von der schöpferischen, reinen und makellosen Liebe, nicht unserer Würdigkeit, sondern unserer Bedürftigkeit entsprechend in Barmherzigkeit gewandelt. Er verlangt für seine Wohltaten von uns auch kein Pfand, sondern will, daß wir gerecht leben und Erben des Himmelreiches werden. Gott ist unsere Hoffnung und unser Leben und die Quelle des Guten. Die Quelle verlangt nicht Wasser und die Sonne nicht Licht; so ist auch Gott der Ausspender des Guten und empfängt nichts für seine große Güte; er ist ja mangellose Fülle. Doch wenn wir zueinander wohltätig sind, so erachtet er dies als sein Werk und verleiht ihm bleibenden Wert für Zeit und Ewigkeit. . . . Gott ähnlich ist auch jener, der einem Undankbaren Wohltaten erweist. Wer die Verlorenen sucht und die Gefundenen mit Sorgfalt bewahrt, gleicht dem Sohne Gottes, der sich für uns in den Tod gegeben und uns durch sein freiwilliges Leiden von der Knechtschaft der Sünde befreit hat, der uns zum ewigen Leben und zu seinen Verheißungen eingeladen und uns des Empfanges des Heiligen Geistes gewürdigt hat. . . . Deshalb sollen wir Schüler dieses schaffenden WORTES sein, Mitarbeiter seines Heilswillens; wir sollen auf das Gute bedacht sein und es ausführen und in der Sorge für Nahe und Ferne den Willen des Schöpfers erfüllen.

Mesrop, 20. Rede: Christliche Wissenschaft und Weisheit; nach Schmid, 224 f.

Die armenischen Väter sehen im Kunstschaffen der Menschen einen Hinweis auf den Schöpfergott und werten die Kunstfertigkeit als Ausdruck der Gottesebenbildlichkeit. Denn alle von Handwerkern und Künstlern geschaffenen Bauwerke und Gegenstände, ja selbst die durch Heilmittel wieder hergestellte Gesundheit und sogar die ordnende Kraft der Religion sind gegenüber den zur Verfügung stehenden Materialien oder der Ausgangslage etwas gänzlich Neues. Es besteht eine Analogie zwischen dem Schaffen der Menschen und dem Schaffen Gottes, da die menschlichen Kunstfertigkeiten Gaben des Gottesgeistes sind. Wer die Talente nicht pflegt, handelt leichtsinnig gegenüber seinem Schöpfer:

Auch die Menschen bringen, wie wir sehen, aus nichts etwas zustande; denn die Baumeister bauen nicht etwa Städte aus Städten und Tempel aus Tempeln. Da sie aber nicht aus dem Nichts etwas machen können (nehmen sie Steine); doch heißen die Steine, die sie zu Bauwerken zusammenfügen, nicht mehr Steine, sondern Städte und Tempel. Denn nicht ein Werk der Natur ist es, Städte oder Tempel zu errichten, sondern der Kunst, die mit der Natur verbunden ist. Denn die Kunst entfaltet ihre Fertigkeit nicht losgelöst von der Natur, sondern richtet sich nach den Möglichkeiten, welche die Natur bietet. . . . So zeigt der Schlosser seine Kunst in der Schlosserei und der Tischler in der Tischlerei. Vor der Kunst aber ist der Mensch, und es gäbe keine Kunst, wenn der Mensch nicht wäre. So kann man sagen, daß die Kunst im Menschen angelegt ist. Und wenn es sich so mit dem Menschen verhält, um wieviel mehr muß man von Gott annehmen, daß er nicht bloß der Schöpfer der Gestalten und Eigenschaften und Formen ist, sondern daß er auch die Naturen aus dem Nichts zu schaffen imstande ist.

Eznik von Kolb, Wider die Irrlehren, I, 6; nach Schmid, 35 f., und Weber, 36

Das Erkennen der Wahrheit, die Weisheit und das Erlernen von Künsten werden vom allmächtigen Vater und Schöpfer und vom erlösenden König allen Geschöpfen mit entsprechender Begabung verliehen. Er ist die Quelle des Lebens und der Spender des Guten, der Lehrer und Schöpfer aller sichtbaren und unsichtbaren Wesen. Die mit Verstand begabten Menschen sind von ihm bestimmt für vielerlei Künste und Erfindungen. Zuerst werden die kunstvollen Erfindungen vom Verstand erdacht, dann werden die Gedanken in die wahrnehmbare Wirklichkeit überführt. Die Künstler werden wahrhaft unterwiesen durch die Gnade des Schöpfers wie auch Bezalel und seine Mitarbeiter für die Herstellung des Bundeszeltes (Ex 31,1–11). Der Heilige Geist begabte sie mit den verschiedenen künstlerischen Fähigkeiten. Zuerst wurden sie dank der Gnade des Geistes selbst erfahren in den Künsten, dann haben sie andere darin bis auf diese Zeit unterwiesen.

Wer das Schlosserhandwerk erlernt hat oder die Goldschmiedekunst oder andere Künste, der kennt die Eigenschaften der Materialien und seine Werkzeuge und Instrumente und er ist bemüht, immer besser die Geräte und den Schmuck oder andere Dinge anzufertigen, die im Lande bekannt sind. So auch die Ärzte, die am Puls das Leiden erkennen und durch Heilmittel Gesundheit schenken dank der Gnade Gottes. Aber auch die Schneider, Maurer, Bauern, Köche und, was es sonst noch an Künsten für die menschlichen Bedürfnisse gibt, – haben sie ihre Fähigkeiten nicht tatsächlich von der Güte Gottes? Des Dankes, der Ehre und des Lohnes sind die würdig, die sie erhalten. Jene aber, welche aus Gleichgültigkeit oder Verachtung das Erlernen der Kunstfertigkeiten vernachlässigen, machen sie nutzlos; sie wenden in ihrem Leichtsinn den Sinn von den Künsten, und es werden unsaubere und schlechte Arbeiten angefertigt wie von dummen Menschen. Schließlich werden die Künste noch ganz verlernt...

Gleiches gilt auch von der christlichen Religion und ihrer Ordnung. Mit Weisheit und in Kenntnis der Mittel lenkt sie die Sitten und den Sinn des Menschen zum Guten

mit Hilfe der geistigen Gesetze und nach dem Wohlgefallen des gütigen Willens des
Schöpfers. Er soll »bei Tag und bei Nacht über die Weisung des Herrn nachsinnen«
(Ps 1,2) und Verstand und Herz an die Gottesfurcht erinnern, damit der Verstand
bei allen Bedürfnissen auf das Gute bedacht sei und bereit, es zu tun unter der
Führung dessen, der den Himmel schenkt.

Mesrop, 5. Rede: Bestärkung in der Wahrheit und heilsame Ermahnungen;
nach Schmid, 61 f., und Sommer und Weber, 289 f.

3. Abrahams beispielhafte Glaubenstreue

Mit Abraham beginnt für Juden, Christen und Muslime der besondere Heilsweg
mit Gott. Abraham ist der Vater des Glaubens. Schon Paulus hebt hervor, daß Abraham nicht vor Gott gerecht war aufgrund seiner Werke, sondern weil er ihm glaubte
(Röm 4,1–5). »Er zweifelte nicht im Unglauben an der Verheißung Gottes, sondern
wurde stark im Glauben, und er erwies Gott Ehre, fest davon überzeugt, daß Gott die
Macht besitzt zu tun, was er verheißen hat« (Röm 4,20 f.). Ohne Sicherung, allein auf
Verheißung hin hatte Abraham die Heimat verlassen und sich auf den Weg in die
Fremde begeben. Verheißen war ihm worden: »Ich werde dich zu einem großen Volk
machen, dich segnen und deinen Namen groß machen. Ein Segen sollst du sein. . . .
Durch dich sollen alle Geschlechter der Erde Segen erlangen« (Gen 12,2 f.). Doch
jede Erfahrung und Tatsache sprach gegen diese Verheißung, da er alt und seine Frau
Sara unfruchtbar war. Gegen alle menschliche Erwartung wurde ihm ein Sohn
geschenkt. Aber Gott schien nun seine Zusage unbegründet und endgültig zurückzunehmen, als er von Abraham verlangte, ihm seinen Sohn zu opfern, wodurch jede
Hoffnung auf Zukunft zunichte gemacht zu werden drohte. Die Geschichte von
Abraham und seiner Glaubenstreue findet ihren Höhepunkt in der Erzählung, die
seine Bereitschaft, den Sohn Isaak zu opfern, zum Ausdruck bringt (Gen 22).

Die Erzählung von der Prüfung der Glaubenstreue Abrahams hat mehrere geschichtliche Hintergründe und will auf die in unterschiedlichen Situationen aufgewor-
fenen Fragen Antwort geben. In der ältesten Gestalt hob diese Geschichte hervor, daß
Abraham an einer uralten Opferstätte, die er für seinen Gott in Besitz nahm, sich er-

67

mächtigt wußte, statt der kanaanäischen Kinderopfer Widder darzubringen, da Jahwe Menschenopfer verabscheute. Als nach der Landnahme Israel in religiöser Auseinandersetzung mit den Einwohnern Kanaans stand, bekundete es mit diesem Erzählstoff, daß es zu gleichem Opfermut bereit sei wie die alteingesessenen Einwohner des Landes. Doch Jahwe ist kein kanaanäischer Moloch; er will keine Kinderopfer. Zur Erhärtung wurde diese Überzeugung mit der Gestalt Abrahams verbunden. – Darüberhinaus macht die Erzählung aber auch das Verhältnis Gottes zu Abraham und zum Volk Israel deutlich: Jahwe ist ein Gott, der sein Volk in die Freiheit geführt hat. Er verlangt zwar Gehorsam, aber keine sinnlosen Taten; auch im Leid ist er dem Volk nahe. Deshalb will er nicht nur verehrt werden, wenn seine Weisungen dem Volk Leben und Sicherheit gewähren, sondern auch dann, wenn sie ihm Opfer und Entsagungen abverlangen. Jahwe enttäuscht Israel nicht; auf ihn ist Verlaß, wie auch Abraham sich auf ihn verlassen konnte. Abraham bewährte sich in seinem Glauben: In auswegloser Lage ist er an seinem Gott nicht zerbrochen, sondern gewachsen. So ist er zum Vater und Vorbild des Glaubens geworden.

Für die ersten Christen hatte, wie Katakombenmalereien zeigen, die Abrahamerzählung in besonderer Weise Bedeutung gewonnen. Sie sahen in ihr das freiwillige Lebensopfer Christi, des Lammes Gottes (Joh 1,29), vorweggezeichnet und konnten sie auf ihre Situation der Verfolgung, in der sich ihre Treue zu Christus zu bewähren hatte, übertragen. Ähnlich wie Abraham wurde auch ihnen eine Verheißung zuteil: »Fürchte dich nicht, du kleine Herde! Denn euer Vater hat beschlossen, euch das Reich zu geben« (Lk 12,32).

Tafel VI:
Abrahams
Opferbereit-
schaft und
Glaubenstreue

Der Baumeister von Achtamar, der Mönch Manuel, hat die Erzählung von der beispielhaften Opferbereitschaft und Glaubenstreue Abrahams nicht in einer großflächigen Komposition ausgestaltet, sondern seltsamerweise auf einer verhältnismäßig kleinen Wandfläche an der Südseite des Südwestturmes untergebracht, auf der die Gestalten stark zusammengedrängt erscheinen. Das ist wohl damit zu erklären, daß in »aufgeklärter« heidnischer Umgebung, die ihren Göttern Trankopfer darbrachten, die Erzählung von einem Gott, der ein Menschenopfer verlangt, großen Anstoß erregte.

In der Mittelachse der Bildgestaltung steht Abraham; seine Körperhaltung verrät die bis zum äußersten gespannte Aufmerksamkeit und Aktivität. Mit der Linken hat er seinen Sohn, der gefesselt auf einem Stein, dem Opferaltar, kniet, beim Haarschopf ergriffen und mit der Rechten das Messer umfaßt, während sein Gesicht, ganz Ohr und Auge, in letzter Erwartung auf Gottes Weisung achtet, um allein zu tun, was er verlangt. Obwohl er die Zusicherung erhalten hatte, daß Gott ihn zu einem großen Volk machen werde, war er bereit, die Einlösung dieser Verheißung völlig Gott zu überlassen, auch wenn dieser offensichtlich in der Opferung des Sohnes seine Zusage zurückzunehmen schien. Abraham hatte es nach vielen Wanderungen und Irrwegen gelernt, göttliche Zusagen nicht aus eigener Kraft und mit eigenen Mitteln verwirklichen zu wollen. Gott allein weist neue Möglichkeiten in ausweglicher Situation. All seine Sinne richtet Abraham auf Gott.

Jahwe ist, alter christlicher Tradition folgend, nur angedeutet in der weisenden Hand, wie auch die biblische Erzählung ihn nicht direkt, sondern durch einen Engel sprechen läßt. Die Finger der Hand sind zum christlichen Glaubenssymbol und Segensgestus, wie sie in den östlichen Kirchen üblich sind, geformt: Mittelfinger und Daumen werden verbunden und deuten auf die in Christus geeinte göttliche und menschliche Natur hin, während die drei übrigen Finger Zeichen des dreieinigen Gottes sind. Jahwes Weisung befreit Abraham zu neuer Hoffnung; sein Wort ist endgültige Heilszusage: »Streck deine Hand nicht gegen den Knaben aus und tu ihm nichts zuleide! Denn jetzt weiß ich, daß du gottesfürchtig bist; du hast mir deinen einzigen Sohn nicht vorenthalten. ... Bei mir habe ich geschworen: Weil du das getan hast und deinen einzigen Sohn mir nicht vorenthalten hast, will ich dich reichlich segnen und deine Nachkommen zahlreich machen wie die Sterne am Himmel und die Sandkörner am Meeresstrand. ... Durch deine Nachkommen sollen alle Völker der Erde gesegnet werden, weil du auf meine Stimme gehört hast« (Gen 22,12.16–18).

Der rechten Senkrechten in der Bildkomposition, Isaak auf dem Opferstein, ist in linker Parallele zugeordnet das neue Opfertier, der Widder, der sich im Strauch verfangen hat; ihn opferte Abraham.

Der christliche Beter weiß, daß Gottes Zusage an Abraham zur letztlichen Erfüllung in Christus gekommen ist. Er ist der Nachkomme, der zum Segen für alle Völker wurde; im verheißenen Sohn Isaak ist Jesus vorgebildet. In seinem Gebet voll tiefer und bildhafter Gedanken meditiert Nerses das Geschick Abrahams und sieht es in seinem Leben nachgebildet. Er sieht sich in der Fremde irdischen Lebens und bittet, daß der Herr auch in ihm Wohnung nehme, wie einst Gott bei Abraham unter den Eichen zu Mamre eingekehrt ist (Gen 18,1–6). Der Berg, den Isaak mit dem Opferholz zu besteigen hatte, ist Vorbild eines größeren Berges: Auf Golgatha hat sich am Kreuzesholz der Eingeborene.Gottes geopfert. Im Durchleben dieser Ereignisse erfährt der Beter schaudernd, daß er aus eigener Kraft solche Prüfungen zu bestehen nicht imstande ist. Nur wenn Gott ihn dazu begnadet, kann er »mit Freuden« sich ihm »als lebendige Gabe« darbringen:

Dein machtvoller Ruf erging an ihn,
den Patriarchen aller Völker,
jenen ersten Abraham,
in ein fremdes Land zu ziehen.

Du erschienst ihm in Mamre;
er ruhte unter einer Eiche.
Er gab dir Nahrung für den Leib,
obwohl dein Wesen geistig ist.

Und dann versprachst du ihm den Sohn
als Segensboten allen Menschen.
So ließest du dein Kommen ahnen,
du, der Fleisch von uns annahm.

Wollest auch mich den Bedrängern entreißen,
abschirmen mich von trughafter Bosheit,
Schutz mir gewähren vor bösen Verfolgern,
mich aus dem Kerker der Sünde befrein.

Mich, den mein Leib verbannt sein läßt
in das mir fremde irdische Leben,
wollest du in die Heimat geleiten
wie die Söhne des Abraham.

Zeige dein Antlitz mir doch, o Herr,
mir, der ich sitze in Finsternis,
daß ich mich, dir begegnend, erhebe
und mich zur Erde verneige vor dir.

Wollest mich gnädig zur Wohnung erwählen,
du mit dem Vater und dem Heiligen Geist;
wollest von meinen Gaben dich nähren,
Gaben der Armut und Nichtigkeit.

Verkümmert ist meine Seele und stumpf,
unfähig, geistliche Werke zu tun.
Mache sie fruchtbar wie Sara einst,
da ja dein Wort die Verheißung trägt.

. . .

Du Bildner der Herzen, Herr, du allein
um unser Tun und Denken weißt:
Erbatst zur Prüfung des Geliebten
den Sohn der Unfruchtbaren dir.

Daß er besteige einen Berg
wie Golgatha – gemäß der Schrift –
und auch das Holz des Opfers trage
des Eingeborenen, des unschuld'gen Sohnes.

Ihn legte er auf den Altar
gleich dir, o Herr, am Kreuzesstamm.
Sodann nahm er das Schwert zur Hand
und führte es der Kehle zu.

Von oben scholl die Stimme da:
Nicht Leid sollst du dem Knaben tun!
Doch sieh, daß dir zur Rechten dort
ein Widder sich im Strauch verfing.

Anstelle des Vernunftbegabten,
anstelle Isaaks, deines Knechtes,
gabst du als Spende dieses Opfers
das Tier, das ohne Einsicht ist.

Herr, prüfe mich nicht mit Abraham,
der ich kein Gut zu bringen weiß,
der ich nur Unheil und nicht Heil aufweise,
der ich der Prüfung nicht standhalten kann.

Denn weder bin ich wie Silber im Tiegel,
noch wie das Gold, das dem Feuer trotzt,
vielmehr wie das Zinn, das mit Blei sich mischt,
die beide bei der Trennung zugrunde gehn.

Auch bin ich nicht wie ein Fels am Meer,
der fest bleibt in Wogen und bei Wellengang,
erst recht nicht den Wurzeln der Bäume gleich,
die kein Wind dem Erdreich entreißen kann.

Nein, ich bin das Schiff, das den Schiffbruch erlitt,
hinausgeschleudert auf hohe See,
und mehr noch die Spreu, die der Wind verweht,
wie dies in Herbsttagen wird offenbar.

So laß mich jetzt nicht in Versuchung geraten;
kein Mensch verfällt ja der Sünde durch dich.
Während das Böse bei dir nichts vermag,
wirkt es in uns, wie geschrieben steht.

Eile, o Herr, und entreiße mich
der Lockung des Feindes, der uns beherrscht,
wie Abraham auch, unser Vater im Glauben
dem Netz des Versuchers entrissen ward,

daß ich mit Freuden dir opfern kann
die Seele, den Geist und den Leib dazu.
Sie seien, o Gott, als lebendige Gabe
gefällig, erhaben und heilig dir.

Nerses Schnorhali, Jesus, der Sohn, I, 241–272; 289–336;
Sources chrétiennes, 203, übers. Ulrike Wolters, Münster,
und: Theol. Quartalschrift 80, 253

Gesinnung und Tat Abrahams prägen auch den Lebensvollzug seiner »Nachkommen«. Ohne auf ihn ausdrücklich hinzuweisen, umschreiben die Väter diese Lebenshaltung. Jeder hat die Möglichkeit, seine »Zeit durch gute Werke zum Guten zu verändern«. Wer den Weisungen Gottes folgt, verwandelt den Tod in Leben. Richtschnur ist dabei »die lebendige Liebe«, die sich an Christus orientiert. Sie verwandelt sogar den Tod, wenn er in der Gesinnung Christi angenommen wird, in Unvergänglichkeit. Sakramental wurde dieser Weg zum ewigen Leben bereits in der Taufe beschritten, die Teilhabe am Todesleiden Christi bedeutet und deren verwandelnde Kraft gleichzusetzen ist mit dem ehrenvollen Sterben der Martyrer. Die Gesinnung Abrahams hat durch den Opfertod Christi ihre weltverwandelnde und lebenspendende Kraft voll entfaltet:

Sieh, wie mächtig der Mensch ist; selbst Gott macht er sich durch seine guten Taten geneigt. »Denn ich habe kein Gefallen«, sagt der Herr durch den Propheten, »am Tod des Schuldigen, sondern daran, daß er seinen bösen Weg verläßt und am Leben bleibt« (Ez 33,11). Er ist ja ein gerechter Richter und richtet nach Verdienst, nach dem, was der Mensch in seinen Tagen an Gutem oder Schlechtem tut. Wir haben die Macht, die Zeit durch gute Werke zum Guten zu verändern, aber auch zum Bösen, wenn wir sündhaft leben. Denn an uns ist es, anstelle von Quälereien Taten der Liebe zu vollbringen oder auch Liebe in Zorn zu verwandeln. ... Wir können sogar unser Leben in Tod verkehren oder den Tod in Leben wandeln. Indem wir uns an die Weisungen Gottes halten oder nicht, bewegen wir uns im Guten oder im Schlechten, wie der Prophet sagt: »Wenn ihr bereit seid zu hören, sollt ihr die Erträge des Landes genießen. Wenn ihr aber nicht hören wollt, wird das Schwert euch fressen. Ja, der Mund des Herrn hat dies gesprochen« (Jes 1,19 f.). Und der Apostel fügt hin-

zu: »Alles gehört euch, ... das Leben wie der Tod, die Gegenwart wie die Zu-
kunft ..., ihr aber gehört Christus, und Christus gehört Gott« (1 Kor 3,21 f.). Wenn
er nun gesagt hat, daß euch alles gehöre, so meint er jene, die in ihrem Leben in der
lebendigen Liebe zu Christus bleiben und nach seinem Willen in der Welt leben. Wie
das Rauchfaß mit duftendem Weihrauch weithin groß und klein erfreut, so soll auch
unser Bekenntnis zu Christus und unser reines Leben stets ein wohlriechender Duft
vor ihm sein. Wenn der Apostel den Tod erwähnt, so will er sagen, daß unser Tod,
der Christus gehört, zum Zeugnis seiner Liebe werde, daß wir durch einen solchen
Tod zum unsterblichen Leben in Unvergänglichkeit, wie es Christus besitzt, hin-
übergehen. Denn nicht bloß das ist ein ehrenvoller Tod, den jene erlitten haben, die
in den Zeiten der Verfolgungen des Martyriums durch Schwert, Feuer, Wasser oder
auf andere grausame Art gewürdigt worden sind, sondern auch der Tod, den alle
empfangen, welche auf Christus getauft worden sind (Röm 6,3), welche Christus
angezogen haben (Gal 3,27), welche den alten Menschen mit seinen Taten ausgezo-
gen (Kol 3,9) und den neuen Menschen angezogen haben, der nach dem Bilde Gottes
geschaffen ist in wahrer Gerechtigkeit und Heiligkeit (Eph 4,24), welche für die
Sünde tot sind und für die Gerechtigkeit leben (1 Petr 2,24). »Wie Christus durch die
Herrlichkeit des Vaters von den Toten auferweckt wurde, so sollen auch wir im er-
neuerten Leben wandeln« (Röm 6,4), sagt der Apostel. ... Denn die gegenwärtige
Welt, in der wir im Schmuck der Tugend leben, wie die künftige – alles ist durch
Christus und dank seiner Fürsorge und zu seinem Ruhm (vgl. Kol 1,16 f.).
Mesrop, 7. Rede: Die Bestimmung des Menschen; nach Schmid, 88–90

Wie Abraham dem Ruf Gottes folgte und sich mit ganzem Herzen und allen Sinnen auf seinen Willen ausgerichtet hat, so soll auch der Christ »seinem Vater im Glauben« nacheifern, seine Sinne und Fähigkeiten »in den Dienst für Seele und Leib« stellen und »den Weg zur himmlischen Berufung« beschreiten.

Wenn Mesrop Mund, Augen, Ohren, Nase, Hände und Füße und ihre Dienste er-wähnt, so erinnert er sowohl an ihre organischen Funktionen, beschreibt aber noch mehr ihre symbolhafte Bedeutung: Der Mund verkündet die wahre Lehre; er läßt aber auch aus dem Herzen die Ströme der Weisheit fließen, damit die Pflanzen der Güte wachsen. In den Augen spiegelt sich das ungetrübte Licht der mittäglichen Sonne; spiegelt sich in ihnen die lebendige Liebe, so suchen sie den verlorenen Mitmenschen und führen ihn zum Erlöser. Durch die Ohren empfängt der Mensch die göttlichen Verheißungen, die ihn nach dem Bilde Christi formen; sie machen den nach Christus gestalteten Menschen aber auch hellhörig für Gerechtigkeit und Recht. Mit dem Geruchssinn »wittert« der Mensch, ob sich die Wissenschaft von der Liebe leiten läßt, d. h. ob sie dem Wohl der Menschen dient; er wird aber auch empfindsam für jene göttliche Weisheit, die sich im Stall von Bethlehem die Menschen zu Brüdern gemacht hat. Die Hände, denen in der Taufe das Zeichen des Kreuzes eingegraben wurde und die die Werke der Liebe am Nächsten vollbringen, sind »Arbeiter an der kommenden Welt«. Ebenso sind auch die Füße, die den Verirrten nachgehen, »Wegbereiter zu den künftigen Wohnungen... bei Christus«. – In seiner 11. Rede hat Mesrop einen Hymnus auf die menschlichen Sinne geboten, der in seiner Bildhaftigkeit und Eindringlichkeit ein großartiges Zeugnis von der Berufung des Christen und der Würde seines Leibes darstellt:

Der Geist ist das Haupt aller Sinne... Von ihm werden alle Glieder entsprechend ihren Bedürfnissen in Weisheit geleitet. Zu ihrem Nutzen und zur Bewahrung vor Schaden werden sie von ihm sinnvoll auf das Gute ausgerichtet. In ihm entspringt das offenbarende Licht jeder Erkenntnis, so daß die Sinne Geschmack bekommen an geistiger Freude und die beste Auswahl treffen für die Seele. Den Sinnen ist dabei jene Umsicht eigen, wie sie weisen Menschen zukommt; so öffnen sie dem Verstand die Pforten der Gnaden. Ehrbar, erleuchtet und mit furchtlosem Eifer geschmückt beschreiten sie im Dienst für Seele und Leib den Weg zur himmlischen Berufung, um das Geschenk der Seligkeit zu empfangen.

Der Mund verkündet im Auftrag des selbstmächtigen Geistes die wahre Lehre der reinen Liebe. Zusammen mit ihr fließen aus dem Herzen die Ströme der Weisheit, um das fruchtbare Erdreich mit dem Wort des Lebens zu tränken und zu düngen, damit es reichlich Pflanzen der Güte hervorbringe, die mit wohlriechenden Blüten und mit süßen Früchten geschmückt sind. Der Mund ist für das wahre Wort wie eine Lampe für das Licht, welches die Finsternis vertreibt...

Wer seine Augen zur Mittagszeit gegen das Licht der Sonne öffnet, in dessen Augen gibt es keine Finsternis. Wessen Augen ebenso hell sind durch den Anblick der Reinheit, für den ist die lebendige Liebe wie ein freudebringendes Licht, das ihn rein und unversehrt vor Schaden und Unglück bewahrt. In solch lichtvoller Begnadung sucht er nach den verlorenen Mitmenschen und findet sie auch; er führt sie zum barmherzigen Erlöser und vertraut sie seiner Fürsorge an...

Die Ohren, durch den wahren Glauben auf Reinheit und Güte ausgerichtet, sind es, in welche die göttlichen Verheißungen eintreten und den Menschen in seinem Innern nach dem Bilde Christi, unseres Erlösers, gestalten: In der Rechten hält er das Szepter des Friedens und in der Linken das Zeichen der Gotteskindschaft, auf dem Haupt trägt er die Krone der Herrlichkeit, um die Hüften hat er den Gürtel der Reinheit gelegt und die Lenden mit wahrer Keuschheit in der Kraft Christi umgeben. Die Ohren sind die Pforten des Glaubens: Durch sie tritt mit Furcht und Freude zugleich die Wachsamkeit über reine Sitten ein, und Gerechtigkeit und Recht, orientiert an den geistigen Gesetzen und strahlend in vollkommener Reinheit, treten aus ihnen aus; in ihrem Innern aber breitet sich der Wohlgeruch der Psalmengesänge und Loblieder aus, und der Ruhm des unsterblichen Königs hallt dort wider...

Die Nase, ausgerichtet auf den wahren Glauben, besitzt den Geruchssinn für jene Wissenschaft und Weisheit, welche in reiner Liebe... die Seele mit geistigen Gesetzen tränken. Dieser Geruchssinn führt zur Erkenntnis des Vaters, zum Erkennen des Sohnes und zum Verstehen des Heiligen Geistes. Die Erkenntnis des Vaters ist der Tempel seiner Verherrlichung, und die, welche durch das Bekenntnis zu ihm dort eintreten, finden ihn. Die Wissenschaft des Sohnes ist der Stall seiner Geburt, und die, welche im Bekenntnis ihres Glaubens sich ihm nahen, macht er sich zu Brüdern. Sie werden dann im wahren Glauben den Heiligen Geist erkennen, den Spender aller guten Gaben, welcher das Licht der Gottheit aufleuchten läßt... Die Nase, orientiert am wahren Glauben, unterscheidet den Geruch des Lebens und des Todes, des Himmelreiches und der Hölle, der Reinheit und der Sünde, der Gerechtigkeit und der Ungerechtigkeit...

Die Hände, durch den Glauben bewährt in guten Taten und unbefleckt durch die Wohltaten der Liebe, sind die Arbeiter an der kommenden Welt, des bereiteten

Himmelreiches. Sie spenden Wohltaten durch gute Werke und streuen auf die Felder guten Samen aus in der Hoffnung auf gute Früchte. Sie stützen die Wankenden, geben Halt den Mutlosen, richten die Gefallenen auf, stärken die Schwachen, geben Nahrung denen, die Not leiden, sie arbeiten, um jedem soviel zu geben, daß er die von Gott geschenkte Gesundheit bewahre und sich im Glauben erbaue, eingedenk der Worte und Taten des Apostels: »Für meinen Unterhalt und den meiner Begleiter haben diese Hände hier gearbeitet« (Apg 20,34). Die Hände, im Glauben bewährt, sind wie ein Rauchfaß mit duftendem Weihrauch, entzündet im Feuer des Heiligen Geistes und sich verbreitend in den guten Werken an Fremden und Nahen, damit sie sich erfreuen und ihre Hände in Dankbarkeit zu Gott erheben. Die Hände, bewährt im Glauben, sind ein Werkzeug des Verstandes und des Leibes, das die leiblichen und geistigen Bedürfnisse eines jeden Menschen erfüllt, und sie sind zugleich geschaffen zum Lob und Ruhme Gottes... In die Hände ist eingegraben das Zeichen des Kreuzes, das auf dem Felde die Dornen und Disteln des Sündenfluches ausgerottet und den Baum des Lebens uns eingepflanzt hat, welchen der Leib und das Blut Christi bewässern...

Die Füße, vom Glauben geführt, beschreiten den Weg der Reinheit; makellos und unbefleckt durch die Wohltaten der Liebe, wandeln sie als Wegbereiter zu den künftigen Wohnungen der Gerechten bei Christus. Sie führen durch reinen Lebenswandel »zur Stadt des lebendigen Gottes und zur Gemeinde der Heiligen« (Hebr 12,22)... Die Füße, geleitet vom Glauben, führen zu den Spuren der Verirrten, um die Irdischen zu den Himmlischen heimzubringen, die Lasterhaften zu den Rechtschaffenen, die Ungehorsamen durch die Schritte der Gerechtigkeit zum Gehorsam. Die Füße, vom Glauben geleitet, leiten dazu an, den Engeln dorthin zu folgen, wo die Wohnungen der Heiligen sind. Geschützt durch die Schuhe der Tugend, welche die Schlange auf dem Weg nicht durchbeißen und nicht aufhalten kann, sind sie kräftig genug, die Macht des Feindes zu zertreten. Sie treten wie die drei Jünglinge im Feuerofen das Feuer aus und lassen wie Petrus über das Meer wie über festes Land wandeln.

Mesrop, 11. Rede: Die Tüchtigkeiten derer, die sich mit Tugenden schmücken; nach Schmid, 150–159

4. Die Propheten und ihre Verkündigung des universalen göttlichen Heilswillens

Das alttestamentliche Buch Jona gehört zu den wegen ihres geringen Umfanges sogenannten Zwölf kleinen Propheten. Der unbekannte Verfasser hat in der Zeit zwischen 400 und 200 v. Chr. eine spannende und beglückende Lehrerzählung geschrieben, die zu den wertvollsten Überlieferungen in der religiösen Literatur zu rechnen und auch heute als Anruf an alle Christen zu verstehen ist. In seiner Dichtung fügt der Verfasser historische Ereignisse aus alter Zeit (die 612 von Babyloniern und Medern zerstörte »große« und machtbesessene Hauptstadt des assyrischen Reiches Ninive), unheimliche »Seemannsgeschichten« (der riesige Fisch) und eigene Erfahrungen mit seinem Volk Israel, das sich nach der Babylonischen Gefangenschaft in angeblicher Treue zum überkommenen Glauben von der heidnischen Umwelt abzukapseln suchte, zu einem großartigen Gemälde zusammen; seinen Zeitgenossen und allen künftigen Generationen, die an Jahwe glauben, hält er es vor Augen.

Die Israeliten, die den Glauben der Väter bei politischer Ohnmacht und Überfremdung durch persische und hellenistische Kultur durch Strenge gegen sich selbst und selbst auferlegte Isolierung zu bewahren versuchen, sollen erkennen, daß sie gerade durch diese »Vorsichtsmaßnahmen« ihrer göttlichen Sendung, auserwählt zu sein für andere, untreu werden. Da Jahwe Abraham geheißen hatte aufzubrechen, um ein Segen für alle Völker zu werden, will er sich auch in der Geschichte mit Israel als ein Gott für alle Menschen erweisen. Israel darf nicht den Weg nach rückwärts in die Abkapselung beschreiten. Gott hat das Volk immer wieder in die Freiheit geführt, damit es seiner Berufung leben kann, für alle Völker dazusein und sie zu Jahwe zu führen. Wenn Israel diesem Auftrag nicht nachkommt, wird es sich selbst zum Fluch und anderen Völkern zum Unheil. Israel kann nur bestehen, wenn es andere rettet.

Diese Überzeugung »verdichtet« der Verfasser des Prophetenbuches in der Gestalt und dem Geschick des Jona. Im Auftrag Jahwes soll er den Niniviten Buße predigen und sie zur Umkehr aufrufen, weil anders die Stadt ihrer Sünden wegen vernichtet wird. (Die Assyrer waren im Orient gefürchtet wegen ihrer brutalen Unterwerfungs- und grausamen Folter- und Hinrichtungsmethoden.) Doch der Prophet fürchtet sich vor diesem Auftrag und will vor Gott fliehen; er schifft sich nach Tarschisch ein. Ein aufkommender Sturm, der das Schiff in den Wogen zu zermalmen droht, läßt die Matrosen vermuten, daß jemand an Bord den Zorn seines Gottes heraufbeschworen hat. Durch das Werfen des Loses wird Jona entlarvt. Er muß nun gegen seine Absicht unter Heiden, vor denen er zu entkommen trachtete, bekennen, daß er ein Hebräer ist und an Jahwe glaubt. Auf eigenen Wunsch wird er ins Meer geworfen, das sich sogleich beruhigt. Ein großer Fisch, ein Seeungeheuer, verschluckt ihn; in seinem Bauch kann der Prophet noch einmal »in Ruhe« über seine Berufung nachdenken. Sein Herz erhebt sich zu einem Dankgebet, und nach drei Tagen speit ihn der Fisch unversehrt wieder an Land aus. Nun zieht Jona nach Ninive; er predigt in den Straßen und verkündet den Untergang der Stadt, wenn die Einwohner nicht Buße tun. Doch gegen seine Erwartung nehmen die Niniviten den Ruf zur Umkehr auf; König und Volk tun Buße, und die Stadt wird nicht vernichtet. Darüber ist Jona nun sehr verärgert; er hätte sich gern am Untergang dieser »heidnischen« stolzen und mächtigen Stadt erfreut. Jahwe aber erweist an ihr seine Barmherzigkeit. In seinem Zorn wünscht Jona sich den Tod; doch Gott weist ihn mit einem handfesten Gleichnis zurecht: Über Nacht läßt er den mächtigen Strauch einer Rizinuspflanze wachsen, in dessen Schatten Jona Ruhe und Kühle findet. Doch zu seinem Bedauern verdorrt der Strauch am nächsten Tag, und der Prophet beklagt sich bei Gott. Dieser aber gibt ihm zu bedenken: »Dir ist es leid um den Rizinusstrauch, für den du nicht gearbeitet und den du nicht großgezogen hast. Über Nacht war er da, über Nacht ist er eingegangen. Mir aber sollte es nicht leid sein um Ninive, die große Stadt, in der mehr als hundertzwanzigtausend Menschen leben, die nicht einmal rechts und links unterscheiden können – und außerdem noch soviel Vieh?« (Jon 4,10 f.) – Mit dieser bleibenden Frage endet die Erzählung.

Jona heißt »Taube«. Seit der Sintflut ist sie das Symbol der Versöhnung Gottes mit der Menschheit (Gen 8,6–12; 9,1) und seither auch das Zeichen des Friedens. Das Buch Jona ist eine Parabel, die in ihrer Lehre den allgemeinen Heilswillen Gottes verkündet. Wenn in dieser Dichtung auch nicht, wie man früher meinte, ein historisches Geschehen zur Sprache kommt, so bleibt der Sinn der Aussage doch der gleiche. Ob Jona als geschichtliche oder literarische Persönlichkeit auftritt, ist belanglos, falls nur gegen jüdische Engstirnigkeit der Heilswille Gottes an und für alle Völker verkündet wird: Er ist der Herr der Welt, und sein Wesen ist Barmherzigkeit. Diese Botschaft gilt es immer und überall zu verkünden. Seine letzte Frage an Jona: »Mir aber sollte es nicht leid sein um Ninive...?« hat Gott in Jesus selbst beantwortet: Er ist die menschgewordene göttliche Barmherzigkeit und Heilszusage. Wie Gott seine Propheten an Israel und dieses zu den »Heiden« sandte, so sendet nun Jesus seine Boten zu allen Völkern, damit sie seine Jünger werden und in ihm das Heil erlangen (Mt 28,19).

Tafel VII:
Die Parabel vom
Propheten Jona

Links vom Eingang der Kirche, auf hervorgehobener Südwand, hat der Künstler von Achtamar auf breiter Fläche, doch in symbolischer Dichte, die Hauptthemen des Jonabuches gestaltet. Am christlichen Gotteshaus in heidnischer Umgebung hatte diese Erzählung eine eminente Bedeutung: Die Eintretenden warnte sie anschaulich vor der Einschließung ins Ghetto des Glaubens und der Abkapselung von der Umwelt, die Außenstehenden lud es ein, sich dem einen Gott, der über alle Welt herrscht und alle Völker gleichermaßen liebt, zu unterstellen.

Tafel VIII:
Jona wird dem
Seeungeheuer
übergeben

Links im Schiff, dessen ruhiges Segel bereits anzeigt, daß sich der unheildrohende Sturm gelegt hat, stehen drei Männer, die Jona dem großen Fisch übergeben; kopfüber verschwindet der Prophet im Rachen des Seetieres. Dieses Ungeheuer, das rechts noch einmal voll ausgestaltet erscheint, soll Jona nur aufbewahren bis zu seiner Läuterung. Wenngleich es gestaltet ist und sich gebärdet wie ein Drache in der persischen Mythologie, so hat es doch keine Macht über den Propheten. Dem Willen Gottes gehorchend muß es ihn zur festgesetzten Zeit wieder heil an Land speien. Rechts darüber steht Jona unversehrt vor dem König von Ninive und ruft ihn mit eindringlicher Gebärde zu Buße und Umkehr auf. Der König trägt die Krone eines orientalischen Despoten; sie war einst mit erlesenen Steinen geziert. Bekleidet ist er mit kostbaren Gewändern; im Türkensitz hockt er auf den Kissen eines Sofas. In Haltung und Kleidung gleicht er den persischen oder arabischen Herren, die über Armenien die Herrschaft ausübten. In seinen Augen und in der Haltung seiner Arme zeigen sich Erstaunen und Erschrecken; die Bereitschaft zur Umkehr zeigt er dadurch, daß seine Linke auf die Niniviten weist. In vier Medaillons sind sie dargestellt neben dem König; im Trauergestus geben sie deutlich ihre Buße zu erkennen. Im Feld unter dieser Szene hat sich Jona behaglich unter der Rizinusstaude ausgestreckt; er wartet vergeblich auf den ersehnten Untergang von Ninive.

Über der Jonageschichte sind vier weitere Medaillons angebracht. Die rechte Gruppe der drei Brustbilder stellt die Propheten Zefanja (Sophonias) und Sacharja (Zacharias) und einen weiteren dar, dessen Namen nicht mehr zu lesen ist. Das linke Brustbild über dem Schiffsmast ist der Erstmartyrer Stephanus. Diese vier Gestalten stehen für ihre Predigt, in der sie Gott als den einzigen Herrn über alle Völker bezeugen, der aber nicht Vernichtung, sondern Läuterung will, und zugleich stehen sie für alle Boten dieses Gottes, die er im Alten wie im Neuen Bunde als Ausdruck seines universalen Heilswillens gesandt hat.

Der Künstler hat es verstanden, das Wort ins Bild zu übersetzen, da er sich auf das Wesentliche der Erzählung beschränkte. Dadurch hat er den Reliefs neben der erzählerischen Darstellung zugleich eine sinnbildliche Bedeutung einverleibt, so daß sie wieder ohne Mühe zurückverweisen können auf den eigentlichen Sinn der Erzählung. Der Betrachter sieht sich auf einen Blick vor die ganze Geschichte gestellt, doch erschließt sie sich ihm erst ganz, wenn er vor jeder einzelnen Darstellung verweilt und sie für sich bedenkt und dann erst das Erfaßte zur Ganzheit zusammenfügt. Dieses Lesen der Bilderschrift mit ihrem tiefen Symbolgehalt übt eine prägende Wirkung auf Geist und Gemüt des Betrachters aus.

Die östliche Christenheit hat seit jeher eine hohe Wertschätzung der alttestamentlichen Propheten bekundet. In den Erzählungen sah man aber nicht nur historische Berichte, sondern erkannte vor allem die bleibende symbolhafte und pädagogische Bedeutung der Personen und Ereignisse. Das Alte Testament hat seine auf Christus hinweisende Funktion und Kraft behalten, da es Wort Gottes ist, der alle Menschen seinem in Jesus Christus erschienenen Heil zuführen will. Im voraus und in Bildern haben die Führer und Propheten des auserwählten Volkes bereits das kommende Heil geschaut. In ihrem Wort haben sie darauf hingewiesen, daß Gottes ewiges WORT in der Fülle der Zeit als Mensch geboren werde (Gal 4,4). Das Mysterium der Menschwerdung des Gottessohnes aus der Jungfrau Maria läßt sich nur in geheimnisvollen und paradoxen Bildern zur Sprache bringen. Die Propheten waren die begnadeten Seher; doch konnten sie nur schattenhafte Zeichen und Vorbilder schauen. Erst als die göttliche Wahrheit selbst in das menschliche Schicksal eintrat, erhellte sie das Dunkel über der Menschheit durch ihre lichtvolle Gegenwart:

Der göttlichen unsagbaren Tiefen,
der Geheimnisse Teilgenossen, heilige Propheten,
das WORT verkündend im voraus,
der Zukunft Geschehnisse.

Die verborgenen Werke des Gottessohnes,
der Menschwerdung heiliges Geheimnis
verheißend allzumal
durch vielgestaltige Vorbilder:

M o s e aus dem Wasser auftauchend,
mit dem Stabe spaltend die Wasser,
die Geburt schaute er, die jungfräuliche,
im Dornbusch, unversehrt.

Jesses Sproß, König D a v i d,
Vater dem Fleische nach des Eingeborenen vom Vater,
schaute den Tau ausgegossen über die Wolle,
vorbildend des Sohnes Herabkunft.

Der Könige mit Öl gesalbt,
S a m u e l, die Frucht der Unfruchtbaren,
der Erbe war des neuen Gesetzes
an Helis statt, des alten Gesetzes.

J e s a j a gibt uns ein Zeichen,
daß gebäre die Jungfrau ohne Mann;
er vernahm die Stimme der Seraphim,
schaute die Glorie der Gottheit.

E l i j a s Strenge auf sich nehmend,
den Himmel schließend und öffnend,
überragend, wandelt' er auf Erden,
führt zum Himmel auf in feurigem Wagen.

Seines doppelten Geistes Erbe,
E l i s c h a, der heilige Seher,
ebenbürtig seinem Lehrer,
der Witwe Sohn erweckte er.

E z e c h i e l, mit Worten beschreibend
die Viergestalt der Cherubim,
enthüllt offen verborgenes Geheimnis,
predigt das Evangelium.

Wahrhaftig vom Mutterleibe an,
J e r e m i a, der jungfräuliche Prophet,
des Gesichtes Geist kündigt er uns,
Christus, das Licht, das vom Vater stammt.

Mit ihnen vereint ist die Schar
der zwölf Propheten;
in gleicher Weise predigten sie
des WORTES Kommen auf Erden.

Der Spender der Gnaden, der Geist,
schuf zum Werkzeuge sich ihre Zungen,
lehrte durch sie die Menschen
das unsagbare Geheimnis des Herrn.
. . .

Zum Ruhme sind sie dem Menschengeschlechte
und Erleuchter dem Erdenkreis,
die Vorverkünder Christi;
ihm sei Ehre, Lobgesang, Dreimalheilig!
Nerses Schnorhali, Hymnus zu Ehren der Propheten; Theol. Quartalschrift 81,105–107

Über den Vorbildcharakter ihrer Weissagungen hinaus schätzt der große Poet, Bischof und Katholikos Nerses die Propheten auch deshalb, weil er in den Mühen und Drangsalen, die sie für das Volk Gottes zu ertragen hatten, sein persönliches Schicksal, seine Arbeit für sein armenisches Volk und die Aussöhnung der Kirchen untereinander, aber auch seine von der Sünde herrührende Schwachheit, vorgezeichnet sieht. In seinem Beten wendet er sich an sie und erfleht ihre Fürsprache, damit auch er »des Himmelslichtes« teilhaftig werde:

Durch J e r e m i a, des Propheten,
des in dem Mutterleib Geheiligten Gebet
und dessen, der die Cherubim erschaute
und den Herrn am Flusse Kebar (E z e c h i e l),
die die Gefangenen geleiteten,
so wie der Hirt seiner Herde folgt,
daß sie nicht irregehen sollten unauffindbar
und an der Seele jäh zugrunde gingen, –
ja vieler noch, die diesen ähnlich waren
und die in jener Zeit gelebt,
durch deinen Geist Gesichte hatten
und von der Zukunft redeten:
des guten Landmanns H o s e a,
A m o s, des Predigers,
M i c h a, der erschaute dein Geborenwerden
zu Bethlehem im Hause Ephrata,
und J o e l mit den Klageliedern,
der über sich um meinetwillen Wehe rief,
und O b a d j a, des Geistesträgers,
mit ihnen auch N a h u m aus Elkosch,
des Wundertäters H a b a k u k,
der wachsam auf die Höhe stieg,
der in die Grube bracht das Mahl,
gefaßt vom Engel an den Haaren,
Z e f a n j a, des Verkündigers,
und H a g g a i, der das Wort gepredigt,
und J o n a, der des Seetiers Beute war

84

und Ninives gewalt'ger Prediger, –
Zieh mich, o Herr, empor wie ihn
vom Bauch des bösen Drachen
durch sein Gebet, der dich vorbildete
und dein dreitägiges Begräbnis in der Erde. –
des S a c h a r j a, der geschaut
den siebenarm'gen Leuchter,
der dich dem neuen Zion hat verkündet
als sitzend auf dem Eselsfüllen,
des M a l e a c h i, der der letzte war
der früheren Propheten,
der heil'gen Engels Namen trug
und seiner Schönheit ähnlich war,
und der drei Jünglinge von Babylon,
der Schüler D a n i e l s, H a n a n j a, A s a r j a
und des sel'gen jungen M i s c h a e l,
die in den Feuerofen fielen,
weil sie dem Bild nicht opferten, –
. . .
  Ich aber werde von der Sünde jetzt verzehrt,
  da deren Flamm' ich angefacht.
  Es flackert auf in mir des Bösen Lohe
  viel höher als im Feuerofen. –
. . .
um des Gebetes jener Willen lösch es aus vor mir,
mach würdig mich des Himmelslichtes.
Nerses Schnorhali, Jesus, der Sohn, I, 1185–1263; Theol. Quartalschrift 80,257–259

Bei aller Wertschätzung für das Alte Testament und seine Propheten – das von Gott allen Völkern angebotene Heil konnte Israel ihnen nicht bringen; es bedurfte selbst der Heilung. Die Propheten waren nicht die Ärzte, die »das Siechtum der Menschheit« zu heilen imstande waren. Die menschliche Natur konnte nur geheilt werden durch den

»Heiland« selbst. Dadurch, daß das göttliche WORT bei seiner Menschwerdung sie sich zueigen machte, für sie starb und in seiner Auferstehung sie in seine Herrlichkeit erhob, führte er sie heim zu ihrem Ursprung. Christus allein konnte die Gottesferne der Menschheit überwinden, und er hat den Menschen, die ihn aufnehmen, die Ebenbildlichkeit Gottes wiedergeschenkt:

Doch ward durch solche Ärzte
der Menschheit Siechtum nicht geheilt.
Denn selber kraftlos von Natur
vermochten sie nicht Heilung zu bewirken,
da starker Arzeneien sie bedurften,
um starker Wunden Schmerzen auszuheilen.
Den siechen, kranken Leib,
den konnten sie nicht heilen,
eh' denn die Lebensarzenei, die himmlische,
getrunken unsere verdorbene Natur
und ehe sie die bittre Galle ausgespien
und heimgekehrt zum früheren Leben war.
Nerses Schnorhali, Jesus, der Sohn, II, 1–12; Theol. Quartalschrift 80, 260

II.
DIE WAHRHEIT IN CHRISTUS

1. Gottes Treue zur Welt:
Die Verkündigung der Menschwerdung des göttlichen WORTES

Im sechsten Monat wurde der Engel Gabriel von Gott in eine Stadt in Galiläa namens Nazareth zu einer Jungfrau gesandt. Sie war mit einem Mann namens Joseph aus dem Hause Davids verlobt. Der Name der Jungfrau war Maria. Der Engel trat bei ihr ein und sagte: Freu dich, du Begnadete, der Herr ist mit dir. Sie erschrak über diese Rede und dachte nach, was dieser Gruß zu bedeuten habe. Der Engel sprach zu ihr: Fürchte dich nicht, Maria; denn du hast Gnade gefunden bei Gott. Siehe, du wirst ein Kind empfangen und einen Sohn gebären; dem sollst du den Namen Jesus geben. Er wird groß sein und Sohn des Höchsten genannt werden. Gott, der Herr, wird ihm den Thron seines Vaters David geben. Er wird über das Haus Jakob in Ewigkeit herrschen, und seine Herrschaft wird kein Ende haben. Maria sagte zu dem Engel: Wie soll das geschehen, da ich keinen Mann erkenne? Der Engel antwortete ihr: Der Heilige Geist wird über dich kommen, und die Kraft des Höchsten wird dich überschatten. Deshalb wird auch das Heilige, das geboren wird, Sohn Gottes genannt werden. Siehe, auch Elisabeth, deine Verwandte, hat noch in ihrem Alter einen Sohn empfangen; und dies ist der sechste Monat für sie, die als unfruchtbar galt. Denn bei Gott ist kein Ding unmöglich. Da sprach Maria: Siehe, ich bin die Magd des Herrn; mir geschehe nach deinem Wort. Und der Engel schied von ihr.

Lukas 1,26–38

Der Miniaturmaler stellt uns Maria in ihrem Zimmer von Nazareth vor. Nazareth mit seinen vornehmen Häusern, seinen roten Dächern und blauen Kuppeln bildet den Hintergrund. Maria steht vor einem Lesepult; die heilige Schrift, in die sie vertieft war, ist noch aufgeschlagen. Im Hinhören auf das Wort Gottes hat sie sich bereitet, dem

Tafel IX:
Verkündigung
der Mensch-
werdung Gottes

göttlichen WORT Mutter zu werden. Sie ist hervorgegangen aus der Schöpferhand Gottes. Ihre Geschöpflichkeit, durch die blaue Farbe ihres Kleides symbolisiert, ist, dem Gruß des Engels entsprechend, umkleidet mit göttlicher Liebe und Gnade; sie wird durch den Kopf und Schultern bedeckenden Schleier, das Maphorium, und seine purpurne Farbe bezeugt. Drei Sterne darauf weisen auf ihre Jungfräulichkeit. Maria steht erhöht auf einem roten Podest; sie stammt ja aus dem königlichen Geschlecht Davids. Ihre Rechte bewillkommnet den göttlichen Boten; mit der Linken bekundet sie sich als demütige Magd des Herrn.

Das verhaltene Schreiten des himmlischen Boten und sein noch wehendes Gewand unterstreichen die Bedeutung und Unaufschiebbarkeit seines Auftrages: Die Zeit ist erfüllt; Gottes Sohn soll geboren werden (Gal 4,4). Auch der Engel ist Gottes Geschöpf, wie es im Blau des Untergewandes bekundet wird. Sein Wesen ist ganz von der glühenden Liebe zu seinem Schöpfer durchdrungen, die das feuerfarbene Obergewand zum Ausdruck bringt. In seiner zum Gruß erhobenen Rechten legt der göttliche Bote Zeugnis ab über seinen Auftraggeber: Daumen, Ring- und kleiner Finger sind zusammengefügt und weisen auf die drei Personen in der einen Gottheit hin, die beiden anderen Finger bezeugen, daß in Christus die göttliche und die menschliche Natur geeint sind. In seiner Linken trägt der Engel zwei Lilien; sie gelten als Paradiesblumen und sind Sinnbild für die Gewißheit der göttlichen Fürsorge für die Menschen (Mt 6,28). Denn dadurch, daß der Sohn Gottes die gefallene menschliche Natur annimmt, will er sie zur ursprünglichen Schönheit und Gottesebenbildlichkeit, die den Menschen im Paradies geschenkt war, zurückführen.

Diese Erneuerung bewirkt der Geist Gottes, der in Gestalt einer Taube aus dem Kreissegment mit seinen drei Strahlen, Zeichen des dreieinigen Gottes, auf Maria herabkommt. Wie am Anfang der Schöpfung der Geist Gottes über den Wassern schwebte (Gen 1,2), um das Chaos zur Harmonie zu ordnen und die Geschöpfe mit Leben zu erfüllen, so schwebt er nun über Maria, um sie zu heiligen und in ihr gottgewirktes Leben zu wecken. In der »Kraft des Höchsten« vereinigt Gottes Sohn seine göttliche Natur in ihr mit der menschlichen. »Das WORT ist Fleisch geworden und hat unter uns gewohnt« (Joh 1,14). Mit ihrem Ja zum Heilsplan des Vaters wird Maria irdische Mutter des Gottessohnes; in ihr und durch sie betrat er in menschlicher Gestalt unsere Erde, um die Menschen heimzuführen zu ihrem göttlichen Ursprung.

Im gott-menschlichen Geschehen bei der Verkündigung sehen die Väter den Anfang der Erneuerung des Menschen und der Schöpfung, denen durch die Menschwerdung Gottes die Lebenskräfte ihres Ursprungs von neuem zufließen. In seiner Treue hat Gott die Schöpfung nicht sich selbst und den Menschen nicht dem Tod überlassen. Er hat vielmehr »die Erde... erneuert« und durch die Annahme der menschlichen Natur die Menschheit »von der alten Sünde« befreit. Indem der Vater sein ewiges WORT in die Menschheit hineinspricht, versöhnt er sich mit ihr und, da der Mensch Haupt der Schöpfung ist, auch mit dieser. Schon Paulus hat die der ganzen Schöpfung gegebene Hoffnung in die Worte gekleidet: »Auch die Schöpfung soll von der Sklaverei und Verlorenheit befreit werden zur Freiheit und Herrlichkeit der Kinder Gottes« (Röm 8,21). Der Beginn dieser gnadenvollen Zuwendung Gottes zu seinen Geschöpfen hat kosmische Ausstrahlung: Gottes Liebe zur Erde führt Engel und Menschen wieder zur Einheit und zum gemeinsamen Gotteslob zusammen. »Wohnung für den Herrn« zu sein bedeutet für Maria nicht exklusive Begnadung, sondern vielmehr missionarische Beauftragung. Sie geht zu ihren greisen Verwandten Zacharias und Elisabeth, die aus sich heraus unfruchtbar sind, doch nun in der Begegnung mit »der Frucht der Jungfrau« zu jugendlichem Lobpreis erneuert werden; Johannes, der Sohn, den Gott ihnen schenkt, soll Wegbereiter der Erneuerung durch Christus werden. Von jetzt an wird die Gnade der Erneuerung allen Menschen zuteil, wenn sie »dem Kind« begegnen und es als ihren »Erlöser« bekennen:

Das Wort der Verkündigung mit lauter Stimme
ruft Gabriel der Hochheiligen zu:

Zu dir bin ich gesandt, du Reine,
zu bereiten eine Wohnung für den Herrn.

Das Lied des Jubels singen wir:
Freu dich, du Selige, der Herr ist mit dir!

Erneuert wird die Erde heute,
frei von der alten, früheren Sünde.

Die Himmel mit den Himmlischen
zusammen mit den Menschen weihen das Gloria in der Höhe,

sammeln und einigen sich durch die Liebe
zur Versöhnung des Vaters mit den Geschöpfen.

Die heilige Jungfrau, ob des Grußes erschrocken,
sagte ja zum Worte des Engels.

In Zacharias Haus ging sie,
zu begrüßen Elisabeth.

In Liebe vernahm sie die Kunde des Wortes,
und es frohlockte die Stimme im Leibe.

Im Munde der unfruchtbaren Greisin
ward Lobpreis gewidmet der Frucht der Jungfrau.

Mit der Großen lobsingen wir dem Kinde:
Dem Erlöser Ehre und Macht!

Nerses Schnorhali, Hymnus zum Fest der Verkündigung; Theol. Quartalschrift 81, 99

Gott in seiner Güte hat eine gute Schöpfung ins Dasein gerufen. Der aus dem Miß-brauch der Freiheit erwachsene Hochmut der ersten Menschen, ihrem Schöpfer nicht dienen und selbst wie Gott sein zu wollen (Gen 3,5), brachte ihnen und ihren Nach-kommen nicht ein reicheres und freieres Leben, sondern in der Gottesferne den Tod. Gott in seiner Güte aber hat dadurch, daß er in Christus selbst in die gefallene Menschheit hinabstieg und sich ihre Natur zu eigen machte, diese erlöst und ihr das ersehnte ewige Leben als Geschenk angeboten. Jeder Mensch, der den Weg Jesu be-schreitet, gelangt ins »Himmelreich«. Im Grußwort des Engels an Maria, das sich aus der Gesamtschau der östlichen Theologie besser mit »Freue dich!« übersetzen läßt, kündet sich »die Erlösung des Menschengeschlechtes« bereits an:

Alle Geschöpfe hatte der Gütige gut erschaffen; doch in Freiwilligkeit sind sie zu
bösen Dämonen geworden. Den Satan hat sein selbstgefälliger Hochmut aus seiner

90

Herrlichkeit gestürzt. Gleiches geschah mit den Menschen, welche durch die Täu-
schungen Satans der gleichen Leidenschaft verfielen. Er hatte ihnen die Ehre der
Gottheit versprochen; sie sollten sich Gott widersetzen wie er selbst. – Auch Gabriel
war ein Erzengel; doch er brachte der Jungfrau die Botschaft: »Freue dich!« und
verkündete der Erfreuten (Begnadeten) mit diesem Wort die Erlösung des Men-
schengeschlechtes. Durch die Menschwerdung des Sohnes Gottes wurde die ganze
Schöpfung befreit von den Sünden, derer sie sich durch Satan schuldig gemacht hatte
und durch die sie in den Tod gefallen war. Christus aber hat sie lebendig gemacht
und hat die Versöhnung zwischen dem Schöpfer und seinen Geschöpfen bewirkt. Er
hat die, welche an die allerheiligste Dreifaltigkeit glauben, eingeladen, durch tu-
gendhaftes Leben ins Himmelreich zu kommen.
Mesrop, 20. Rede: Christliche Wissenschaft und Weisheit; nach Schmid, 233 f.

2. Die Menschwerdung Gottes: Christi Geburt

Joseph zog von der Stadt Nazareth in Galiläa hinauf nach Judäa in die Stadt
Davids, die Bethlehem heißt, weil er aus dem Haus und Geschlecht Davids stamm-
te, um sich in die Steuerlisten eintragen zu lassen mit Maria, seiner Verlobten, die ein
Kind erwartete. Als sie dort waren, kam für Maria die Zeit ihrer Niederkunft, und
sie gebar ihren Sohn, den Erstgeborenen. Sie wickelte ihn in Windeln und legte ihn in
eine Krippe, weil in der Herberge kein Platz für sie war. In jener Gegend lagerten
Hirten auf freiem Feld und hielten Nachtwache bei ihrer Herde. Da trat der Engel
des Herrn zu ihnen, und der Glanz des Herrn umstrahlte sie. Sie fürchteten sich sehr,
der Engel aber sagte zu ihnen: Fürchtet euch nicht, denn ich verkünde euch eine
große Freude, die dem ganzen Volk zuteil werden soll: Heute ist euch in der Stadt
Davids der Retter geboren; er ist der Messias, der Herr.
Lukas 2,4–11

Als Jesus zur Zeit des Königs Herodes in Bethlehem in Judäa geboren worden war,
kamen Sterndeuter aus dem Osten nach Jerusalem und fragten: Wo ist der neugebo-
rene König der Juden? Wir haben seinen Stern aufgehen sehen und sind gekommen,

um ihm zu huldigen. ... Der Stern, den sie hatten aufgehen sehen, zog vor ihnen her bis zu dem Ort, wo das Kind war; dort blieb er stehen. Als sie den Stern sahen, wurden sie von überaus großer Freude erfüllt. Sie gingen in das Haus und sahen das Kind und Maria, seine Mutter; da fielen sie nieder und huldigten ihm. Dann holten sie ihre Schätze hervor und brachten ihm Gold, Weihrauch und Myrrhe als Gaben dar.
Matthäus 2,1–11

Tafel X:
Geburt Christi

Zwischen die lichtvolle Sphäre der göttlichen Welt, im blauen Kreissegment über goldenem Hintergrund angedeutet, und der von den Personen wie von bunten Blumen durchwirkten dunklen Erde hat der Maler den Boten Gottes gestellt. Mit seiner Gestik unterstreicht er seine Botschaft. Die Rechte ist den Hirten zugewandt, die Linke weist auf das Kind in der Krippe: »Ich verkünde euch eine große Freude; ... der Retter ist geboren; er ist der Herr.« – Zwei Hirten, am roten Hut als Männer aus jüdischem Volk erkennbar, sind die ersten Empfänger dieser Frohen Botschaft. Während der eine sein Gesicht noch dem Engel zuwendet, hat sich der andere schon auf den Weg zur Krippe gemacht. Von rechts sind die Sterndeuter aus dem Osten herbeigeritten; die Pferde haben sie unten im Bild »abgestellt«. Die roten Mützen weisen sie als Perser aus. Der armenische Maler bezeugt so seinen iranischen Nachbarn, die mittlerweile vom Mazdaismus und der Verehrung der Gestirne zum Islam übergetreten waren, daß die weisen Männer ihres Volkes den Weg zum wahren Retter und Messias gefunden haben; warum sollte man diesen Weisen nicht zu Christus folgen?

Umrahmt von den huldigenden jüdischen Hirten und den persischen Weisen steht im Zentrum des Bildes das Mysterium der Menschwerdung Gottes in der Geburt Christi. Übergroß liegt Maria auf einem Ruhepolster. Mit ihrer menschlichen Natur und ihrer Heiligkeit, die sich als Mutterschaft und Jungfräulichkeit bekunden, hat sie gleicherweise Gott gedient, der seine niedrige Magd nun »groß« macht: »Auf die Niedrigkeit seiner Magd hat er geschaut. Siehe, von nun an preisen mich selig alle Geschlechter. Denn der Mächtige hat Großes an mir getan, und sein Name ist heilig« (Lk 1,48 f.). Nun wendet sich Maria an den Betrachter und lädt ihn ein, ob Hirte oder Weiser, ob Jude oder Heide, dem Sohn Gottes und ihrem Sohn zu huldigen. Bei diesem Kind, das in der dunklen Höhle, inmitten der gefallenen Menschheit, zur Welt kommt, haben sich schon Ochs und Esel eingefunden, die nach Jesaja (1,3) besser als das auserwählte Volk ihren Herrn kennen. Nach Gregor von Nyssa, der mit seinen Homilien und den Mönchsregeln einen großen Einfluß auf die armenische Religiosität ausgeübt hat, ist der Esel Sinnbild für das Judentum, das unter der Bürde des Gesetzes lebt, und der Ochs Zeichen des Heidentums, das von der Last des Götzendienstes bedrückt ist.

Gott wird Mensch, und Maria darf ihm mit ihrer Jungfräulichkeit und Mutterschaft dabei dienen: Dieses unfaßbare Mysterium beschäftigt Joseph, der sich grübelnd »in eine Ecke verzogen« hat und sinnend sein Haupt mit der Hand stützt. In seiner Person findet sich der gläubige Betrachter wieder, der zur Krippe kommt, um seinem Retter zu huldigen und von diesem Mysterium der unaussprechbaren Liebe Gottes erschüttert wird.

Im unteren Mittelfeld eine Badeszene: Nach dem schon im 2. Jahrhundert entstandenen apokryphen Evangelium des Jakobus betreuen nach der Geburt Salome und eine Hebamme das Kind und baden es. Absicht dieser alten Überlieferung war es, die Wirklichkeit der Menschwerdung Gottes zu unterstreichen: Nicht zum Schein, sondern in Wahrheit hat Gott einen menschlichen Leib angenommen; er bedurfte der Hilfe einer Hebamme und mußte wie jedes Neugeborene nach der Geburt gewaschen werden. Die Väter der Kirche und mit ihnen die Maler erblicken in dieser Szene eine tiefere Aussageabsicht: Das Baden Jesu weist schon hin auf seine Taufe im Jordan, bei der sich der Messias in die Reihe der Sünder einordnet und vom Vater als »geliebter Sohn« bezeugt wird (Lk 3,21 f.). Darüberhinaus verweisen das Baden Christi und seine Taufe auf die Taufe des Christen, der in diesem sakramentalen Bad zu neuem Leben mit Christus geboren wird. (Das Badebecken im Bild ist deshalb den Taufbecken in den Kirchen nachgebildet.) Wie Christus der Menschen wegen in der Höhle von Bethlehem als Menschensohn geboren wurde, so werden die gläubig gewordenen Menschen dank der Menschwerdung Gottes im Taufbrunnen der Kirche zu Gotteskindern wiedergeboren. Bei der Darstellung der Geburt Christi bekundet die Miniatur ekklesiologische Weite und sakramentale Tiefe.

Das Weihnachtsgeschehen bleibt auch dem Gläubigen ein Mysterium, dessen Tiefe und Weite sich ihm nur bruchstückhaft, unter jeweils anderem Aspekt, aufschließt. Die Vielfalt der liturgischen Hymnen ist dafür beredtes Zeugnis. Die für menschliches

Erfassen unvereinbaren Gegensätze von Gottheit und Menschheit, die in Christus zur Einheit verbunden wurden, lassen sich nur durch paradoxe Formulierungen zur Sprache bringen:

Mysterium, groß und wunderbar,
das an diesem Tage enthüllt,
Hirten singen mit den Engeln,
der Erde gute Nachricht bringend:
ein König ward in Bethlehem geboren.
Seid dankbar all ihr Menschenkinder,
für uns ist er ja Mensch geworden.
Weihnachtshymnus; Kirche Armeniens, 82

Der Herr der Herrlichkeit,
geboren vor der Ewigkeit,
derselbe ward geboren heute
zu Bethlehem, der Davidsstadt.

Der himmlische Meister,
die Weisheit des ewigen Vaters,
wird gelegt in die Krippe der vernunftlosen Tiere,
eingehüllt in Windeln.

Der über den Cherubim sitzt,
auf dem Throne der Herrlichkeit, der Alte der Tage,
wird auf den Armen der Jungfrau,
dem Säugling gleich, als Kind getragen.

Der himmlischen Heerscharen
großer und siegreicher König
sitzt auf lichter Wolke,
flüchtet nach Ägypten, freien Willens.

94

Der aller Engel Schöpfer ist und Herr,
der unsichtbaren, überirdischen,
erscheint auf Erden,
wandelt mit den Menschenkindern.
Nerses Schnorhali, Hymnus zum Fest der Geburt Christi, 1. Teil;
Theol. Quartalschrift 81, 91

Der gläubige Beter vergißt nicht, daß Christus einen doppelten Ursprung hat: In der Zeit nahm er »seinen Anfang von der Jungfrau«, seit Ewigkeit aber ist er »mit dem Vater vereint« und bleibt es auch, als er sich »an die Zeit ausgeliefert« hat. Diese geistige Rückschau bewahrt den Betrachter des Kindes in der Krippe davor, das Weihnachtsgeschehen zum idyllischen Erlebnis zu machen:

Das WORT ohne Anfang war ursprungslos,
da es vom Vater stammte.
Und es nahm seinen Anfang von der Jungfrau,
indem es sich mit Fleisch bekleidete.
Es war in ihrem Schoß geborgen
und doch gleichzeitig mit dem Vater vereint.
An die Zeit ausgeliefert
wurde es geboren als Gott und Mensch.
Weihnachtsliturgie; Kirche Armeniens, 101

Das Weihnachtsmysterium ist nicht nur von Bedeutung für die Menschen, insofern Gott sich durch die Annahme ihrer Natur mit ihnen versöhnt, sondern es hat auch kosmische Dimensionen. Engel und Menschen bilden vor dem Schöpfer wieder eine einzige liturgische Gemeinde. In das Gloria aus der Höhe und das Bekenntnis der Engel, daß das Kind von Bethlehem der Sohn Gottes und der Herr ist, stimmen die zu ursprünglicher Würde der Gottesebenbildlichkeit erneuerten Menschen ein, wie andererseits die Himmlischen jubeln über die Ehre, mit der Gott ihre Brüder auf Erden ausgezeichnet hat. Selbst die »Grundfesten der Welt«, d. h. die gewaltigen Kräfte in der Natur, werden zum gemeinsamen Jubel aufgerufen. Indem Gott in die menschliche Natur eingeht, nimmt er auch alle irdischen Elemente an, aus denen sich der Mensch aufbaut. Nichts aber von dem, was Gott angenommen hat, bleibt unerlöst:

> Scharen der Engel und der himmlischen Heere
> stiegen herab mit dem eingeborenen König;
> sie sangen und sprachen:
> Dies ist Gottes Sohn.
> Laßt uns alle sprechen:
> Freut euch, ihr Himmel,
> und jubelt, Grundfesten der Welt!
> Denn der ewige Gott erschien auf Erden
> und hatte Umgang mit den Menschen,
> damit er unsere Seelen errette.
> Heilig-Lied an Marienfesten; Steck, Liturgie, 50

> Deine wunderbare Geburt, Herr,
> beten wir an, zusammen mit den Magiern.
> Dem himmlischen Hirten singen wir
> das Lied der Hirten: das Gloria in der Höhe.
> Dem Meister zu Ehren als Jünger
> laßt uns heute tanzen zusammen mit den Engeln.
> Einstimmend mit den Seraphim laßt uns jubilieren,
> Herr, ob deiner Erscheinung.
> Den, der zu erlösen erschienen ist,
> laßt uns anflehen, wir, die durch dich Erlösten.
> Reinige uns von den Sünden
> durch deine lebenspendende, heilige Geburt.
> Zur Glorie heb' uns empor
> durch das Gebet der heiligen Gottesmutter.
> Dem, der gekommen als erneuernder Erlöser,
> singen wir erneuert allezeit das Gloria.
> Nerses Schnorhali, Hymnus zur Geburt Christi;
> Theol. Quartalschrift 81, 92 f.

Das Mysterium der Geburt Christi umfängt die Menschen aller Zeiten. Indem Gott Anteil hat an der menschlichen Natur, verbindet er sich mit allen, die diese Natur tragen und an ihr tragen, mit allen, die je gelebt haben und noch leben werden. Durch ihn werden die »sündenverlorenen Vorväter« bis hin zu den Ureltern »neu für das ewige Leben«:

Sohn Gottes, aus unaussprechlicher Herrlichkeit
kamst du in die Welt
und nahmst unsere irdische verderbte Natur an;
heute belebst du unsere sündenverlorenen Vorväter
durch dein Menschsein neu für das ewige Leben.
Weihnachtshymnus; Kirche Armeniens, 102

Wie Simeon, der Jesus persönlich in seine Arme nehmen durfte und von ihm im Frieden entlassen wurde, so werden künftig alle, die durch Sünde an den Tod gefesselt sind, von Christus befreit und zum Vater heimgeführt:

Der greise Simeon kam heute,
vom Geist geführt, in den Tempel.
Größer erschien er als die Cherubim,
die nicht den furchtbaren Glanz zu schauen vermögen.
Er aber hat ihn in seinen Armen getragen
und keck geküßt und liebkost wie ein Kind
und hat flehend gebeten,
ihn zu entlassen im Frieden.

Anfangloses WORT, Gott,
in den letzten Tagen hast du es auf dich genommen,
Mensch zu werden aus der Jungfrau.
Du, Schöpfer der Ewigkeiten,
schlossest dich ein in die Zeit,
heiliger Herr der Heiligkeit und reicher Freiheit.
Vierzig Tage alt kamst du in den Tempel
und erfülltest die Gerechtigkeit der Gesetze.

Den Unendlichen auf seinen Armen tragend
hat Simeon gebeten:
Du, der Befreier der Gebundenen,
befreie mich im Frieden!
Deswegen rufen wir mit dem greisen Simeon dir zu, Herr:
Heilig, heilig, heilig, Herr der Heerscharen!
Erfüllt sind Himmel und Erde von deiner Herrlichkeit
zu unserer Erlösung, Christus Gott! Ehre dir!
Zwei Eingangslieder am Fest der Darstellung des Herrn;
Steck, Liturgie, 25

Der körperlose Sohn begab sich hinein
in das Leben unter dem Gesetz
und wurde körperlich,
damit er uns, die Erdgeborenen,
dem Vater heimbringe.
Weihnachtshymnus; Kirche Armeniens, 102

Die über alle Zeit hin wirkenden und die Menschheit erneuernden Lebenskräfte, die bei der Menschwerdung Gottes dieser Welt »einverleibt« wurden, hat Christus seiner Kirche zur Austeilung an die Menschen anvertraut; in ihrer Mitte wird er wie einst in Bethlehem zu geschichtlicher Stunde nun »auf dem heiligen Altare« in übergeschichtlicher Weise immer wieder gegenwärtig. Der sich einst in Simeons Arme legen ließ, kann hier sakramental von jedem aufgenommen werden:

Den Erde und Himmel nicht fassen können,
der ist in Windeln gewickelt;
vom Vater ungetrennt, läßt er sich nieder
auf dem heiligen Altare.
Weihnachtshymnus; Kirche Armeniens, 82

Die Kirche vergißt am Weihnachtsfest nicht, auch Maria zu preisen und ihr zu danken. Sie ist die Vertreterin der Menschheit und hat als »heiliger Same« (Jes 6,13) aus gefallenem Stumpf das Ja-Wort zur Erlösung gesprochen. Gott wollte die Menschheit nicht ohne ihren Willen und ohne ihr Mitwirken erlösen. Als Magd des Herrn hat Maria ihm mit ihrer Reinheit und ihrem Muttersein gedient. Sie hat nicht eine menschliche Natur zur Welt gebracht, sondern den geboren, der als Zweite Person in Gott sich in ihrem Schoß einen Leib bereitete. Muttersein ist zutiefst personales Handeln und bedeutet personale Beziehung. Deshalb bezeichnete die Kirche Maria schon vor dem Konzil von Ephesus (431) mit dem Ehrentitel »Gottesgebärerin«; dort aber wurde er feierlich als christliche Glaubensüberzeugung verkündet:

Gottesgebärerin, dich bekennt und verehrt
die Kirche der Rechtgläubigen;
denn welchen die vieläugigen Cherubim
und die feurigen Throne und die sechsflügligen Seraphim
nicht zu schauen vermögen,
trugst du ohne Mitwirken eines Mannes
in Jungfräulichkeit in deinem Schoß
als Magd des Herrn
und gebarst ihn als Menschen, den Gott des Alls,
der aus dir Fleisch angenommen, das unaussprechliche WORT,
zur Erlösung der Welt und zum Leben unserer Seelen.
Eingangslied am Fest der Geburt Christi; Steck, Liturgie, 24

Während in liturgischer Feier die Gemeinde ihren Glauben an die Menschwerdung Gottes mit der vom Heiligen Geist gewirkten Freude zum Hymnus werden läßt, verkünden die Väter diese Überzeugung mit nüchternen Worten und verteidigen sie gegen Fehldeutungen. Gegenüber dem persischen Volksglauben erklären sie, daß nicht irgendein himmlisches Wesen, sondern der Schöpfer-Gott selbst Mensch geworden ist. Er hat sich dadurch, daß er in die geschöpfliche Natur einging, nicht entwürdigt, da die Schöpfung sein eigenes Werk ist; er hat sie vielmehr geehrt und geheiligt. Wenn er die Welt aus nichts schaffen konnte, so war es ihm auch möglich, sich aus der Jungfrau Maria ohne menschliche Zeugung einen Leib zu bereiten. Sinn und Ziel dieser göttlichen Herablassung fassen die Väter der östlichen Kirchen in der einprägsamen Kurzformel zusammen: Gott nimmt die Menschheit an, damit der Mensch der

Gottheit teilhaftig werde. Gegenüber den getrennten Christen, die in armenischer Nachbarschaft in Syrien und Persien der Lehre des Nestorius folgen, betonen die Väter, daß das göttliche WORT die ganze menschliche Natur vollkommen mit seiner göttlichen Natur vereint hat; Christus läßt sich nicht zur Zweiheit aufspalten, er ist mit seinen beiden Naturen Einheit:

Der die Welt geschaffen hat, er selbst kam und ward geboren von der heiligen Jungfrau Maria ohne Zeugung nach menschlicher Ordnung, wie die Propheten ihn vorherverkündet hatten. Wie er diese Welt mit ihrem großen Körper aus nichts gemacht hat, so hat er auch ohne einen menschlichen Mittler den Leib angenommen von der unversehrten Jungfrau in Wahrheit und nicht nur zum Schein. Er war Gott in Wahrheit und wurde Mensch in Wahrheit. In seiner Menschwerdung hat er die Gottheit nicht abgelegt, und indem er Gott blieb, hat er die Menschheit nicht aufgehoben, sondern er blieb ein und derselbe. Weil wir aber den Unsichtbaren nicht sehen und uns dem Unnahbaren nicht nahen können, so ging er in unsere Menschheit ein, damit auch wir in seine Gottheit eingehen können. Er erachtete es nicht unter seiner Würde, einen geschöpflichen Leib anzuziehen, sondern verherrlichte hiermit Gottes Schöpfung, sein eigenes Werk. Die Ehre der Unsterblichkeit gab er sich nicht erst später, wie sie den unkörperlichen Engeln zuteil wurde, sondern er zog die ganze menschliche Natur mit Leib, Seele und Geist zugleich an und vereinigte sie auf einmal mit seiner Gottheit: Einheit und nicht Zweiheit ist er.
Elische, Geschichte des armenischen Krieges, 2.Kap.; Nirschl, Patrologie, III, 257

Das Bekenntnis der Menschwerdung Gottes muß auch das Leben des Christen formen. Die Teilhabe am göttlichen Leben Christi erfolgt nicht nach Art eines Automatismus. Die Heilskräfte, die Gott in seine Schöpfung eingebracht hat, werden dem einzelnen Menschen in Taufe, Eucharistie und Geistmitteilung (Firmung) zuteil. Doch sind diese Gaben nicht als Besitz, sondern als Aufgaben anzusehen. Der Christ muß in seinem Leben »Gerechtigkeit vollbringen« und Christus »ähnlich werden durch die Liebe«. Wer sich in der Nachfolge des Herrn bewährt, empfängt von Gott als letztes Gnadengeschenk die Vollendung der Sohnschaft. Die sakramentale Auferstehung in der Taufe erfährt durch die Auferstehung aus dem Tode ihre Vollgestalt:

Wie Gottes Sohn eines Menschen Sohn geworden ist, sich mit unserer Natur bekleidet hat und geistig und leibhaft in jeder Hinsicht vollkommene Gerechtigkeit geübt hat, so sollen auch wir uns mit Rechtschaffenheit bekleiden und alle Gerechtigkeit vollbringen in Christus, auf daß wir Söhne Gottes werden und ihm ähnlich durch die Liebe. Denn der Sohn Gottes ist freiwillig Mensch geworden und hat alle Schwächen unserer menschlichen Natur auf sich genommen, ausgenommen die Sünde. So sollen auch wir mit göttlicher Kraft in alle Leiden eintreten ohne Sünde, damit wir »zur vollen Reife Christi gelangen« (Eph 4,13) und, so nach dem Bilde Gottes gestaltet, Erben des Reiches Christi (Jak 2,5) werden...

In seiner fürsorgenden Liebe hat Gott seine Geschöpfe nicht gänzlich verlassen, sondern sie durch die Ankunft seines Sohnes, welcher in die Welt gekommen ist, um die Sünder von der Sklaverei Satans zu erlösen, durch den Glauben »zur Freiheit und Herrlichkeit der Kinder Gottes« (Röm 8,21) geführt. So wurde durch das Erscheinen des Erlösers von den Menschenkindern die Last dessen genommen, der durch die Sünde herrschte. Doch nun sollen sie herrschen durch die Gnade und durch den Glauben an die heilige Dreifaltigkeit. Sie sollen Verzeihung erlangen durch die heilbringende Taufe, durch den Leib und das Blut Christi und durch den Empfang des Heiligen Geistes, der wie ein Quell seine Gnade an die Geschöpfe verteilt. In dieser Weise gerechtfertigt durch den Glauben (Röm 3,28), werden wir zur Heimat bei Gott gelangen durch Jesus Christus, der uns »den ersten Anteil des Erbes« (Eph 1,14) gegeben hat, damit durch seinen freiwilligen Kreuzestod die Herrlichkeit des unversehrten (Gottesbildes im Menschen) erneuert werde. Denn durch den Tod hat er die Todesbande gelöst und durch seine Auferstehung hat er uns auferweckt vom Tod der Sünde, damit wir in der Hoffnung auf die Auferstehung die Erneuerung unseres Lebens erwarten zum Ruhm der allerheiligsten Dreifaltigkeit.

Mesrop, 2. Rede: Die Eigenschaften der heiligen Dreifaltigkeit;
nach Schmid, 33–35, und Sommer und Weber, 269–271

In einem aus tiefer pastoraler Verantwortung geschriebenen Trostwort für die Armen, dessen etwas längerer Text hier wiedergegeben wird, weil er über das Thema der Geburt Christi hinaus einen Einblick gewährt in die sozialen Verhältnisse des alten Armenien und die seelsorgerische Arbeit und die in biblischer Botschaft fundierte

Argumentation beleuchtet, weist Johannes Mandakuni auf die Armut Jesu hin, der in seiner Menschwerdung und Erniedrigung zum Bruder der Habenichtse wurde. Der Hinweis auf die Entäußerung Christi darf nicht als Rechtfertigung für ungerechte Verhältnisse mißverstanden werden, er will vielmehr die Armen aus neidvoller Passivität befreien und zum Handeln im Sinne Christi begeistern. Die Predigt will auch nicht sozialen Aufstieg und materielle Sicherung propagieren als Erfüllung menschlicher Existenz, sondern den wahren, weltverändernden Reichtum und die geistigen Werte der Armen freilegen, die sie für ihre Gesellschaft fruchtbar machen können. Jeder, der sich an der Armut Christi orientiert, entdeckt in sich die reichen Gaben des Herzens, die er sinnenfällig durch seine Glieder den Brüdern zur Verfügung stellen kann:

Freimütig will ich von der Not der Bedrängten und von den Leiden der Armen sprechen, reden aber auch von der Torheit jener Ungerechten, die in ihrem Unverstand sogar Gott lästern, wenn sie sagen, er sei parteiisch und stehe auf Seiten der reichen Geizhälse; sie behaupten: Gott liebt die Reichen und ergreift für sie Partei; ihre Unternehmungen läßt er gelingen; auf die Not der Bedrückten schaut er nicht; er achtet ihrer nicht. Mit derlei ungerechtfertigtem Geschwätz widersprechen sie der Wahrheit und Gerechtigkeit Gottes. Sie wollen glauben machen, Gottes heiliges Wirken sei eine Teilnahme an den Werken der Ungerechtigkeit. ... Warum beschuldigst du, wenn du arm und notleidend bist, Gott der Ungerechtigkeit? Hat Gott dir etwas von deinem Eigentum geraubt? Hat er nicht seine Gaben gleichmäßig an reich und arm ausgeteilt: allen gleiche Augen, gleiche Hände und Füße? Ohne Unterschied freuen wir uns an der Sonne, an der Luft, an den Regentropfen; alle stammen wir von der Erde und von Adam her. Alle haben wir eine Taufe und eine Gnade erhalten und genießen den einen Leib und das eine Blut Christi. Allen ist eine Erde und ein Himmel gemeinsam. Siehe, das sind die Gottesgaben für alle, Arme und Reiche, gleichermaßen. ... Doch wendest du ein: Woher hat der Reiche nur seinen Reichtum? – Merke: Den hat er nicht von Gott; er hat ihm den weder gezeigt noch gegeben, noch hat er dich beraubt. Nein, der Reichtum der einen kommt vom Geiz und vom Raub, der der anderen aus unablässiger Arbeit und der wieder anderer aus väterlicher Erbschaft...

Die Sorgen und Kümmernisse der Reichen sind zahlreicher als ihre Mußestunden und Freuden. Wo bleibt ihre Freude, wenn sie immer um Regen für ihre Felder bangen müssen, wenn sie gegen die rauhen Winterstürme Vorsorge treffen und um die Bestellung ihrer Felder Sorge haben müssen, wenn sie sich wegen der wilden Tiere und Räuber um ihre Herden sorgen und über tödliche Seuchen ihrer Tiere trauern müssen, wenn sie ängstlich über ihre Geldschätze wachen und sich über den Verlust grämen müssen, so daß sogar die Motte über den Reichen herrscht und ihn ängstigt? Was soll ich da noch sagen über ihren Schrecken am Tage des furchtbaren Gerichtes, über ihr bitteres Klagen wegen der Pein?... Du aber brauchst dich vor Dieben und Räubern nicht zu fürchten. Du brauchst nicht zu bangen um die jungen Saaten auf den Feldern, nicht zu sorgen für die Weiden auf den Bergen. Du hast treulose Hirten und den Einbruch der Raubtiere nicht zu befürchten. Auch brauchst du vor der Willkür der Tyrannen und den Steuereintreibern der Fürsten nicht zu zittern. Dich trifft nicht der Neid der Geizigen und die üble Nachrede der Verleumder. Vor niemand brauchst du dich zu fürchten und von niemandem dich aufregen zu lassen...

Der Arme sucht nur nach Speise für einen Tag und verspeist sie behaglich wie eine wohlschmeckende, wenn auch unansehnliche Frucht mit großem Appetit und schläft dann sorglos. Den verwöhnten Reichen bieten auch Leckerbissen keinen Genuß; sie verlangen nicht danach und sind ihrer sogar überdrüssig. Sie trinken teure Weine, werden davon müde und benebelt. Der Arme dagegen stillt den gleichen Durst viel einfacher mit Wasser und befindet sich dabei viel frischer und gesünder als der Trinker.

Etwas Großes ist es, seinen Besitz unter die Armen zu verteilen, größer aber ist es, sich selber in Demut arm zu machen und Gott noch zu danken. Das bemerkt lobend auch der Herr: »Selig sind die Armen im Geiste; denn ihrer ist das Himmelreich« (Mt 5,3). – Wenn die Armut etwas Schlechtes wäre, hätte Christus sie nicht in jeder Beziehung gewählt. Er hätte ja in einer Königsstadt erscheinen, von einer Königstochter empfangen und in einem Königspalast geboren werden können. Er wurde aber Mensch von einer armen Jungfrau und geboren in einer armen Stadt, wo er kein Haus, ja nicht einmal einen Platz in der Herberge fand; draußen vor der Stadt in einer Höhle, wo Maria kein Bett und keine Wiege hatte, mußte sie ihn in eine Krippe *legen, den Herrn aller Geschöpfe. Im kleinen Haus eines Zimmermannes ließ er sich ernähren und zu Fuß wanderte er umher. Ja er ging in seiner Demut soweit, daß er sogar seinen Jüngern die Füße wusch wie ein Sklave...*

Du wirfst vielleicht ein: Der Reiche kann doch von seinem Überfluß viele Almosen geben. – Aber das Almosen der Armen ist noch bewundernswürdiger und Gott wohlgefälliger als das der Reichen. Denn wenn man sich aus Liebe der Unglücklichen annimmt und ihnen in Sorge von seiner geringen Habe etwas abgibt und sie im Hunger speist, so übertrifft man mit seinen Almosen noch die Reichen; denn Gott schaut nicht auf die Größe der Gaben, sondern auf den guten Willen der Geber und nimmt weniges für vieles an. Wenn du aber auch nichts besitzt, um damit den Bedrängten Trost zu schaffen, so hast du doch ein Haus, in dem du den Fremden Ruhe gewähren kannst; du hast Wasser, von dem du den Dürstenden einen Schluck reichen kannst; du hast Erbarmen und Mitleid, womit du die Niedergeschlagenen und Leidenden beweinen und beklagen kannst. Denn Barmherzigkeit ist weit mehr als die Verteilung von Reichtum. Vielleicht wirst du neidisch, wenn der Reiche aus seiner Fülle Gott Opfer und Früchte darbringt. Doch der Arme kann in dieser Hinsicht den Reichen noch um vieles übertreffen. Bring dich selbst in Demut und Sündelosigkeit Gott zum Opfer dar. »Das Opfer, das Gott gefällt, ist ein demütiges Herz« (Ps 51,19), und das ist noch größer als Brandopfer von Widdern und Stieren; denn ein heiliges und demütiges Herz nennt der Prophet ein Gott angenehmes und wohlgefälliges Opfer. So brachten die drei Jünglinge Gott ihren Leib und ihre Seele zum Opfer dar. ... Wenn dir also in deiner Armut kein Vermögen zur Verfügung steht, so bringe Früchte von deinen Gliedern dar. Eine Frucht der Augen ist es, den Blinden zu führen und ihn recht zu leiten. Eine Frucht der Füße ist es, dem Lahmen als Stütze zu dienen und die Not seiner Füße zu ersetzen. Früchte der Hände sind es, Gelähmte zu führen und Schwache zu stützen. Früchte der Zunge sind es, Irrende zu unterweisen und Betrübte zu trösten. Früchte der Ohren sind es, rasch auf die Bitte des Bruders zu hören und ihm mit ergebenem Willen zu gehorchen. Alle diese Werke der Barmherzigkeit kann jeder ohne den Einsatz von Gold üben und er wird dafür größeren Lohn empfangen, als wenn er mit seinem Vermögen barmherzige Werke tut. – Was kannst du also noch einwenden, da die Opfer und Früchte und Almosen der Armen leichter und Gott wohlgefälliger sind als die der Reichen? Haltet daher in eu-

ren Bedrängnissen mit großer Selbstbeherrschung stand und nehmt sie auf euch in Dankbarkeit.

Johannes Mandakuni, Reden, Ein Wort des Trostes für die Armen; nach Blatz, 114–122

3. Erneuerung Adams: Die Taufe Christi

Jesus kam von Galiläa an den Jordan zu Johannes, um sich von ihm taufen zu lassen. Johannes aber wollte es nicht zulassen und sagte zu ihm: Ich müßte von dir getauft werden; und du kommst zu mir? Jesus antwortete ihm: Laß es nur geschehen. Denn nur so können wir die Gerechtigkeit ganz erfüllen. Da gab Johannes nach. Kaum war Jesus getauft und aus dem Wasser gestiegen, da öffnete sich der Himmel, und er sah den Geist Gottes wie eine Taube auf sich herabkommen. Und eine Stimme aus dem Himmel sprach: Das ist mein geliebter Sohn, an dem ich Wohlgefallen habe.

Matthäus 3,13–17

Tags darauf sah Johannes Jesus auf sich zukommen und sprach: Seht, das Lamm Gottes, das die Sünde der Welt hinwegnimmt. … Und Johannes bezeugte: Ich sah, daß der Geist vom Himmel herabkam wie eine Taube und auf ihm blieb. Auch ich kannte ihn nicht; aber er, der mich gesandt hat, mit Wasser zu taufen, er hat mir gesagt: Auf wen du den Geist herabkommen siehst und auf wem er bleibt, der ist es, der mit dem Heiligen Geist tauft. Das habe ich gesehen, und ich bezeuge: Er ist der Sohn Gottes.

Johannes 1,29.32–34

Den Fall der ersten Menschen, ihre Abwendung von Gott, den Verlust der Gemeinschaft mit ihm, das Versinken in die Trostlosigkeit des gottfernen Todes, faßt die Heilige Schrift in die treffende Aussage: »…und sie erkannten, daß sie nackt waren« (Gen 3,7). Um Adam, das »Lebewesen aus Erde«, und die von adamitischer Natur geprägten Nachkommen zur ursprünglichen Würde der Gottesgemeinschaft zu erheben, steigt Christus hinab in den Jordan. Das Wasser galt in der antiken Welt als chao-

Tafel XI:
Taufe Christi

105

tisches und lebensfeindliches Element. Seine zerstörerische Macht erscheint personifiziert in krakenartiger Gestalt auf der Miniatur unten rechts im Jordan. Christus steigt »nackt« in die Jordanfluten; er will ganz an der nackten Adamsnatur teilhaben, um sie mit seiner göttlichen Natur zu bekleiden. »Er entäußerte sich, nahm Knechtsgestalt an und wurde den Menschen gleich. ... Er erniedrigte sich und war gehorsam bis zum Tod, bis zum Tod am Kreuz« (Phil 2,7 f.). Um anstelle der Adamskinder »die Gerechtigkeit ganz zu erfüllen«, reiht er sich ein in die Schar der Sünder und taucht unter im Todeselement Wasser. Dadurch nimmt er dem Wasser seine vernichtende Macht; seine Gegenwart heiligt es und verleiht ihm belebende Kräfte. Für alle Menschen, die nach ihm im Wasser untertauchen, wird es zum Wasser der Wiedergeburt, zum Taufwasser. »Ihr alle seid durch den Glauben Söhne Gottes in Christus Jesus. Denn ihr alle, die ihr auf Christus getauft seid, habt Christus angezogen« (Gal 3,26 f.).

Der Vater, angedeutet durch die Hand, die aus dem blauen Kreissegment des Himmels herausragt, bestätigt Christus und sein Tun. Er ist der Erneuerer des alten Adam. Diese Erneuerung kann nicht aus menschlicher Kraft erfolgen, sie kommt von Gott. Christus ist Gottes »geliebter Sohn«. Entgegen irriger Auffassungen, die behaupteten, er sei erst bei der Taufe in adoptiver Weise zum Sohn Gottes gemacht worden, betont bereits das Johannesevangelium: »Er ist der Sohn Gottes.« Der Maler der Taufszene bekundet die gleiche Überzeugung, wenn er zwei Engel an das Flußufer stellt. Sie kommen aus der himmlischen Welt und sind gleichsam mit dem Sohn Gottes herabgestiegen, um ihm auch auf Erden zu dienen; denn der, der sich hier entäußert, ist ihr Herr und ihr Gott. Ihre Ehrfurcht und Dienstbereitschaft kommt in der demutsvollen Verhüllung der Hände zum Ausdruck. Da die Taufe Jesu sakramentale Grundlage der kirchlichen Taufe ist, sind in den dienenden Engeln zugleich die Taufpaten vorgebildet, die bei der liturgischen Feier den Täufling übernehmen und abtrocknen und durch diesen Akt ihre Verantwortung für den Täufling und seinen Lebensweg vor der Gemeinde bekunden.

Der Täufer Johannes steht am linken Jordanufer. Mit der Linken hat er das Wasser geschöpft und gießt das Todeselement über das Haupt Jesu aus; seine Rechte weist auf das Lamm Gottes hin, das durch die Taufe die Bereitschaft bekundet, sich als »Opferlamm« für die Menschen hinzugeben und »bis zum Tod am Kreuz« hinabzusteigen, um die adamitische Menschheit aus ihrer Todesverfallenheit und Gottesferne zu befreien und zum Vater heimzuführen.

Nach alter Tradition, die bis ins 3. Jahrhundert reicht, feiert die armenische Kirche am 6. Januar nach julianischem Kalender, am 19. Januar des gregorianischen Kalenders, das Geburts- und Tauffest Christi, also am gleichen Tag. In ihren Liedern besingt sie das Mysterium der Erneuerung der Welt. Christus hat bei seiner Menschwerdung die menschliche Natur mit seiner Gottheit geeint und in der Jordantaufe die ganze Welt von der Sünde reingewachsen. Kein Mensch war aus sich heraus in der Lage, mit Gott wieder in Beziehung zu treten. Doch er, den Jesaja (33,14) »verzehrendes Feuer« nennt, hat die Sünde, die auf der adamitischen Natur lastete, getilgt. Durch seine Herablassung zu den Menschen hat Gott die Gemeinschaft zwischen sich und ihnen wiederhergestellt, und zwar in einer Weise, die über die ursprüngliche Innigkeit hinausgeht. Er hat den Menschen sein innerstes trinitarisches Geheimnis geoffenbart, das Mysterium der dreipersonenhaften Liebe, zu dem der Mensch mit seinem Denken nicht vordringen kann, in das Gott ihn aber bei seiner Vollendung aufnehmen will. Wer dieses Geheimnis im Glauben annimmt und durch sein von der Liebe geprägtes Leben bezeugt, wird Gott »mit nicht verstummender Stimme«, d. h. in alle Ewigkeit preisen. Christus sagt: »Wer glaubt und sich taufen läßt, wird gerettet« (Mk 16,16).

Schöpfer Himmels und der Erden,
Gott und Mensch,
erschien im Strom des Jordanflusses,
den Leib geeinigt mit der Gottheit,
und wusch die Welt rein von Sünden.
Verherrlicht sei er für immer.
Hymnus zur Taufe Christi; Kirche Armeniens, 104

Den die Flügel der Seraphim
decken im Heiligsten des Heiligen,
er läßt sich herab und verlangt,
durch seinen Knecht getauft zu werden.

Gott, der Feuer ist, kam
und stieg in die Fluten des Jordan,
verbrennt mit Wasser die Schuld
der adamitischen Menschennatur.

Es bebt zurück der Sohn der Unfruchtbaren
vor der verzehrenden, furchtbaren Glut,
scheut sich, hinzutreten
zum Strahl der unsichtbaren Herrlichkeit.

Aus der Höhe stieg der Geist auf ihn herab
in Gestalt einer Taube,
und mit dem Finger deutet jener
auf die Gottheit, verborgen in der menschlichen Natur.

Die Tore des Himmels wurden aufgetan,
die Adam durch seine Schuld verschlossen hatte;
des Vaters Wort erklang:
das ist mein Sohn, den sollt ihr hören.

Das Geheimnis der heiligen Dreieinigkeit,
das Geheimnis von den drei Personen ward geoffenbart,
das wir mit nicht verstummender Stimme
in unserem Lied lobpreisen.

Wir preisen jetzt und allezeit
den Sohn mitsamt dem Vater und dem Geist;
der einen Gottheit laßt uns Ehre geben
immerdar, auf ewig!
Nerses Schnorhali, Hymnus zum Fest der Geburt Christi, 2. Teil
Theol. Quartalschrift 81,91 f.

In den östlichen Kirchen waren und sind die Mönche mehr als im Abendland die Gestalter des liturgischen und sozialen Lebens der Kirche, die anerkannten Seelsorger, Verteidiger des Glaubens und Führer des Volkes. In Johannes dem Täufer sehen die

Mönche ihren geistigen Vater und das Vorbild ihres Lebens. Die liturgischen Texte und religiösen Schriften des Ostens enthalten herrliche Zeugnisse über ihn, auch die der Armenier. Nerses hat das Lebensbild des Johannes zum Hymnus geformt, in dem er in mystischer Schau die sakramentale Tiefe und Bedeutung seines Wirkens offenlegt. Er, der Christus taufen durfte, ließ sich ganz von seinem Geiste prägen und leiten. In Johannes fand der Alte Bund des Gesetzes sein Ende, der Neue Bund der Gnade begann bei ihm. Johannes zählt mit Maria zu den Erstlingsfrüchten des durch Christus erneuerten Lebens:

Der körperlosen Geisteswesen
Genosse im Leibe, heiliger Johannes.
Des Vaters WORT im Worte predigend,
das große Licht im voraus schauend.
Den Frühling unserer Erde kündend
als der Turteltaube süßredende Stimme.
Den Garten der Seele, den gottgepflanzten,
begießend mit lauterem Wasser.
Des himmlischen Weges Vorläufer, Verkünder.
Des wahrhaftigen Königs
Vorkämpfer in der Arena.
Es hat im Tempel Zacharias
durch die Erscheinung Gabriels
erhalten die Verheißung der Geburt,
den Namen, den er auf die Tafel schrieb.
Dem, der verborgen war in unsagbarer Glorie
und eingeschlossen in den Leib der Jungfrau,
kamst du zuvor mit dem Gruße des Lebens
aus dem Schoße der unfruchtbaren Greisin.
Da du, redend durch ihren Mund, verkündest
den Lobpreis der Frucht der Jungfrau,
bist du erfüllt worden mit dem Heiligen Geiste zumal
gemäß der Verheißung des Engels.

Frohlockend im Leibe wardst du geboren,
ob eines Tanzes wardst du vollendet.
Als Morgenstern leuchtetest du auf
vor der Sonne der Gerechtigkeit,
als Vorläufer des Königs
und als Brautführer des heiligen Bräutigams
einladend zum Brautgemach
die keusche, schmuckgezierte Braut.
Die Stimme des Rufers aus der Wüste,
da die Propheten verstummt waren.
Den levitischen Priestern
wardst du Erfüllung des alten Schattenbundes.
Leuchte des Gesetzes, Johannes,
für das umnachtete Israel.
Prophet der Apostel
und als groß bezeugt unter den Geborenen.
Einsam weilend in der Wüste
als Eremit in geistigem Wandel.
Ein neuer Elija, des Geistes voll,
ein Felsen, aufgerichtet inmitten zweier Geschlechter.
Der Neue Bund der Gnade, von dir hat er begonnen,
der Alte des Gesetzes, in dir ward er vollendet,
der du nicht löstest die Schuhriemen am Fuße
des heiligen Eingeborenen in seiner Menschheit.
Als ein Wesen nicht von dieser Welt
wurdest du den Menschen vorgestellt,
auf des Geistes Ruf erschienest du,
zu lösen die verstummte Zunge,
aufzuheben die Unfruchtbarkeit der Mutter,
erglänzend am Himmel als strahlende Leuchte,
wandelnd auf Erden dreißig Jahre.
Eine Straße schufest du zum Jordan hin;

das Wasser der Reinigung erflehte von dir
er, vor dem die Engel erbeben,
er, das Feuer, vom Staube,
der Reine von menschlichen Händen.
Zeugnis gebend dem WORTE des Lebens
vernahmst du die Stimme des Vaters aus der Höhe,
sahest den Geist in Taubengestalt
niederschweben vom Himmel auf den,
der ihm gleich war an Herrlichkeit.
Dem Meister übergabst du
deiner Jünger Belehrung.
Es frohlocket heute die Kirche
ob deines freudvollen Gedächtnisses,
flicht eine Krone, wunderbar,
farbenprächtig, dir zum Lobe.
Du, der Ruhm aller Gerechten,
der Vorkämpfer der Martyrer,
du, Priester, der sich selber opfert,
sei unser Sühner durch dein Gebet beim Herrn!

Nerses Schnorhali, Hymnus auf Johannes den Täufer;
Theol. Quartalschrift 81, 109–111

Der durch das Weib den Ersterschaffenen
aus dem Garten vertrieb,
wollte auch dich daran hindern,
Gott, dem WORT, vorauszugehen und den Weg zu bereiten;
er entflammte Herodias in Gesetzwidrigkeit
und ließ die Gäste des Herodes
an Tanz und Beinen des Mädchens sich berauschen,
damit er das Haupt dir abschlage.
Du hast auf das Haupt aller Menschen,
auf Christus, mit deinen Händen hingewiesen

und bist die Stimme des Rufers in der Wüste;
rufe zu dem, auf den du hingewiesen hast,
uns zu schenken den Frieden
und sein großes Erbarmen.
Eingangsgesang am Fest Johannes des Täufers;
Steck, Liturgie, 30 f.

Worin besteht das von Christus erneuerte Leben, welches sind die Kennzeichen und Taten des erneuerten Adam? In einer Gegenüberstellung der Werke des an Satan orientierten Menschen und der Früchte, die aus der Gemeinschaft mit Christus erwachsen, macht Mesrop Eigenart und Vorzug des neuen Lebens deutlich. Der Mensch, der »von Christus lernt« und sich von seiner Gnade leiten läßt, ist zu dem Bild erneuert worden, das Gott am Anfang der Schöpfung entworfen hatte: Er schuf den Menschen als sein »Abbild« und nannte ihn »sehr gut« (Gen 1,27.31). Der nach dem Bilde Christi geformte Mensch entspricht der Vorstellung des Schöpfers:

Trug, Täuschung, Lüge und Auflehnung gegen Gott, aus dem das Verderben erwächst, gab es am Anfang nicht, bevor nicht die Menschen den Irrweg zum Bösen beschritten hatten. Doch auch jetzt hat der Böse keine Macht über den, welcher der Predigt des Evangeliums folgt, glaubt und aus dem Wasser und dem Geist wiedergeboren wird; er kann ihm nicht den Untergang bereiten und zu Taten verführen, für die man Buße tun muß. Auch der Tod war nicht, solange es keine Sünden gab (vgl. Röm 6,23). Doch nun ist er besiegt durch die lichtvolle Auferstehung Christi und wird von den Heiligen Gottes für nichts erachtet. Trug, Täuschung, Hinterlist, Heuchelei und Überheblichkeit gab es ursprünglich nicht, bevor nicht der Widersacher und Satan war. Doch jetzt vermag es nichts mehr dort, wo sich die Wahrheit zeigt. Unglaube und böse Begierde gab es nicht zu Anfang, bevor nicht Satan wegen seines Aufruhrs gegen Gott zu Fall gekommen war. Doch jetzt gibt es sie wiederum nicht dort, wo der Glaube, die Ordnung der Gesetze und die tätige Gottesliebe walten. Ungehorsam und Rechtsbruch gab er erst, seitdem der Satan und die Menschen nicht mit dem Willen Gottes übereinstimmten. Doch nun gibt es sie wiederum nicht, da

112

Christus für uns gehorsam wurde und wo er uns zu gleichem anleitet. Betrug und Hinterlist waren nicht zu Anfang, solange es nicht die List des Bösen gab. Doch jetzt sind sie nicht mehr, da in Christus die Wahrheit erschienen ist. Neid und Haß gab es solange nicht, wie der Böse nicht in Haß gefallen war und auf Rache sann. Doch auch jetzt sind sie nicht mehr dank der Gnade des gütigen und neidlosen Willens Christi gegen uns. Haß und Zorn waren nicht, solange sie nicht vom Bösen kamen und sich in uns ausbreiteten. Auch jetzt sind sie nicht mehr dank der großen Liebe des sanften und menschenliebenden Erlösers. Überheblichkeit und Egoismus gab es erst, seitdem der Böse hochmütig wurde und uns in Schuld verstrickte. Auch jetzt sind sie nicht mehr, seitdem der erschienen ist, der demütig ist und uns liebt und der sagt: »Lernt von mir: Ich bin gütig und von Herzen demütig; so werdet ihr Ruhe finden« (Mt 11,29). Kränkung und Beleidigung waren anfangs nicht. Auch jetzt gibt es sie nicht, wo Mitleid und Barmherzigkeit sich um die Menschen sorgen. Unersättlichkeit, Ausschweifung und Geiz waren ursprünglich nicht. Auch jetzt sind sie nicht bei denen zu finden, die maßvoll und rein leben und die irdischen Güter geringachten. Unerträgliche Schändlichkeit gab es erst, seitdem ein reiner Lebenswandel nicht mehr geübt wurde. Seitdem aber die Heiligkeit der göttlichen Gnade erschienen ist, wurde das Laster mit seiner Häßlichkeit beseitigt. Alle Sünden und die bekannten wie unbekannten Verbrechen im Dienste Satans gab es von Anfang an nicht. Sie kamen vom Satan her, welcher uns in sie stürzte. Doch jetzt sind sie nicht mehr, seitdem das lebenbringende Lamm als Opfer am Kreuz dargebracht wurde zur Sühne für unsere Sünden und zur Versöhnung des Vaters mit seinen Geschöpfen. Durch die Wiedergeburt in der Taufe wurden die Sünden getilgt und durch das heilbringende Mysterium, welches jene zum Leben führt, die an die heilige Dreifaltigkeit glauben. Die Gottlosen, Hochmütigen und Stolzen hat Gott erniedrigt, die Demütigen aber erhöht (vgl. Lk 51 f.) und ihnen seine Erstlingsgabe auf Hoffnung hin (Röm 8,23) gegeben.

Mesrop, 6. Rede: Die durch Christus geoffenbarten göttlichen Geheimnisse; nach Schmid, 70 f., und Sommer und Weber, 297 f.

4. Weisung für das neue Leben:
Die Bergpredigt und das Gebot der Liebe

Als Jesus die vielen Menschen sah, stieg er auf einen Berg. Er setzte sich, und seine Jünger traten zu ihm. Dann begann er zu reden und lehrte sie. Er sagte: Selig sind die Armen im Geiste; denn ihnen gehört das Himmelreich...

Ihr habt gehört, daß gesagt worden ist: Du sollst deinen Nächsten lieben und deinen Feind hassen. Ich aber sage euch: Liebet eure Feinde und betet für die, die euch verfolgen, damit ihr Söhne eures Vaters im Himmel werdet; denn er läßt seine Sonne aufgehen über Bösen und Guten, und er läßt regnen über Gerechte und Ungerechte. ... Ihr sollt vollkommen sein, wie es auch euer himmlischer Vater ist.
Matthäus 5,1 f., 43 ff. 48

Mit dem Himmelreich wird es sein wie mit zehn Jungfrauen, die ihre Lampen nahmen und dem Bräutigam entgegengingen. Fünf von ihnen waren töricht, und fünf waren klug. Die törichten nahmen ihre Lampen mit, aber kein Öl, die klugen aber nahmen außer den Lampen noch Öl in Krügen mit. Als nun der Bräutigam lange nicht kam, wurden alle müde und schliefen ein. Mitten in der Nacht aber hörte man plötzlich lautes Rufen: Der Bräutigam kommt! Geht ihm entgegen! Da standen die Jungfrauen alle auf und machten ihre Lampen zurecht. Die törichten aber sagten zu den klugen: Gebt uns von eurem Öl, sonst gehen unsere Lampen aus. Die klugen erwiderten ihnen: Dann reicht es weder für uns noch für euch; geht doch zu den Händlern und kauft, was ihr braucht. Während sie noch unterwegs waren, um das Öl zu kaufen, kam der Bräutigam. Die Jungfrauen, die bereit waren, gingen mit ihm in den Hochzeitssaal, und die Türe wurde zugeschlossen. Später kamen auch die anderen Jungfrauen und riefen: Herr, Herr, macht uns auf! Er aber antwortete ihnen: Amen, ich sage euch: Ich kenne euch nicht.
Matthäus 25,1–12

Tafel XII:
Gleichnis von
den zehn Jung-
frauen

Dieses Gleichnis mit seiner Mahnung zu ständiger Wachsamkeit und Bereitschaft angesichts der nicht berechenbaren, aber jederzeit zu erwartenden Ankunft des Menschensohnes hat die Christen der östlichen Kirchen besonders stark beeindruckt. Die

Mönche und das von ihnen betreute Volk leben in der steten Erwartung des wiederkommenden Herrn und des dann voll verwirklichten Reiches Gottes. Die Nachlässigkeit und Gedankenlosigkeit der fünf törichten Jungfrauen im Gleichnis ist offenkundig. Worauf aber zielt für die Christen konkret die Mahnung? Der Symbolwert, den das Öl für die antike und orientalische Welt hat, ist der Schlüssel, das Gleichnis auf das Leben hin zu lesen und zu verstehen. Der Ölbaum mit seinen immergrünen Zweigen, der auf kargem Boden unentwegt Früchte trägt, galt Heiden wie Christen als Sinnbild für das ewige Leben. Das aus den Oliven gewonnene Öl wurde zum Zeichen des göttlichen Segens in vielen Religionen und daher zur Salbung von Priestern und Königen verwendet; Christus heißt Gesalbter. Die Kirche gebraucht Olivenöl, mit Gewürzen vermischt, als Chrisam bei der Spendung der Sakramente (Taufe, Priesterweihe, Krankensalbung) und zur Weihe von Gegenständen für den kultischen Dienst. Bis heute nutzt die Medizin Olivenöl wegen seiner heilenden Eigenschaften zur Bereitung von Salben. Der barmherzige Samariter hat die Wunden des Mannes, der unter die Räuber gefallen war, mit Wein und Öl behandelt (Lk 10,30–35), wie Jesus in seinem Gleichnis von der grenzenlosen Liebe erzählt. Seither ist Öl insbesondere für Christen zum Zeichen der Liebe geworden, Symbol der Güte, Milde und Barmherzigkeit. So verstehen es auch die Armenier.

Der Maler der Miniatur hat das Gleichnis von den zehn Jungfrauen in zwei Ebenen geteilt. Unten und »draußen« stehen die törichten; sie haben den hohen Wert christlicher Jungfräulichkeit bewahrt, doch er nützt ihnen nichts, da sie sich nicht wie die klugen in umsichtiger und tatkräftiger Weise um die Liebe bemüht haben. Auch die »nachgereichte« brennende Öllampe in der Hand der Anführerin öffnet ihnen nicht mehr die Tür zum Hochzeitssaal. Es gibt auch die verpaßte Gelegenheit, Gutes zu tun, die vertane Situation, in der Nächstenliebe gefordert war und nicht gewährt wurde; unwiederbringbar ist solch Augenblick vorbei. Im Sinne Jesu mahnt der Apostel: »Achtet sorgfältig darauf, wie ihr euer Leben führt, nicht töricht, sondern klug. Kaufet die Zeit aus, denn die Tage sind böse« (Eph 5,15 f.).

Oben und »drinnen« im Hochzeitssaal stehen die klugen Jungfrauen und vor ihnen Christus als Bräutigam. Das Gleichnis spricht nicht ausdrücklich von der Braut, doch das aus gutem Grund. Denn Christi Braut sind seine Jünger, wie der Freund des Bräutigams, Johannes der Täufer, im Hinblick auf jene, die Jesus folgen, versichert: »Wer die Braut hat, ist der Bräutigam« (Joh 3,29). Diese Braut, seine Jünger, nennt Christus auch seine Freunde, da sie sein Gebot der Liebe halten: »Das ist mein Gebot: Liebet einander, so wie ich euch geliebt habe. Es gibt keine größere Liebe, als wenn einer sein Leben für seine Freunde hingibt. Ihr seid meine Freunde, wenn ihr tut, was ich euch auftrage« (Joh 15,23–14). In den Jungfrauen mit ihren brennenden Fackeln der Liebe steht Christi Braut vor uns; ihr geht er mit ausgestreckten Armen entgegen und lädt sie in sein Reich: »Der König wird denen auf der rechten Seite sagen: Kommt her, die ihr von meinem Vater gesegnet seid; nehmt das Reich in Besitz, das seit der Erschaffung der Welt für euch bereitet ist. Denn ich war hungrig, und ihr habt mir zu essen gegeben... Amen, was ihr für einen meiner Brüder getan habt, das habt ihr mir getan« (Mt 25,34–40).

Der Hochzeitssaal mit seinen durch kunstvolle Vertäfelung geschmückten Wänden erscheint als achteckiger Raum. Die Acht ist seit der Antike Zeichen der Vollkommenheit und der kosmischen Harmonie. Für Christen ist der 8. Tag Sinnbild des ewigen Lebens; denn in sieben Tagen hat Gott sein Schöpfungswerk vollendet, am 8. Tag, dem 1. Tag der neuen Woche, ist Christus von den Toten auferstanden. Achteckig waren deshalb Kirchen und königliche Paläste, insbesondere aber die Taufkapellen, die Stätten der sakramentalen Erneuerung des Menschen; sie waren Vorbilder des himmlischen Jerusalem. Wer der neuen Lebensordnung, die Christus gelehrt und im Leben bezeugt hat, folgt, ist auf dem Weg ins neue Jerusalem; die Werke der Liebe sind die brennende Lampe in seinen Händen, deren Öl nicht ausgeht.

Seine Bergpredigt im Matthäusevangelium beginnt Jesus mit den Seligpreisungen; sie sind gleichsam die Präambel des von ihm verkündeten Grundgesetzes für das Leben im Reiche Gottes. In ihnen wird Hoffnung allen zugesprochen, die nach menschlichen Maßstäben als abgeschrieben gelten. Die beabsichtigte Gegenüberstellung von alttestamentlicher Gesetzesverkündigung auf dem Sinai und den neutestamentlichen Seligpreisungen auf einem Berg in Galiläa ist offenkundig: Jesus ist der Verkünder einer neuen Lebensordnung, die von der Liebe geprägt ist und von der niemand ausgeschlossen ist. Die armenischen Väter erblicken in der vorgezeichneten Parallele aber auch eine unüberbietbare Neuheit: Im Alten Bund hat Gott sich in einer Wolke verhüllt, als er seinem Volk die Lebensweisung in Geboten mitteilte, im Neuen Bund aber erscheint er als WORT im Fleisch selbst und gibt seinem Volk die neue Lebensordnung der Liebe, die mit den neun Seligpreisungen beginnt. Wie eine Leiter mit neun Stufen führen sie zum Gottesreiche. – Allerdings beklagt Nerses in seinem Gebet, daß er noch nicht einmal die erste Stufe erklommen hat, da er nicht »arm im Geiste«, sondern »reich am Bösen« ist. Auch die anderen Stufen erscheinen ihm unerreichbar, wenn Christus ihn nicht selbst auf den Stufen seines Wortes zu sich hinaufführt:

Auf Bergeshöhen stiegest du
und saßest dort wie einstens auf dem Sinai.
Der du das frühere Gesetz verkündet hattest aus der Wolke,
als WORT im Fleische lehrtest du das neue,
eröffnetest den Gottesmund
und priesest selig, die im Guten wandeln,
gabst für die zehn Worte auf den Tafeln
neun Seligpreisungen dem Neuen Bunde.
Zum Himmel von der Erde aufwärts einen Stufenweg,
neun Sprossen an der Leiter schufest du,
zogst dran empor das erdgeborene Geschlecht
und machtest es zu Genossen der neun Engelchöre.
Doch ich, so tief bin ich gesunken,
beschwert vom Siechtum meiner Sünden,
daß ich nicht eine einzige erstiegen habe,
auch nicht die neunte Stufe.
Nicht bin ich arm im Geiste –
der Grund zur Anteilschaft am Reiche –,
am Bösen nämlich vielmehr allzeit reich,
am Guten aber völlig arm.
Nicht faßte Trauer meines Herzens Innerstes,
zu klagen unter Tränen über meinen eignen Tod.
Denn meinen Trost sucht' ich in dieser Welt,
die freudig nur dem Klang des Namens nach.

Vergebens freu ich mich an ihr,
ergötze mich zum eig'nen Schaden
und tausche Wehe dafür ein
und Weinen, Zähneklappern.
Nicht führt' ich mit dem Stammgenossen,
wie du geboten, sanfte Rede,
so daß ich als Bewahrer heiligen Gesetzes
des Jenseits Erdreich hätt' ererbt.
Nicht hungerte ich nach gerechtem Brote,
noch dürst' ich nach dem Worte,
so daß in deiner Liebe
vom Gottestrank ich mich gesättigt hätte.
Erbarmte mich des Armen nicht,
des Abbilds meiner Hoffnung,
so daß am großen Tage des Gerichtes
du meines Elends dich erbarmtest.
Nicht hielt ich lauter vor dem Schmutz des Bösen
mein unrein Herz und meinen Geist,
so daß ich göttlicher Beschauung
gewürdigt würde noch in diesem Leibe.
Friedfertig mit dem Widerpart
war ich in eigner Sache nicht und nicht in fremder,
so daß ich wär ein Kind des Vaters in dem Himmel
nach deinem Bild und durch dein Werk geworden.
Verfolgung litt ich, doch ich klagte
ob derer, die das Werk des Argen taten,
und sollt' doch erben, hätt' ich williglich gelitten,
dein Reich, das himmlische.
Mit vielen Reden hat man mich beschimpft,
durch Schmähungen gekränkt,
doch nicht um deinetwillen noch mit Unwahrheit,
ach nein, fürwahr in Wahrheit.

Nun fleh ich, Herr, mit Tränen,
umfasse meines Herren Fuß:
Erleichtere mich in diesem Leibesleben
von meiner Sünden schwere Last,
auf daß mein irdisch niedriger Sinn
im Geist vermög zum Himmel aufzusteigen
auf deines Wortes Stufen,
ja auf deiner Leiter Sprossen.
Nerses Schnorhali, Jesus, der Sohn, II, 105–168;
Theol. Quartalschrift 80, 260 f.

Die neue Lebensordnung, deren Kennzeichen die Liebe ist, hat Christus nicht nur verkündet und in seinem irdischen Leben beispielhaft vorgelebt; er verwirklicht sie durch seine gnadenhafte Gegenwart in den Sakramenten auch stets aufs neue. In einer Meditation von tiefer Innerlichkeit überträgt Nerses das Gleichnis vom barmherzigen Samariter auf sich und Christi Wirken in den Sakramenten der Kirche. Indem der Beter den Symbolgehalt des Gleichnisses aufdeckt, sieht er sich zunächst auf dem Unheilsweg, den schon Adam beschritten hat. Auch er hat das Paradies der Gottes-nähe, Jerusalem, verlassen und ist unter die Räuber gefallen. Die vorbeiziehenden Vertreter des Alten Bundes konnten seine »entsetzlichen Verletzungen« nicht heilen. Doch Christus, den die Juden als »Samariter« beschimpften (Joh 8,48), erweist sich in seiner Liebe als der wahre Samariter, der durch sein sakramentales Wirken alle Men-schen, von Adam bis hin zum Beter, zu neuem Leben rettet. In der Taufe kleidet er sie wieder in das Gewand des Paradieses; in der Eucharistie und durch die Geistsalbung, die in den Heilmitteln von Wein und Öl symbolisiert sind, stärkt er sie mit göttlichen Kräften. Er lädt sie auf sein Lasttier, das Kreuz, und führt sie zur Herberge, zur Kir-che. Als Herbergswirt erscheint dem Beter der Priester, dem Christus seinen Leib als Opfer anvertraut und dem er in den zwei Denaren das Alte und das Neue Testament übergibt, damit er mit dem Wort und dem Brot des Lebens am geschundenen Men-schen das Werk der Heilung vollende:

Jerusalem verließ ich, unser Paradies,
wie Adam tat in seiner Sünde.

Hinab ging ich nach Jericho,
fiel in der Räuber Hände.
Die haben meine Seele ihres Lichtgewands beraubt,
mit Sündenwunden sie bedeckt.
Nicht halbtot ließen sie die Seele liegen, wegzugehen,
nein, tot, im Kampf gefallen.
Da sah dann Mose, der Levite,
und Aaron sah, des Alten Bundes Priester,
es sah das Haus der großen Patriarchen,
es sahen die Propheten des veralteten Gesetzes
die Wunden der gewalt'gen Schläge
und die entsetzlichen Verletzungen.
Vorübergehend brachten sie den Trost der Worte;
doch heilen konnten sie die Wunden nicht.
Dem Samariter, wie ihn nannte
das freche Judenvolk,
will ich die Wunden meiner Seele weisen,
ihm, der mit Gottesaugen schaut.
Wie Adams so erbarm dich meiner;
Heilmittel gib der Seele für die tiefen Wunden.
In meine frühern Kleider kleid mich wieder,
die mir die Räuber ausgezogen.
Gieß über meine Seelenwunden Öl und Wein,
die Arznei des Lebens.
Den Geist der Salbung gib von neuem
und meiner Seele reich den Kelch des Neuen Bundes.
Lad auf dein Lasttier, auf das Kreuz, sie auf,
führ sie zur Herberg', zu der Kirche,
vertrau sie an des Priesters Obhut,
der deinen Leib als Opfer darbringt.
Gib statt der zwei Denare hin
das Wort des Alten und des Neuen Testamentes,

damit zu sorgen für die Seele,
auf daß sie lebe durch das fleischgewordne Brot.
Nerses Schnorhali, Jesus, der Sohn, II, 769–804;
Theol. Quartalschrift 80, 265

Mesrop ergänzt die Neunzahl der Seligpreisungen in der Matthäusüberlieferung durch eine weitere aus dem Lukasevangelium; damit erreicht er eine Parallelisierung zu den zehn Geboten des Alten Testamentes. Seine homiletische Erklärung der Seligpreisungen aus der Frühzeit der armenischen Kirche ist auch heute noch lesenswert, da sie darauf abzielt, die inneren Werte des Menschen offenzulegen und sie zu fördern. Wer sich bemüht, den Forderungen der Seligpreisungen nachzukommen, wird zum »Schmuck des unsterblichen Königs«:

Mit den Seligpreisungen im Evangelium ruft uns Christus in sein Reich und in seine Herrlichkeit. Wir sollen uns in seinen Weisungen bewähren und die Seligkeit erben.

»Selig«, sagt der Herr, »sind die Armen im Geiste; denn ihnen gehört das Himmelreich« (Mt 5,3). – Jene sind gemeint, welche der Verheißungen wegen im Geiste freiwillig arm werden, welche die irdischen Reichtümer wegwerfen und sich voll geistiger Hoffnung mit den ewigen Reichtümern bekleiden. Rein an Geist und Leib, in unverfälschtem Glauben und in Liebe erfüllen sie den Willen des Herrn. Sie handeln wie verständige Seeleute: Das Schiff des Lebens halten sie in den stürmischen Wogen der Welt auf richtigem Kurs, werfen Ballast ab, erheben sich mit dem Geist und gelangen zum ruhigen Hafen. So werden die Armen im Geiste selig, da sie im Geist über alle Gefahren der Welt hinwegschreiten und wirklich ihre Seelen vor bösen Begierden, vor Ruhmsucht, vor Habgier schadlos bewahren, da sie »alles für Unrat halten« (Phil 3,8) wegen der unbeschreiblichen Herrlichkeit, welche denen zuteil wird, die auf Christus ihre Hoffnung setzen. Er ist ja in Wahrheit unseretwegen arm geworden (2 Kor 8,9), obwohl er der Herr der Herrlichkeit ist...

»Selig sind die Sanftmütigen; denn sie werden das Land besitzen« (Mt 5,5). – Die Verheißungen an die Kirche bezeichnet Christus als Land; das bedeutet ein Leben in Frieden, frei von Aufruhr, Verwirrung, Versuchung und Sünde, immer gewaffnet und standhaft, um mit Sanftmut jeden Zorn und alle schädlichen Erregungen in sich

und den anderen beruhigen zu können; den Zorn, welcher voller Vorwürfe, Tadel, Schaden, Rache, Verachtung, Schande und anderer Quälereien ist, durch Sanftmut in Tugend zu wenden... So sollen wir voller Sanftmut auf Erden leben und, geschmückt mit den Tugenden der Liebe, hoffnungsvoll die ewige... lebenschenkende Seligkeit erwarten.

»Selig sind die Trauernden; denn sie werden getröstet werden« (Mt 5,4). – Jene sind gemeint, welche die Gaben des Geistes empfangen haben und sich nun in sehnsüchtiger Liebe mit Bitten und unter Tränen an Gott klammern und sich nach den unaussprechlichen Gnaden sehnen, die den Heiligen gegeben werden. Aber auch die Büßer sind unter den Trauernden zu verstehen, die sich von schlechten Sitten abgekehrt haben in aufrichtigem Bekenntnis und ihrer Tränen wegen stets Nachlaß der Sünden erlangen vom Allherrscher, so daß sie in die Wohnungen des Lebens und der Unsterblichkeit gelangen können und in Freude und Lachen zusammen mit den wahrhaft Trauernden die Seligkeit erlangen, welche ein Trost ist in Ewigkeit.

»Selig sind, die hungern und dürsten nach der Gerechtigkeit; denn sie werden gesättigt werden« (Mt 5,6). – Das ist von jenen gesagt, welche den Ruf und die Einladung zum geistigen Hochzeitsmahl erhalten haben, damit sie am Guten teilhaben, welche mit großem Verlangen sich nun danach sehnen, die Früchte der Gerechtigkeit zu kosten. Wie Hungernde und Dürstende ihre Bedürfnisse und Begierden durch köstliche Speisen und Getränke zufriedenstellen, so streben auch jene, die nach göttlichen Gaben verlangen, danach, in würdiger Weise das Ersehnte zu bekommen und bleibende Seligkeit im Reich der Gerechten zu kosten. Sie besitzen dann ungeschmälert und in überreichem Maße die Schätze, welche sie in die Scheunen des unsterblichen Lebens eingesammelt haben (vgl. Mt 6,20).

»Selig sind, die jetzt weinen; denn sie werden lachen« (Lk 6,1). – Von jenen ist gesprochen, die danach verlangen, von irdischen Verwirrungen frei zu werden, vom Geiz z. B., die sich um Gemeinschaft mit Gott bemühen, die unter heißen Tränen sich in Zucht nehmen und mit großer Härte ihre schlechten Begierden bekämpfen, damit sie rein, unbefleckt und makellos dank der Wohltat des gütigen Herrn zu seinen Freuden gelangen, in den angenehmen Besitz der Ruhe, der Liebe, der Gerechtigkeit. So wird ihr Verlangen und ihre Sehnsucht nach Gott erfüllt, ihre Sehnsucht *nach den Seligkeiten, welche sie unter Tränen suchten, ihr Verlangen nach der Gnade der Gotteskindschaft, welche voll unaussprechlicher Freude in der Herrlichkeit Gottes ist.*

»Selig sind die Barmherzigen; denn sie werden Erbarmen finden« (Mt 5,7). – Gemeint sind jene, die mit Gottes Barmherzigkeit mitwirken und ihm so ähnlich werden. Aus göttlicher Kraft erhalten sie die Fähigkeit, anderen Hilfe zu gewähren, sich ihrer zu erbarmen, sie zu unterweisen, den Bedrängten zu helfen, jene, die in geistige oder leibliche Not geraten sind, daraus zu befreien. So erlangen sie schon hier auf Erden Gnade und Barmherzigkeit vom Herrn und im künftigen Leben jene reichen Gaben, welche Gott den Barmherzigen bereitet hat.

»Selig, die ein reines Herz haben; denn sie werden Gott schauen« (Mt 5,8). – Jene sind selig, welche dank der Gnade Gottes im Glauben und in der Wahrheit durch ein reines und gerechtes Leben alle Makel schlechter leiblicher und geistiger Begierden tilgen und mit reinen Gedanken und unbeflecktem Leib auf die Herrlichkeit des Herrn schauen. So sehen sie in fast sichtbarer Weise das geistige göttliche Licht. Doch wer durch den Rost der Sünden, durch böse Begierden, Gedanken und Werke, häßlich geworden ist und seine Gedanken und Sinne nicht reinigt und auf die Strahlen der Gottheit hinblickt, welche in Christus, »der Sonne der Gerechtigkeit« (Mal 3,20), aufgeleuchtet ist, der kann auch das große Licht der allerheiligsten Dreifaltigkeit nicht schauen; denn es ist geistiger Art und erleuchtet jene, die ein reines Herz haben und unbefleckt sind an ihren Gliedern. Diese werden das unsterbliche Leben mit seiner Seligkeit erben, wofür bereits die Orientierung an Christus Jesus ein Unterpfand ist.

»Selig, die Frieden stiften; denn sie werden Söhne Gottes genannt werden« (Mt 5,9). – Das wird von jenen gesagt, welche mit dem Sohne Gottes mitwirken. Er hat Frieden gestiftet zwischen dem Vater und den Menschen und sie miteinander versöhnt. Wer dem Bösen entsagt hat, der Auflehnung, dem Streit, dem Zorn, der Begehrlichkeit, und in der Liebe zur Ruhe gelangt ist, hat den sicheren Grund für seine Seele in Christus gefunden. Wie Gottes Sohn, der unter den Menschen die Entzweiung durch die Sünden aufgehoben und den Frieden verkündet hat, so sollen auch wir Friedensstifter sein, damit wir dem friedenstiftenden Christus gleichen und seine Brüder werden. Denn wenn der Mensch im Hinblick auf Gott und seine Erlö-

sung in großen und kleinen Dingen um den Frieden bemüht ist, beseitigt er auch die schadenbringende Feindschaft zwischen den Kräften der Seele und des Leibes. Wegen seines tugendhaften Lebens darf er sich rühmen, den Namen »Gottes Sohn« zu tragen.

»Selig, die um der Gerechtigkeit willen verfolgt werden; denn ihnen gehört das Himmelreich« (Mt 5,10). – Diese Worte beziehen sich auf die Martyrer, aber auch auf alle, die nach der Tugend streben. Denn wenn sie den irdischen Dingen entsagen, nicht an barbarischen Vergnügungen teilnehmen und sich nicht von schädlichen Begierden leiten lassen, werden sie vom Bösen verfolgt; doch nehmen sie im Glauben an die Wahrheit des Evangeliums ihre Zuflucht bei Gott. Schon der Apostel sagt: »Alle, die in der Gemeinschaft mit Jesus Christus ein frommes Leben führen wollen, werden verfolgt. Böse Menschen und Betrüger dagegen werden immer mehr in das Böse hineingeraten; sie sind betrogene Betrüger« (2 Tim 3,12 f.). Die Heiligen werden vom Bösen verfolgt und gelangen deshalb zu den Gütern, die Gott ihnen schenkt. Sie tun es nicht dem verlorenen Sohn gleich, der, von den Dämonen verführt, sich der väterlichen Fürsorge entzog und in einem ausschweifenden Leben die guten Sitten vergeudete; vielmehr kehren sie von den böswilligen Verfolgern, Dämonen wie Menschen, heim zur väterlichen Liebe und gelangen durch Verfolgungen zum verheißenen Reich und werden mit unaussprechlicher Seligkeit gekrönt zum Ruhme Gottes, des Allmächtigen.

»Selig seid ihr, wenn euch die Menschen um meinetwillen schmähen und verfolgen und euch auf alle mögliche Weise verleumden. Freuet euch und jubelt: Euer Lohn im Himmel wird groß sein« (Mt 5,11 f.). – Wegen ihrer Tapferkeit schenkt Gott denen Ruhm und Ehre, die sich gegen den Widersacher der Wahrheit waffnen. Allen Kämpfern bringt das Festhalten am Willen Gottes Heil; ihnen gehören die Verheißungen der guten Gaben im gegenwärtigen und im künftigen Leben. »Denn so wurden schon«, sagt der Herr, »die Heiligen vor euch verfolgt« (Mt 5,12). Doch haben sie durch das Erdulden vieler Verfolgungen für ihre Seele Ansehen erworben. Die einen waren hart wie Eisen, die anderen stark wie eine eherne Mauer, andere wieder wurden durch Versuchungen wie Silber im Feuer geläutert und gereinigt, andere zeichneten sich im Dienen aus wie Gold oder schöne Perlen und kostbare Steine, die den Königen als Schmuck dienen. Gleiches gilt von den Heiligen und

Duldern, die in den verschiedensten Versuchungen dem Bösen widerstanden haben und Zeugnis für den Schöpfer ablegten: Sie sind der Schmuck des unsterblichen Königs.

Mesrop, 10. Rede: Gottes Wohltaten und Ermahnung zur wahren Tugend; nach Schmid, 119–124

Seine tiefen und vielfältigen Gedanken zur christlichen Grundtugend der Barmherzigkeit entwickelt Johannes Mandakuni in einer großartigen Predigt. Die Barmherzigkeit ist die Vollendung christlichen Lebens; in ihrem Glanz erblassen alle anderen Tugenden. Wer die Barmherzigkeit üben will, muß im Kleinen beginnen; er muß sich zunächst von der Sünde abwenden und sich durch Gebet und Fasten für diese Tugend ertüchtigen. Die Barmherzigkeit wird ja nicht nach der Größe der Taten, sondern nach der reinen Gesinnung gemessen. Begründet wird die Pflicht zur Barmherzigkeit mit der Überzeugung, daß im Neuen Bund alle Gläubigen, ob reich oder arm, Glieder am Leibe Christi sind und deshalb füreinander einstehen müssen. Was an Gütern und Gaben einem gehört, muß allen zugute kommen. Wer voll Zuversicht vor das Angesicht Christi treten will, muß zunächst in das Antlitz der Betrübten und Hilflosen schauen. So wird Barmherzigkeit zum wahren Gottesdienst. Anschaulich und zu Herzen gehend schildert Johannes die Nöte und Ängste der Armen und Kranken und fragt schließlich, woran man einen Menschen von einem Tier unterscheiden könne, wenn nicht an der Barmherzigkeit, die er übt:

Will man einen wilden Esel zähmen und lädt ihm gleich zu Anfang schwere und drückende Lasten auf, so bricht er entweder zusammen oder er wirft die drückende Last ab. Durch leichte Ladungen gewöhnt man ihn aber immer mehr an das Tragen, bis er ein gutes Lasttier ist. Ähnlich verhalten sich auch kluge Landwirte, wenn sie nicht sinnlos die kostbare Saat auf unbearbeiteten Grund oder auf den vom Dorngestrüpp verwilderten Boden säen, da er dort entweder zugrunde geht oder von den Vögeln fortgetragen wird. Sie beseitigen vielmehr zunächst die Dornen und bereiten den Boden vor, dann erst säen sie den wertvollen, guten Samen aus. Nach diesen Beispielen müssen auch jene, die das geistige Feld bestellen wollen, zuerst durch das Bekenntnis das Dorngestrüpp der Sünden ausreißen und dann durch Fasten und Gebet die unbearbeiteten und versteppten Seelen zu einem Leben in Jungfräulichkeit, Armut und Barmherzigkeit, ja zur Annahme des Leidens bis hin zum Tod bereit machen. Mag auch das Gebot der Barmherzigkeit für Geizhälse äußerst schwer sein, so ist sie für ihre Rettung doch besser und nützlicher als jede andere Tugend. Zudem ist die Barmherzigkeit über alle asketischen Übungen derart erhaben, daß jede andere Tugend und ihr Lohn gleichsam unbedeutend sind vor ihrem hellen Glanz und dem ihrer Früchte.

Was soll ich von den anderen Tugenden sagen? – Ein Leben in Zucht und Jungfräulichkeit wird zwar vom Alten und vom Neuen Testament geehrt, doch ohne die Tugend der Barmherzigkeit gilt es nichts und hat kein Anrecht auf die himmlische Hochzeit. Das mußten die törichten Jungfrauen erleben (Mt 25,1–12), die keine Barmherzigkeit oder nur in ungenügender Weise übten. Denn mitten in der Nacht ging ihnen das Öl aus und ihr Licht erlosch. Auch die Reichen können das ewige Heil nicht erlangen, wenn sie nur wenig Barmherzigkeit üben. Denn Mildtätigkeit, die dem Vermögen angemessen ist, ist Gott wohlgefällig. Wer viel besitzt, von dem verlangt Gott auch reichliche Wohltaten. Wer wenig hat, dessen Wohltaten sind in geringerer Entsprechung Gott angenehm. … Denn Gott schaut nicht auf das Maß der Gabe, sondern auf die Gesinnung des Gebers. Von einem Reichen nimmt er die reichliche Gabe als solche an, doch von den Armen die geringe Gabe auch als reichliche. Denn der, welcher zehn Denare besitzt und einen davon als Almosen hergibt, und jener, der nur zehn Heller hat und davon einem noch Ärmeren gibt, gelten vor Gott gleich viel. Ja bei dem Bedürftigen ist die Tat noch bewundernswerter, weil er in seiner Dürftigkeit mit dem gleichem Maß wie der Reiche gegeben hat. Darüber freute sich auch Jesus; als er sah, wie eine Witwe, die nur zwei Heller besaß und diese als Almosen hingab, sprach er: »Die Reichen haben nur etwas von ihrem Überfluß hergegeben; diese Witwe aber hat in ihrer Armut alles geopfert, was sie besaß, ihren ganzen Lebensunterhalt« (Mk 12,44) . . . .

Im Neuen Bund sind Arme und Reiche alle ein Leib in Christus (vgl. 1 Kor 12,27) und Glieder untereinander. Wenn du ein Jünger Christi bist und sein Gebot befolgst, dann mußt du auch für deine Mitmenschen so Sorge tragen, als ob sie ein Glied an deinem Leibe sind. »Denn wenn ein Glied leidet, leiden alle Glieder mit« (1 Kor 12,26). Wenn Christus das Haupt und wir sein Leib und seine Glieder sind, dann müssen wir als gemeinsames Gut aller Glieder alle Gaben Christi betrachten, die er in die Hände der Reichen gelegt hat; sie hat er als seine Vorsteher und Verwalter bestellt, damit sie die Güter weise verwalten und darauf achten, wer mehr oder weniger bedarf. Auch den Aposteln und den Gläubigen war alle Habe gemeinsam wie einer einzigen Person. Niemand nannte etwas sein Eigen; vielmehr brachten sie ihre Güter, teilten sie auf und gaben dem Bittenden, was er nötig hatte (vgl. Apg 4,32–35). Das war Barmherzigkeit, die von Herzen kam; das war Gottesdienst und echte Nächstenliebe, wo man die Gaben mit solchem Mitleid austeilte, daß man nach dem Bedürftigen noch suchte. So ernst war den Aposteln die Sorge um die Armen, daß sie nach dem Vorbild Christi die Wohltätigkeit zum Inhalt ihrer Predigt machten . . .

Aber was heißt denn, an die Armen und Bedürftigen denken? – Wenn man einen Armen in seinen Leiden sieht, denke man: Er ist mein Bruder, ein Glied an meinem Leibe; er hat Bedürfnisse wie ich; er ist an allem arm: Ohne Obdach und unruhig schleppt er sich hin bei gefahrvollem Hunger; er glüht vor Hitze und zittert vor Kälte; sein Magen ist leer, sein Leib nackt, das Haar ungepflegt, sein Gesicht bleich und abgemagert; der ganze Körper ist hager und abgezehrt; er irrt umher von Tür zu Tür; mit kraftloser Stimme und quälenden Schmerzen bittet er um Mitleid. Er kennt unsere Hartherzigkeit und so zeigt er seine verkrüppelten Glieder in widerlicher Häßlichkeit, um unsere harten Herzen in Mitleid umzustimmen. Er rafft sich auf und wird sogar zudringlich; aber trotz großer Mühe findet er nur geringes Auskommen. Mit Furcht kommt er an die Tür, tritt furchtsam in die Höfe und ängstlich in das Haus; denn in jedem Augenblick fürchtet er sich vor dem Hund und entsetzt sich vor den Tieren; denn das Pferd schlägt aus, der Ochse stößt mit dem Horn, die Hunde beißen, und böse, mitleidslose Menschen beschimpfen und verfolgen ihn, schießen gleichsam mit Pfeilen auf ihn, besonders wenn er ein Krüppel, blind oder krank ist. . . . Das heißt also, an die Armen und Bedürftigen denken: Dies alles bedenken und sie mit freundlichen, mitleidsvollen und barmherzigen Worten trösten und für sie sorgen. . . . Wenn wir dies alles hören, laßt uns ohne Zögern gegen die unglücklichen Armen barmherzig sein, vor allem gegen die Krüppel und Kranken, gegen die Waisen, Witwen und Betrübten, gegen die Fremden, die als Gäste kommen und gegen die Alten, ja gegen alle Hilfsbedürftigen, die in erdrückender Not leben, damit ihre Mühen und ihr Leben in der Welt erträglicher werden. Willst du fromm sein, so sorge für sie und hilf ihnen. Willst du von deinen Sünden loskommen, dann speise und kleide sie. Willst du voll Zuversicht vor das Angesicht Christi treten, so betrübe nicht das Antlitz der Betrübten und Hilflosen. Willst du in die Wohnungen der Heiligen einziehen und die unaussprechlichen Güter erben, dann sei ein Wirt und Gastfreund der Fremden, der Hilflosen, der Kranken und Betrübten; verschaff ihnen Ruhe und tröste sie in ihren Bedürfnissen; so wirst auch du zur Ruhe gelangen und die geistige Speise und die unvergeßlichen Freuden genießen...

Wer keine Barmherzigkeit übt, den nennen die heiligen Schriften nicht Mensch, sondern Hund, Schwein und alleinfressendes Raubtier. Solche Menschen sind Lampen ohne Licht, Augen ohne Sehvermögen, Quellen ohne Wasser, verdorrte Bäume, welche nur noch dem Namen nach, doch ohne Nutzen Bäume sind. Woran soll man überhaupt erkennen, daß der Unbarmherzige ein Mensch ist? – Die Quelle wird wegen ihres Wassers so genannt, die Lampe wegen ihres Lichtes. So muß auch der Mensch an der Barmherzigkeit als Mensch erkannt werden. Er muß stets sein Herz in Liebe und Mitleid den Armen öffnen und seine Hand bereit halten, den Bedürftigen Gaben zu geben; in den hungernden Armen muß er Christus speisen.

Johannes Mandakuni, Reden, Über die Barmherzigkeit; nach Blatz, 86–97

In einem Hohenlied der Liebe, das ganz den Geist des Hohenliedes des Apostels Paulus atmet (1 Kor 13) und voller bildhafter Vergleiche und Poesie ist, zeigt Mesrop, daß christliche Nächstenliebe in der erlösenden Liebe Gottes begründet ist. Die Liebe ist »der geistige Frühling«, der alle Tugenden zum Blühen bringt; durch die Hoffnung, die sie in geistigen und materiellen Leiden und Nöten gibt, wird sie zum »Ausdruck des Lebens«:

Wer in der Liebe Christi, der seine Geschöpfe erlöst und »die Feindschaft getötet« (Eph 2,16) hat, steht, der nimmt den Herrn auf. Werden wir ihm also ähnlich in seiner Großherzigkeit, bemühen wir uns um seine Verheißungen und gewinnen wir die Brüder, vertauschen wir unseren Besitz mit ihrer Bedürftigkeit und unser Leben mit ihrem Tod, damit wir Erben seiner Herrlichkeit und eine Wohnung seines Willens werden und Anteil erhalten an seiner wunderbaren und heiligen Liebe und an seiner Herrlichkeit!

Die Liebe ist die Mutter der Unversehrtheit, der Makellosigkeit und Reinheit. Sie ermuntert zum tugendhaften Leben und rüstet zu allen guten Werken aus. Die Liebe ist die Quelle alles Guten; sie tränkt die reinen Seelen; sie ist ein Unterpfand der Seligkeit und verteilt die kostbaren Gaben Gottes. Die Liebe stammt aus den Wohltaten Christi und führt zu seinen unbeschreiblichen Gnaden; sie hebt die Unruhe auf und schenkt den Frieden; sie erleuchtet den Verstand und leitet die Glieder...

Die Liebe ist Ausdruck des Lebens und der Hoffnung; sie lindert Nöte und Leiden und tilgt zugleich alle Sünden, die gegen die guten Werke streiten. Die Liebe ist wie ein friedenstiftender Engel, der den Zorn beseitigt, die Aufregung dämpft, die Eifersucht verdrängt und den Bösen besänftigt.

Die Liebe ist wie ein kostbarer Weinberg, der mit Trauben und Wein Herz und Sinne vor traurigen Einflüssen bewahrt und sie am Willen des Herrn Freude haben läßt. Die Liebe ist wie ein Ölbaum, voller Früchte im guten Herzen, aus denen das Öl gepreßt wird zur Erleuchtung des Verstandes und zur Salbung und Erquickung der Glieder...

Alle Tugenden werden durch die Liebe hervorgebracht, die Reinheit, die Gerechtigkeit z. B.; sie zeigen sich in ihrer ganzen Schönheit erst durch die Liebe, da sie das Böse vertreibt und das Gute fördert, die gottliebenden Menschen erhöht und die Betrüger und Sünder vertreibt. Liebe, geeint mit Glauben und Hoffnung, ist der Schmuck der Gottesverehrung und führt zum Frieden bei den himmlischen Scharen. ... Denn auch der wahre Glaube wird erst durch die Liebe gefestigt und die Hoffnung zuverlässig. ... Die Liebe ist der geistige Frühling, der Glaube und Hoffnung wachsen und auch alle anderen Tugenden sprießen läßt, wie es an Bäumen und Pflanzen geschieht, wenn sie, von den Fesseln des Winters befreit, Blätter und Blüten treiben. So bringt die Wärme der Liebe im Glauben und unter schönen Tränen dank des Willens und der Gnaden der allerheiligsten Dreifaltigkeit die Tugenden zum Blühen.

Die Einheit im Glauben und die Harmonie in der Liebe, welche sich auf jeden erstreckt, verbinden alle miteinander, die zu Christus gehören. Denn er ist unser Hafen und der Spender aller Gaben, die lebendige Quelle und der Vorgeschmack

der Unsterblichkeit; alle, welche die Liebe üben, krönt er mit Anmut und mit
ewigem Leben.

Mesrop, 11. Rede: Die Liebe, Mutter aller Tugenden; nach Schmid, 136–139

5. Hoffnung über den Tod hinaus:
Die Auferweckung des Lazarus

Ein Mann war krank, Lazarus aus Bethanien, dem Dorf, in dem Maria und ihre Schwester Martha wohnten. Die Schwestern sandten Jesus die Nachricht: Herr, dein Freund ist krank. Als er hörte, daß Lazarus krank war, blieb er noch zwei Tage an dem Ort, wo er sich aufhielt. Danach sagte er zu den Jüngern: Laßt uns wieder nach Judäa gehen. Lazarus, unser Freund schläft; aber ich gehe hin, um ihn aufzuwecken. Darauf sagte ihnen Jesus unverhüllt: Lazarus ist gestorben. Und ich freue mich für euch, daß ich nicht dort war, denn ich will, daß ihr glaubt. Als Jesus ankam, fand er Lazarus schon vier Tage im Grab liegen. Martha sagte zu Jesus: Herr, wärst du hier gewesen, dann wäre mein Bruder nicht gestorben. Jesus sagte zu ihr: Dein Bruder wird auferstehen. Martha sagte zu ihm: Ich weiß, daß er auferstehen wird bei der Auferstehung am Letzten Tag. Jesus erwiderte ihr: Ich bin die Auferstehung und das Leben. Wer an mich glaubt, wird leben, auch wenn er stirbt, und jeder, der lebt und an mich glaubt, wird auf ewig nicht sterben. Glaubst du das? Martha antwortete ihm: Ja, Herr, ich glaube, daß du der Messias bist, der Sohn Gottes, der in die Welt kommen soll. Nach diesen Worten ging sie weg, rief heimlich ihre Schwester Maria und sagte zu ihr: Der Meister ist da und läßt dich rufen. Als Maria dorthin kam, wo Jesus war, und ihn sah, fiel sie ihm zu Füßen und sagte zu ihm: Herr, wärst du hier gewesen, dann wäre mein Bruder nicht gestorben. Er sagte: Wo habt ihr ihn bestattet? Sie antworteten ihm: Herr, komm und sieh! Da weinte Jesus. Die Juden sagten: Seht, wie lieb er ihn hatte. Jesus wurde wiederum innerlich erregt, und er ging zum Grab. Es war eine Höhle, die mit einem Stein verschlossen war. Jesus sagte: Nehmt den Stein weg! Martha, die Schwester des Verstorbenen, entgegnete ihm: Herr, er riecht aber schon, denn es ist bereits der vierte Tag. Jesus sagte zu ihr: Habe ich dir

nicht gesagt: Wenn du glaubst, wirst du die Herrlichkeit Gottes sehen? Da nahmen sie den Stein weg. Er rief mit lauter Stimme: Lazarus, komm heraus! Da kam der Verstorbene heraus; seine Füße und Hände waren mit Binden umwickelt, und sein Gesicht war mit einem Schweißtuch verhüllt. Jesus sagte zu ihnen: Löst ihm die Binden und laßt ihn gehen. Viele der Juden, die zu Maria gekommen waren und gesehen hatten, was Jesus getan hatte, kamen zum Glauben an ihn.
Johannes 11,1–45; gekürzt

Die handelnden Personen im Evangelium hat der Miniaturmaler zu vier Gruppen mit je zwei Gestalten zusammengefaßt. Von links tritt Jesus mit seinen Jüngern ins Bild. Als Vertreter der Apostel ist nur Petrus ganz durchgestaltet, erkennbar am krausen hellen Gesichtsbart. In der Linken trägt Jesus eine Buchrolle, die ihn als Lehrer ausweist. Als solchen hatte ihn einst bei Nacht Nikodemus, »ein führender Mann unter den Juden«, aufgesucht und die Unterredung über die Wiedergeburt zum ewigen Leben mit den Worten begonnen: »Rabbi, wir wissen, du bist ein Lehrer, der von Gott gekommen ist; denn niemand kann die Zeichen tun, die du tust, wenn nicht Gott mit ihm ist« (Joh 3,1 f.). Nikodemus ist es offensichtlich, der die Gruppe der Juden anführt, welche durch das Zeichen der Totenerweckung zum Glauben an Jesus gekommen ist. Während die anderen Personen in verhalten dunkle Gewänder gekleidet sind, erscheint er im leuchtend roten Gewand und beherrscht die Mitte der Szene. Offenbar will der Maler damit die Glaubenstreue dieses Mannes hervorheben, die jene der Apostel in Kürze weit übertreffen sollte. Hinter Nikodemus ist das gespannt lauschende Gesicht einer weiteren Person durchgestaltet; es dürfte Joseph von Arimathäa sein. Ihn bezeichnet das Johannesevangelium als »Jünger Jesu, aber aus Furcht vor den Juden nur heimlich« (Joh 19,38). Beide, Nikodemus und Joseph, so meint der Maler, sind Zeugen der Totenerweckung gewesen; sie haben Jesu Macht über den Tod erfahren und »kamen zum Glauben an ihn«. Dieser Glaube hat sie wenige Tage später befähigt, mutig Jesu Leichnam von Pilatus zu erbitten, ihn zu salben und ehrenvoll zu bestatten (Joh 19,38–41), wogegen die Apostel aus Furcht geflohen und in Hoffnungslosigkeit versunken waren.

Während Apostel und gläubige Juden erwartungsvoll Christus umstehen, richtet er seine Rechte im Segensgestus der östlichen Kirche auf Lazarus im Grabe. Vor diesem

Tafel XIII:
Auferweckung
des Lazarus

131

steht Martha und hält sich vor dem Verwesungsgeruch die Nase zu; doch mit der Rechten löst sie schon die Binden vom Bruder, der sich unter dem machtvollen Wort Christi in der dunklen Grabeshöhle bereits aufgerichtet hat. Es begegnen sich hier Leben und Tod, und der Tod muß vor dem WORT Gottes weichen. Die beiden Schwestern Martha und Maria bilden die vierte Gruppe; sie sind Jesus zu Füßen gefallen. Ihre Gesichter sind von der Trauer um den toten Bruder gezeichnet, und während sie noch ihre bittende Klage vortragen: »Wärst du hier gewesen, ...«, blicken sie schon in Bestürzung zum Grab, aus dem der Tote dem Leben wiedergegeben wird.

Die Erweckung des Lazarus ist nach Auffassung der armenischen Kirche nicht nur Rückrufung in das irdische Leben; sie ist auch mehr als ein Hinweis auf die durch Christus ermöglichte Auferweckung zum ewigen Leben; sie ist vielmehr ein wirkmächtiges sakramentales Geschenk an Lazarus, dem hierdurch schon gnadenhaft wirklich die künftige Unsterblichkeit mitgeteilt wird. In ihren Hymnen feiert die Kirche gleicherweise das menschliche Mitleiden Jesu mit den vom Tode des Bruders betroffenen Schwestern wie auch seine göttliche Macht, mit der er Lazarus aus der Fesseln des Todes befreit. Indem Christus als Gott-Mensch auf Erden erscheint, gibt er den Menschen eine Hoffnung, die sie jenseits des Todes auf die Seite Gottes führt

Mit göttlicher Stimme hast du den Lazarus
aus dem Grab gerufen, du Gott unserer Väter.
Die Tränen der Maria und Martha hast du
nicht unbeachtet gelassen, Wohltätiger, du Gott unserer Väter.
Den viertägigen Toten hast du durch deine Herrschaft
unverwest aus dem Grab gerufen, du Gott unserer Väter.
Der Anteil hat an der Ehre des Vaters,
kam heute nach Bethanien und erweckte den Lazarus.
Und die Macht der Hölle vernichtete er als Gott,
er rief den viertägigen Toten aus dem Grab.

Der Lebenspender Christus kommt heute nach Bethanien
und schenkt seinem Freunde Lazarus Leben.
Mit menschlichem Mitgefühl weinte er mit Martha und Maria

und als Mensch fragte er: Wo habt ihr den Lazarus hingelegt?
Doch als Gott erweckte er den viertägigen Toten von den Toten,
und beim Klang der Stimme kam der Tote heraus, unverwest.

Von dem göttlichen Ruf erschraken die Wächter der Hölle,
und der Tote kam unverwest aus dem Grab.
Er stand am Eingang zur Grube und rief mit mächtiger Stimme:
Lazarus, komm heraus, unverwest!
Der Tote kam, umbunden von Binden, aus dem Grabe,
und er befahl, ihn loszubinden zum ewigen Leben.

Drei Hymnen zum Lazarusfest, Samstag vor Palmsonntag;
Ter-Mikaëlian, Das armenische Hymnarium, 90–92

Des Lazarus Entschlafen sagtest du
in deinem Vorherwissen voraus;
ja auch nach Bethanien gingst du,
um aufzuwecken deinen geliebten Freund.
Deshalb rufen wir zu dir und sprechen:
Gepriesen, da du kommst in das Leiden
nach dem Willen des Vaters
zur Erlösung unserer Seelen.

Als der Lebenspender zum Grab des Lazarus gekommen war,
rief er mit heilverkündender Stimme und sprach:
Lazarus, stehe auf, komm heraus!
Und wirklich erstand der Tote aus dem Grabe,
und er gab das Geschenk der Unsterblichkeit seinem Freund.
Er rief ihn mit göttlicher Stimme aus dem Grabe.
Deswegen priesen auch die Kinder der Hebräer
mit Zweigen deine unsterbliche Herrlichkeit:
Hosianna, gepriesen deine Ankunft!

Preis in den Höhen!
Gepriesen, der du kommst im Namen des Herrn.
Zwei Eingangslieder zur Meßfeier am Lazarusfest;
Steck, Liturgie, 26 f.

In einer längeren, aber sehr schönen Predigt von exegetischer Klarheit und meditativer Tiefe, voller Anschaulichkeit durch Vergleiche und Bilder, feiert Mambre »den Totenerwecker aller Menschen«. Die Erweckung des Lazarus wird für die Zuhörer zum Hinweis auf Jesu Auferstehung und zur Hoffnung für die eigene Auferweckung bei der Vollendung der Welt. Mambre stellt seine Zuhörer vor »den Beleber aller Toten«; unversehens wird die Predigt zum Gebet:

> *Alle göttlichen Zeichenhandlungen unseres Herrn sind voll tiefer Bedeutung.*
> *Einige sind es jedoch in besonderem Maße, da sie den Trost himmlischer Hoffnung in*
> *sich tragen. Wenn du z. B. an die Auferstehung der Toten denkst, kannst du durch*
> *die eine Auferweckung zum Glauben an alle Auferweckungen gelangen, ange*
> *fangen bei Adam bis zur Wiederkunft Christi. ...*
> *Damals, so lesen wir (Joh 11,1–45), war ein Mann erkrankt; er hieß Lazarus und*
> *lebte in Bethanien mit seinen Schwestern Maria und Martha. Jesus hielt sich im Ge*
> *biet jenseits des Jordans auf, wo Johannes getauft hatte, und rief die ganze Wüste*
> *zum Leben. Die Schwestern des Lazarus schickten zu ihm und ließen ihm sagen:*
> *»Herr, der den du liebhast, ist krank« (11,3). Er hörte das Stöhnen des Kranken und*
> *überließ doch die Herrschaft dem Tod. Er predigte von der Herrlichkeit Gottes und*
> *davon, daß der Sohn Gottes durch diese Krankheit verherrlicht werde. Zwei Tage*
> *wartete er noch und gab dem Räuber die Erlaubnis, in das Haus des Freundes einzu*
> *dringen. Der Zerstörer trat ein und richtete nach Wohlgefallen Verderben an. Den*
> *Boten der Maria aber gab der Herr keine eindeutige Antwort, weder ob er komme*
> *und den Kranken heile, noch ob er fernbliebe und sich um nichts kümmere. Den*
> *Namen des Kranken haben sie genannt und den Namen der Ehre (Freund) vernom*
> *men; mit Trauer im Antlitz waren sie gekommen, doch auch mit Freude, die sie aber*
> *nicht offen zeigten. Unter Tränen hatten die Schwestern zu Jesus gesandt und, in*
> *Erinnerung an seinen Aufenthalt bei ihnen, ihn flehentlich um Hilfe gebeten. Sie*
> *haben sich nicht in Ängste hineingesteigert und haben, ohne zu zweifeln, an den*

Totenerwecker aller Menschen geglaubt. Doch – menschlich verständlich – eilten sie zu ihm, solange der Kranke noch am Leben war. ... Weil sie an Gott glaubten, riefen sie ihn als klugen Arzt zum Kranken. Er aber ließ ihnen eine unbestimmte Antwort zukommen, um seine Macht in jeder Hinsicht zu offenbaren. Aus der Ferne vernahm er das Leiden des Kranken, ein wenig forschte er und sprach dann diese wahre Botschaft: »Die Krankheit ist nicht zum Tode, sondern zum Schlaf und zum Erwachen und dient der Verherrlichung Gottes« (vgl. Joh 11,4). Durch die Erweckung wird Gott verherrlicht, und in derselben Verherrlichung freut sich auch jubelnd der Sohn. ... Später sagte er dann: »Lazarus, unser Freund, schläft; doch ich gehe hin, um ihn aufzuwecken« (11,11). – O Herr, wie mit Kindern sprichst du und wie Kleinkindern reichst du zur Nahrung Milch. Wie eine Mutter gibts du Leben und wie eine Amme nährst du. Wie ein Lehrer unterrichtest du die Jünger und bringst ihre Unwissenheit unter deine Weisheit. Wann warst du Kammerdiener bei Lazarus, daß du hingehst und ihn aus dem Schlaf wecken willst? Die Wegstrecke beträgt zwei Tagesreisen; wird Lazarus solange im Schlaf verweilen, bis du kommst? Wurde er vielleicht mit Alraun eingeschläfert oder vom starken Wein betäubt? Wo gibt es einen Menschen, der vier Tage und Nächte ununterbrochen im Schlaf liegen könnte? Und nun gehst du und willst ihn aufwecken? Warum haben ihn seine Schwestern nicht aufgeweckt, die so schnell ihre Boten zu dir geschickt haben? Seines Schlafes wegen haben sie doch nicht zu dir gesandt, sondern wegen seines tödlichen Leidens in Eile dich gebeten, daß du kommst und ihn heilst! ... Der Herr erbarmte sich der unverständigen Jünger noch eher als des Lazarus. Er enthüllte ihnen seine verborgenen Gedanken und sagte ihnen offen: »Lazarus, unser Freund, ist gestorben« (11,14). Damit sie nicht plötzlich erschüttert würden und über seine Worte in lautes Klagen und in Tränen ausbrächen, fügte er unverzüglich den Trauerworten den erquickenden Trost hinzu: »Und ich freue mich euretwegen, daß ich nicht dort war, damit ihr glaubt« (11,15). – Siehe, schon wieder nebeneinander zwei Aussagen, die man nicht zugleich verstehen und begreifen konnte. Die Worte »Tod« und »Freude« hallten zusammen in ihren Ohren, und sie vermochten wegen der unverständlichen Worte nicht einmal in Erstaunen zu geraten. ... Wie viele Fragen enthält diese Stelle! Es ist leichter für einen Landwirt, brachliegendes Land zu kultivieren, als für einen Gelehrten, einen unwissenden Menschen zur Kenntnis und zum Verständnis zu führen.

Es braucht nur wenig Zeit der Arbeit am unbebauten Boden, und man erntet auf ihm viele Früchte. An dem Menschen aber, der in Unwissenheit verblendet ist, kann nur Gottes Macht allein das Werk vollenden. ... Da aber der menschgewordene Gott Mittler zwischen Gott und den Menschen ist, ließ er es sich nicht verdrießen und scheute sich nicht, den großen Unglauben der Jünger zunichte zu machen, und entsprechend der ihm vom Vater übertragenen Gewalt wirkte er mit Macht. ...

Als Martha hörte, daß Jesus komme, ging sie ihm entgegen, Maria aber blieb im Hause. Mit diesem unterschiedlichen Verhalten haben beide Schwestern sich des Lobes und Segens teilhaftig gemacht. Die eine wurde gleichsam zum Mund des Menschen, die andere zu seinem Herz, dem Gefäß seines Geheimnisses. Das Herz ist ja am festen Platz eingebettet, das Wort aber drängt hinaus als Dolmetscher des Herzens und trägt die Klagen des trauernden Herzens zu den Ohren derer, welche die Trauer aus dem Haus ihrer Geliebten verbannen könnten. Das Wort wußte, daß viele Juden sich zu ihrem Trost hier versammelt hatten und auch selbst betrübt und traurig waren. Doch kann der Trauernde den Trauernden nicht trösten und aufrichten, er weckt nur noch weitere Traurigkeit. Verliere, so sprachen sie z. B., die Fassung nicht; verzweifle nicht; mein Bruder war noch jünger, als er starb, er hatte gerade erst geheiratet und mußte kinderlos aus der Welt scheiden; es gibt nun niemanden, der das Andenken an ihn wachhält; sein Name und die Erinnerung an ihn werden aus dem Gedächtnis der Lebenden ausgetilgt. Dann drängte sich vielleicht eine Frau vor und sagte: Ich hatte nur einen einzigen Sohn; da starb er; Mann und Bruder und Schwester habe ich nicht; und dieses Kind in der Blüte seines Lebens welkte wie eine abgeschnittene Blume; es sah nie die Heimat seines Vaters, reifte nicht zur Hochzeit und lernte nicht die Freuden der Welt kennen; seine Kraft erlosch; zerstört und vernichtet ist die Kette der Generationen. Wieder andere brachten noch jammervollere Gedanken vor, die das Herz erstarren, die Eingeweide erschüttern, die Nieren erzittern, die Nerven erlähmen, die Muskeln ermatten und alle Kräfte des Leibes erschlaffen und versagen ließen: Weh über Weh, Seufzen über Seufzen, Brennen auf Brennen, Glut über Wunden, Foltern in der Stunde der Schmerzen. Ist es recht, solcherlei Reden als Trost anzubieten? – Wohl kaum! Zu trösten waren sie gekommen; doch saßen sie da in untröstlicher Traurigkeit.

136

Von all diesen Leuten hatte Maria sich abgewendet und sprach nun zu Jesus: »Herr, wenn du hier gewesen wärest, wäre mein Bruder nicht gestorben. Aber auch jetzt weiß ich: Gott wird dir alles gewähren, worum du ihn bittest« (11,21 f.). – Weisheit des Geistes, göttliche Liebe, wahrer Glaube und untrügliche Weissagung, das sind vier echte Geschwister. Denn es ist einer, der sie weckt: Gott. Es ist wie bei einem Musiker, der mit seinem Mund die Flöte bläst, mal sacht, mal stärker, mal kräftig, wie es die Melodie verlangt. Obwohl er viele Töne hervorbringt, klingt es doch wie eine Stimme und nicht wie viele. Entsprechend der Bewegung der Hand werden verschiedene Töne erzeugt; Doch alle gemeinsam machen das ganze Lied aus. So verhielt es sich auch mit Maria, Martha und dem verstorbenen Lazarus und wer sonst noch dort im Hause als Glaubender wohnte. Mochten sie sich auch einzeln aussprechen, ein Glaube verband sie alle, mit gleicher Liebe liebten sie alle Christus, dieselbe Weisheit des Geistes besaßen sie alle, und in Übereinstimmung mit allen verkündete Martha die Weissagung: »Herr, wenn du hier gewesen wärest, wäre mein Bruder nicht gestorben.« Denn wo das Leben herrscht, kann der Tod nicht Einzug halten. Oftmals war der Herr bei Maria und Martha eingekehrt; da war der Tod aus ihrem Dorf und noch mehr aus ihrem Hause vertrieben. . . . Jesus bestätigte Martha in ihrem Glauben, als er zu ihr sprach: »Dein Bruder wird auferstehen« (11,23). Martha entgegnete ihm: »Ich weiß, daß er auferstehen wird bei der Auferstehung am Letzten Tag.« Und der Herr offenbarte ihr zugleich die letzte und die erste Wahrheit: »Ich bin die Auferstehung und das Leben« (11,25). – Mit diesem Wort taten sich für diese Frau die Tore des Himmels auf. Sie sah das Licht, das aus sich selbst erstrahlt; zum unzugänglichen Ort drang sie vor; den Söhnen des Zebedäus (Jakobus und Johannes, die im Reiche Christi zu seiner Seite sitzen sollten; Mt 20,21) wurde sie gleich; nicht sichtbar (wie Johannes) lag sie an Jesu Brust, sondern wurde zu ihm in geistiger Kraft emporgehoben; das WORT des Lebens erfaßte sie und tauchte sie ein in dieses Leben. Sie kam in Tränen und wurde mit Freuden erfüllt; sie war voller Schmerzen und wurde voll Frohsinn. Die Augen des Geistes wurden ihr geöffnet, ihr innerer Mensch erleuchtet. Die Trauer wich von ihr, und ihr Angesicht bekam wieder eine gesunde Farbe. Die erkrankten Glieder ihres Leibes genasen, und die untröstliche Trauer wurde vergessen. Sie hatte Trauerkunde über ihren Bruder gebracht und vernahm nun die Freudenbotschaft von seiner Aufer weckung. Als sie den Bruder auferstehen sah, erblickte sie durch die Auferstehung des Toten den Lebendigen selbst, ja den Lebendigen und den Beleber aller Toten. ...

»Wer an mich glaubt, wird den Tod nicht schauen und kosten in Ewigkeit« (11,26). Das sagte unser Herr zu Martha, und dann verlangte er sogleich den Lohn für seine Lehre: «Glaubst du alles, was du gehört hast?« – »Ja, Herr, ich glaube, daß du der Messias bist, der Sohn Gottes, der in die Welt kommen soll« (11,27). ... Sie sagte es zu dem verheißenen Sproß der Jungfrau (vgl. Gen 3,15) und deutete mit ihrem Bekenntnis zugleich seine zweite Ankunft an. Denn wer den Anfang sieht, blickt auch auf das Ende. Da sie ins Innere des Königsschlosses gelangt war, verstand sie alles besser und vernahm die Großtaten Gottes. Sie kam als trauernder Mensch und ging freudig wie ein Engel Gottes fort. Sie eilte, ihrer Schwester zu sagen: »Der Meister ist da und ruft dich«; der wahre Meister allerdings. Ohne Bücher lehrt er und ohne Buchstaben liest er, und alles, was den Sinn eines Wortes ausmacht, besitzt er und vollendet es. Sie sagte »Meister« und trat damit in die Gemeinschaft der Jünger ein. Sie sprach mit Maria heimlich, und auch diese wurde mit bereitem Willen und Glaubensbereitschaft Jüngerin derselben Lehre. Sie eilte nach draußen zu Jesus, zum gemeinsamen Lehrer, zur gemeinsamen Freude. Beide, die eine im Verborgenen, die andere in der Öffentlichkeit, führte der Herr aus der Welt der Trauer zur untrübbaren Freude. ...

Wenn der Leib sich abmüht, bricht er in Schweiß aus; so treiben aus einem erschütterten Herzen auch die Augen Tränen hervor, nicht nur bei der Trauer über Verstorbene, sondern auch aus Freude über Lebende, wenn z. B. ein Geliebter aus der Ferne heimkehrt. Maria sah Jesus an, und ihre Liebe und ihr Weinen, seine Erinnerung an den Verstorbenen und der Anblick dieser lebendigen Liebe überwältigten ihn. Sie klagte nicht nach weltlicher Weise, sondern in starkem Aufschwung ihrer Seele goß sie ihre Tränen vor dem Barmherzigen aus. So erbarmungswürdig war der Anblick, daß er sogar die überheblichen Juden zu Tränen rührte, und selbst unser Herr wurde bei dieser ergreifenden Erschütterung der Herzen bewegt: Tränen über Tränen, Herzeleid um Herzeleid. Jesus spürte, daß auch er von der gleichen Trauer erfaßt wurde; darum sagt die Schrift: »Er wurde im Geiste tief erschüttert« (11,33), und deutet an, daß er bis ins Innerste betrübt war. Er konnte nicht unbeeindruckt

138

einfach sagen: »Wo habt ihr ihn hingelegt?«, sondern voll Schauder sprach er es aus, weinend und unter Tränen, mit erstickter Stimme, in Teilnahme an Schmerz und Trauer über seinen Freund. Im Regenstrom werden die Saaten auf den Feldern fruchtbar, der ausgetrocknete Boden läßt das Grün sprießen; so trieb auch der Tränenstrom der Menschen den menschgewordenen Gott zum Erbarmen. Er nahm an der Trauer der Menschen Anteil, damit sie teilhaben am Troste Gottes. Viele Saatkörner gehen, da sie keine Wurzeln schlagen, Jahr für Jahr, ohne zu sprossen, zugrunde; gefällt es aber einmal dem Himmel, Regen über die Erde auszugießen, so besteht, sobald nur ein Korn sproßt, sogleich für alle anderen Hoffnung, auch zu sprossen. ...

Jesus sagte: »Entfernt den Stein von der Öffnung des Grabes!« (11,39) – Er, vor dem die Himmel erzittern und die Berge schmelzen, verlangt von den Menschen Hilfe zur Entfernung eines kleinen Felsbrockens? – Nein, keine Hilfe, sondern Zeugen! ... Der Herr über Engel und Menschen war hierher gekommen. Der Engel Hilfe bedurfte er bei diesem Werke nicht; jenen aber, die auf Erden zu wirken gewohnt waren, erteilte er seinen Befehl: Schafft den Stein fort und seht in das Grab, ob drinnen ein Toter liegt oder nur ein Kranker, der wie ein Toter aussieht. Ihr sollt morgen Zeugen sein, eure Rücken für die Schwere des Steines, eure Augen für den toten Leib, und eure Nasen für den Fäulnisgeruch. Bei solch großer Zahl von Zeugen könnt ihr dann nicht ableugnen, daß der Tote auferstanden ist und ihr ihn gesehen habt. – Jesus kannte ja ihre bösen Gewohnheiten und begegnete so ihren Lästerungen. – Das gleiche Zeugnis legte auch die Schwester des Toten ab: »Herr, er riecht schon; denn er liegt schon vier Tage« (11,39). Jesus entgegnete ihr: »Habe ich dir nicht gesagt: Wenn du glaubst, wirst du die Herrlichkeit Gottes sehen?« (11,40) – Modergeruch entsteigt von einem Toten für die Menschen, für Gott aber nicht, sondern nur von einem Sünder, und obwohl alle Welt voller Fäulnis ist, verschmähte er sie nicht und wandte sein Antlitz nicht von ihr, sondern würzte alles mit seinem Wohlgeruch. Für den Pflanzer hat der faulende Samen keinen Modergeruch; sein Herz freut sich vielmehr, weil die Sinne sich am Wohlgeruch des Feldes erquicken. ... Was du Verwesung genannt hast, Martha, daraus soll das ewige Leben der Menschen hervorsprossen. Glaube nur, ohne zu zweifeln, an Gott; dann wird auch dich der süße und lebendige Geruch durchdringen, so herrlich und angenehm, daß du daran mit deinem Glauben die Herrlichkeit Gottes schauen kannst. ... Wegen des Geruches darfst du am Herrn aller Wesen nicht zweifeln. Er ist ein wohlschmeckendes Salz für jeden gefallenen Leib, ein durchdringendes Licht für alle erblindeten Augen, Stimme und Öffnung für alle taubgewordenen Ohren. Heute wirst du das an deinem geliebten Bruder erfahren. Mit den Augen wirst du ihn sehen und mit dem Geiste die Herrlichkeit des Herrn erfassen.

»Da hoben sie den Stein von der Öffnung des Grabes fort; Jesus aber richtete seinen Augen nach oben und sprach: Vater, ich danke dir, daß du mich erhört hast. Ich wußte ja, daß du mich immer erhörst; aber wegen der Menge, die um mich herumsteht, habe ich es gesagt; denn sie sollen glauben, daß du mich gesandt hast« (11,41 f.). – Während sie den Stein wegschoben, hatte unser Herr Lazarus auferweckt. Während Jesus die Augen emporrichtete und den Vater sah, während er mit lauter Stimme rief, hörte dieser ihn. Doch nicht nur zu dieser Zeit, sondern immer hörte er ihn; aber für die Zuschauer und Zuhörer geschah es zu dieser Zeit. – ...»Nachdem er dies gesagt hatte, rief er mit lauter Stimme: Lazarus, komm heraus! Da kam der Verstorbene heraus; seine Füße und Hände waren mit Binden umwickelt, und sein Gesicht war mit einem Schweißtuch umhüllt« (11,43 f.). – Gib wohl acht! Wenn du die göttlichen Schriften lesen und die Bedeutung der Worte verstehen willst, darf kein Buchstabe deiner Betrachtung entgehen. Jeder Satz enthält himmlische Weisheit und birgt Worte von geistiger weiser Bedeutung. ... »Mit lauter Stimme rief er« und nannte den Toten mit Namen. – Wozu? Hat er wirklich die Kraft der Stimme benötigt? – Nein; denke das bloß nicht! Er erweckte Tote, und kein Laut war zu hören. Hier aber rief er laut wegen der Volksmenge und zwang dadurch alle, ihre Augen auf ihn zu richten. – Es heißt: »Wer einen Toten berührt, soll bis zum Abend unrein sein« (vgl. Lev 22,4–6). Jesus erfüllte diese Forderung des Gesetzes und blieb mit den Zwölfen fern vor dem Grabe stehen, ohne sich dem Toten zu nähern. Statt mit der Hand ihn zu berühren, verstärkte er die Stimme, und die Stimme wurde zum Donner, und aus himmlischen Tränen kam ein fruchtbarer Tau wie von den Wolken. Der harte Fels weichte auf und wurde zum fruchtbaren Feld. Die Steine, aus denen sonst nichts sprießt, zermalmte und erweichte seine starke Stimme, und sie nahmen den fruchtbaren Regen auf, der den Samen zum Keimen *brachte. Der Modergeruch verwandelte sich in Wohlgeruch. Die Stimme erfaßte den Toten und holte ihn lebendig heraus; sie drang in das Grab und faßte den Toten bei der Hand...*

Es gibt eine Zeit zu säen und eine Zeit zu ernten. Noch immer werden die Saatkörner ausgestreut, die Keime sprossen, die Früchte häufen sich. Neue Dinge treten ein; doch immer wieder kommt der Vater zur Versöhnung, der Sohn als Fürsprecher und der Geist als Tröster. Wenn die Welt aber ohne unser Rufen vollendet sein wird, steigt der Herr der Geschöpfe selbst in der Urschönheit des Vaters und in der Kraft des Schöpfer-Geistes mit den Heerscharen der Engel unter dem Schall der nicht von Menschenhand verfertigten Posaunen vom Himmel zur Erde hernieder. Die Throne stürzen dann, das Gericht nimmt Platz, die Bücher werden aufgeschlagen, lebendige Stimmen ertönen, die Himmel werden zusammengerollt, die Sterne fallen hernieder, die Erde wird erschüttert, die Felsen zersplittern, die Gräber öffnen sich und die Toten stehen auf (vgl. Offb 6,13 f.; Mt 27,52 f.). Dann kann man den auferweckten Lazarus zusammen mit uns sehen. ...In unendlichem Leben bilden die Menschen mit den Chören der Engel eine Gemeinschaft. Möge es uns allen beschieden sein, zu ihnen zu gelangen dank der Gnade und Menschenfreundlichkeit unseres Herrn und Erlösers Jesus Christus, dem Ehre sei in Ewigkeit.
Mambre Verzanogh, Die Auferweckung des Lazarus; nach Weber, 9–27

6. König der neuen Welt:
Christi Einzug in Jerusalem

Als sich Jesus mit seinen Begleitern Jerusalem näherte und nach Bethphage am Ölberg kam, schickte er zwei Jünger voraus und sagte zu ihnen: Geht in das Dorf, das vor euch liegt; dort werdet ihr eine Eselin angebunden finden und ein Fohlen bei ihr. Bindet sie los und bringt sie zu mir. Und wenn euch jemand zur Rede stellt, dann sagt: Der Herr braucht sie. Sofort wird er sie ziehen lassen. Das ist geschehen, was durch den Propheten gesagt worden ist: »Sagt der Tochter Zion: Siehe, dein König kommt zu dir. Er ist friedfertig, und er reitet auf einer Eselin und auf einem Fohlen,

dem Jungen eines Lasttiers« (Sach 9,9). Die Jünger gingen und taten, was Jesus ihnen aufgetragen hatte. Sie brachten die Eselin und das Fohlen, legten ihre Kleider auf sie, und er setzte sich darauf. Viele Menschen breiteten ihre Kleider auf der Straße aus, andere schnitten Zweige von den Bäumen und streuten sie auf den Weg. Die Leute aber, die vor ihm hergingen und die ihm folgten, riefen: Hosanna dem Sohne Davids! »Gesegnet sei er, der kommt im Namen des Herrn« (Ps 118,26). Hosanna in der Höhe! Als er in Jerusalem einzog, geriet die ganze Stadt in Aufregung, und man fragte: Wer ist das? Die Leute sagten: Das ist der Prophet Jesus von Nazareth in Galiläa. ... Als nun die Hohenpriester und die Schriftgelehrten die Wunder sahen, die er tat, und die Kinder im Tempel rufen hörte: Hosanna dem Sohne Davids!, da wurden sie ärgerlich und sagten zu ihm: Hörst du, was sie rufen? Jesus antwortete ihnen: Ja, ich höre es. Habt ihr nie gelesen: »Aus dem Mund der Kinder und Säuglinge schaffst du dir Lob?« (Ps 8,3)
Matthäus 21,1–11.15 f.

Tafel XIV:
Einzug in
Jerusalem

Der Esel war das Reittier der Juden; seine biblische Symbolik, derer sich auch das Matthäusevangelium bedient, ist geprägt von der messianischen Verheißung des Propheten Sacharja (9,9): Die Eselin, auf der der kommende Friedenskönig reitet, veranschaulicht seine Sanftheit und Demut. Die weiße Farbe galt als Zeichen der Vornehmheit. Jesus erscheint in der neutestamentlichen Aussage, die der Miniaturmaler ins Bild übertragen hat, als der erwartete Davidsnachkomme, der eine gerechte soziale Ordnung und eine friedliche Herrschaft errichtet. In der Buchillustration bilden die Apostel das Gefolge des neuen Herrschers; sie sind dargestellt in der kernigen Gestalt armenischer Bauern. Die Einwohner Jerusalems kommen ihm zur Begrüßung und zur Huldigung entgegen. Für sie ist er der erwartete Messias, vor dem sie als Empfangsteppich ihre Kleider ausbreiten. Jesus kommt nach Jerusalem als der König der armen und kleinen Leute. Die »Kleinen« spielen in der Illustration eine hervorgehobene Rolle: In Analogie zu den Erwachsenen des Evangelientextes breitet ein Kind die Kleider unter dem Reittier aus, während Jesus einen Säugling auf den Armen der Mutter segnet. Der Maler hat in die Miniatur den Lukastext einbezogen: »Man brachte auch kleine Kinder zu ihm, damit er sie segne... Jesus rief die Kinder zu sich und sagte: Laßt die Kinder zu mir kommen; hindert sie nicht daran! Denn Menschen wie ihnen

142

gehört das Reich Gottes« (Lk 18,15 f.). Durch die Einbeziehung der Kindersegnung in das Geschehen in Jerusalem unterstreicht der Maler treffend, daß Christi Einzug in die heilige Stadt als Proklamation seiner Königsherrschaft im Reiche Gottes zu verstehen ist.

In der zweiten Ebene, im Hintergrund, hat der Maler die Aussagen des Vordergrundes mit den Mitteln der Symbolik noch einmal ins Bild gebracht. Links erheben sich wuchtig die rötlichen Felsberge der Wüste. Schon Paulus hat den Berg in der Sinaiwüste, aus dessen Quelle Israel seinen Durst stillte (Ex 17,6), auf Christus hin gedeutet: »Unsere Väter tranken aus dem lebensspendenden Felsen, der mit ihnen zog. Und dieser Fels war Christus« (1 Kor 10,4). Als lebensspendender Fels erscheint Christus vor der Tochter Zion, der Stadt Jerusalem, der durch seine Herrschaft Rettung zuteil wird. »Sagt der Tochter Zion: Sieh her, jetzt kommt deine Rettung. Seht, er bringt seinen Siegespreis mit: Alle, die er gewonnen hat, gehen vor ihm her. Dann nennt man sie das heilige Volk, das Volk, das der Herr erlöst hat. Und dich nennt man die Stadt, nach der man sich sehnt, die nicht mehr verödete Stadt« (Jes 62,11 f.). Dieses Jerusalem, in das Christus als Heiland einzieht, als König einer erneuerten Menschheit, besitzt ein siebenseitiges Mauerwerk als Schutzwall um seine Häuser und Einwohner. Es ist noch nicht die heilige Stadt in der Vollendung, die die Apokalypse als viereckige Stadt mit zwölf Toren beschreibt (Offb 21,12.16), wohl aber die von Christus gerettete und geheiligte Gemeinde, die der Vollendung entgegengeht. Zwischen dem Christus-Felsen und der Zion-Gemeinde erhebt sich hoch ragend ein Palmbaum.

Seines hoch wachsenden, im Wind nicht brechenden Stammes und seiner immergrünen Blätter wegen ist er das Sinnbild der Gerechtigkeit und des ewigen Lebens; er gilt auch als Zeichen der Freude und des Friedens. Für Christen wurde er zum Symbol des Sieges Christi und seiner Martyrer. Auf der Miniatur scheint sein Stamm aus Christus in der unteren Bildhälfte herauszuwachsen. Christus selbst ist der Friede, der durch die Palme symbolisiert wird; er kommt im Namen des Herrn, und sein Opfertod, zu dem er in Jerusalem einzieht, erwirkt seinem erlösten Volk Gerechtigkeit und ewiges Leben.

Die Hymnen zum Fest des Einzuges Christi in Jerusalem feiern die Vermählung Christi mit seiner Gemeinde der Erlösten. Zion ist das »Brautgemach« des Königs. Aus Liebe hat sich »der Meister aller Wesen« erniedrigt; die Ankunft des Erlösers offenbart Gottes großes Erbarmen – nicht nur zur Zeit Jesu, sondern auch »heute«. Heute aber ist immer, wo sich in liturgischer Feier die Gemeinde sakramental um ihren König Christus versammelt:

Freue dich, Jerusalem,
und schmücke dein Brautgemach, Zion!
Siehe, dein König, Christus, kommt;
er sitzt auf einem jungen Esel voller Sanftmut.
Er geht ein in dein Brautgemach, Zion,
und wir rufen: Hosanna!
Gepriesen, der da kommt im Namen des Herrn,
der das große Erbarmen hat!
Eingangslied zur Meßfeier am Palmsonntag;
Steck, Liturgie, 27

Ob des Festes des Herrn, heute,
kommt und jubilieret!
Es freuen sich die Himmel heute,
die geistige Welt.
Erneuert wird die Erde heute
durch des Erlösers Kommen.
Loblieder singen die Kinder
Zweige tragend: Hosanna, gebenedeit!
Der Meister aller Wesen, heute
ist er in Zion eingezogen.
Des freuen sich Zions Kinder
und eilen ihm entgegen.
Loblieder singt Sacharja
der Tochter Zion:
»Aus Liebe sich erniedrigend

sitzt er auf einem Eselsfohlen!« –
eine Gabe von Propheten im Wort
und von Kindern im Rufen;
mit ihnen singen wir den Lobpreis
zur Ankunft des Erlösers.
Nerses Schnorhali, Hymnus zum Palmsonntag;
Theol. Quartalschrift 81, 93

In Salomo, dem ersten Nachfolger des großen Königs David, erkennt der Katholikos Nerses ein Vorbild Jesu, welcher der wahre und endgültige Nachkomme Davids
und der ausschließliche König des Gottesvolkes ist. Salomos Name ist verwandt mit
dem hebräischen Schalom, und man kann ihn deuten als »Mann des Wohlergehens und
des Friedens«. Doch der Anspruch Salomos und sein Programm haben erst in Christus
ihre Erfüllung gefunden. Salomo hat Gott einen Tempel aus erlesenen Materialien erbaut; Christus aber hat die von ihm als Gott geschaffene menschliche Natur zu seinem
Tempel erwählt. Salomo war wegen seiner Weisheit berühmt, so daß sogar »des
Südens Fürstin«, die Königin von Saba, ihn aufsuchte und ihn feierte (1 Kön 10,1–13);
doch Christus wird vom ganzen Weltall angebetet, und seine Weisheit führt alle
Völker unter seiner Gnadenherrschaft zusammen. Wer sich von seiner Weisheit
führen läßt, kehrt reich beschenkt, wie die Königin des Südens, heim; Christi Geschenke sind die Früchte eifriger Werktätigkeit und beschaulicher Erkenntnis:

Zu deinem Vorbild hast du dir erwählt
den Sohn des großen Sehers,
Salomo, der auf den Frieden hinweist,
den du vom Himmel hast gebracht.

Er übernahm vom Vater
den väterlichen Thron
sowie auch du, des Vaters Eingeborener,
von Fremden nicht und nicht von außen.

Er hat erbauet einen irdischen Tempel
und du die menschliche Natur;

ihm ward verliehn des Wortes Weisheit,
doch du verleihest unsagbare Gnade.

Der Weisheitsfülle Sammler,
so hieß man ihn in Israel;
doch du hast das zerstreute Volk,
das erdgeborene, in eins gesammelt.

Zu sehen ihn, des Südens Fürstin kam,
vom Herzenswunsch getrieben;
dich aber beten unsichtbarerweise an
des Weltalls viergeteilte Seiten.

. . .

Doch du, der aller sich erbarmt,
gieß mir die Liebe deiner Gnaden ein.
Des Vaters Weisheit, der im Himmel ist,
mach mich in beidem weise:

In eifriger Werktätigkeit
und in beschaulicher Erkenntnis,
auf daß ich durch das Licht der Gnaden blicken könne
mit beiden Augen auf zum Himmel.

Nerses Schnorhali, Jesus, der Sohn, I, 839–882;
Theol. Quartalschrift 80, 256 f.

Das christliche Mönchtum bemüht sich, die Lebensordnung der neuen Welt praktisch zu gestalten und konkret zu leben; dadurch unterscheidet es sich von allen Mönchsbewegungen in anderen Religionen. Die christliche Mönchsgemeinschaft versteht sich als eschatologische Gemeinde, die, an Christi Handeln orientiert, schon heute lebt, was morgen sein wird. In der durch Christus begründeten Hoffnung lebt sie im Heute und seinen Unzulänglichkeiten, doch schreitet sie schon auf die Zukunft Gottes zu. Während Sacharja sein prophetisches Wort und die Kinder ihren Jubel dem König des anbrechenden Gottesreiches darbringen, geben die Mönche sich selbst ihm als Opfer dar. Das monastische Leben steht unter der Herrschaft Christi und will schon im täglichen Miteinander das Leben im Reiche Gottes verwirklichen. Dieses Leben ist gekennzeichnet durch werktätige Liebe und beschaulich-meditative Erkenntnis, die in die Weisheit Gottes einführt, wie der große Mönch und Bischof Nerses in seinem Hymnus bekundet hat.

Der folgende längere Abschnitt stellt uns einen Auszug aus einer frühchristlichen Mönchsordnung vor Augen, einen »freundlichen Rat Christi«, der, in Abwandlung, als Ermahnung zur Nachfolge Christi für alle Christen gelten darf. Denn die Mönchsregeln verstehen sich als Konkretisierung des Hauptgebotes der Liebe. Im Vordergrund monastischer Lebensgestaltung stehen »die Liebe zu Gott« und »die Eintracht durch das Band des Friedens« in der Bruderschaft. Die Mönchsgemeinde stellt eine Lebensform dar, in der die eschatologische Heilsgemeinde unter der Herrschaft Christi verkörpert ist:

Alle, die sich im Einklang mit den Überlieferungen der heiligen Väter von der Welt losgesagt und sich Gott als Opfer dargebracht haben, um sich im Blick auf die verheißenen Güter in Gehorsam und Keuschheit abzusterben, sollen in Gedanken, Worten und Taten behutsam vorgehen, damit die hinterlistige Schlange sie nicht beiße und ihre Schritte zum tugendhaften Leben in Reinheit und Gerechtigkeit nicht vereitle. Alle geistigen Ermahnungen sollen sie beachten: Dem Zorn sollen sie die Sanftmut, der Gefühlserregung die Ruhe, den Beleidigungen das gütige Wort, dem Ungehorsam den Gehorsam, der Torheit die Weisheit, der Ungeduld die Geduld, der Rachsucht die Vergebung, dem Neid die Großherzigkeit, der Verbitterung die Heiterkeit, der Bosheit die Güte, der Faulheit die Arbeit, der Falschheit die Aufrichtigkeit, der Frechheit die Bescheidenheit, den Possen und Albernheiten die Besonnenheit entgegenstellen. Gegen den Haß sollen sie die Liebe setzen, gegen die Verzweiflung die Hoffnung, gegen die Traurigkeit die Fröhlichkeit, gegen die Versuchungen die Ausdauer, gegen den Geiz das Maßhalten, gegen die Habsucht das Verschenken, gegen die Ehrsucht die Demut, gegen den Unglauben den wahren Glauben, und was es sonst noch für Nachstellungen des Bösen geben mag. Er bekämpft die Wahrheit und bedient sich dabei der Augen, der Ohren, der Nase, des Gaumens, der Zunge, der Hände, der Füße und sogar des Herzens, das wie ein Speicher für Gedanken mit bösen und guten Neigungen ist...

Du aber, Seele, die sich Gott dargebracht hat, mache dir den Bösen nicht zum Vertrauten, sondern kämpfe den guten Kampf und befolge diese Ermahnungen. Vergiß nicht den Feind der heiligen Asketen, welcher die Seele und den Leib umgarnt und fesselt. Erinnere dich des freundlichen Rates Christi und lebe nach seiner Frohen Botschaft würdig als Mönch. Leg alle weltlichen Begierden ab und ziehe den neuen Menschen an. Schmücke ihn innen und außen mit allen guten Werken; makellos sei er in vollkommener Gerechtigkeit und frei von allen irdischen Begierden.

Zuerst sollen die Asketen die Liebe zu Gott durch ungeheuchelten Glauben in ihrer Seele festigen, damit sie seiner Gaben würdig werden... Dann sollen sie die Eintracht durch das Band des Friedens wahren und im Gehorsam der Bruderschaft gegenüber und im Vertrauen zum Vorgesetzten zur vollkommenen Einheit gelangen, wie sie es im Gelübde vor Gott versprochen haben. Dadurch werden sie auch die Frucht der Buße erlangen für ihre Verfehlungen in Gedanken, Worten und Taten; ihnen wird die Verzeihung der Sünden vom Erlöser gewährt dank des Zeugnisses des Vorgesetzten und der Brüder. Ferner sollen sie im Kloster fest verwurzelt bleiben.

Sie sollen sich nicht dem Zweifel überlassen. Wer zweifelt, gleicht denen, die der Wind umhertreibt und die von den Wogen des Meeres umhergeschleudert werden. Solche Menschen hoffen nicht auf die Güte Gottes. Sie sollen vielmehr durch wahren Glauben und reine Lebensführung nach der Tugend der Gottesfurcht streben und, durch die Gnade des Heiligen Geistes gestärkt, standhaft bleiben, wie der Apostel mahnt, »in Bedrängnis, in Not, in Angst, unter Schlägen, in Gefängnissen, in Zeiten der Unruhe, unter der Last der Arbeit, in durchwachten Nächten, durch lautere Gesinnung, durch Erkenntnis, durch Langmut, durch Güte durch den Heiligen Geist« (2 Kor 6,5 f.)...

Die Mönche sollen wahrhaftig sein, ohne Trug und Hinterlist, und sich nicht den Anordnungen der Vorgesetzten widersetzen. Sie sollen über die Arbeit und andere Aufträge nicht klagen, nicht Unruhe stiften und niemand beleidigen. »Denn du bist unentschuldbar – wer du auch seist, Mensch –, wenn du richtest«, sagt der Apostel (Röm 2,1). Trachtet vielmehr nach dem Frieden und der reinen Liebe, um Kinder Gottes und Miterben Christi (Röm 8,16 f.) zu werden, der Friede gestiftet hat im Himmel und auf Erden (Eph 1,10). Seid einander untertänig und einmütig in der

Furcht des Herrn, die euch aneinander bindet und euch vor Vernichtung und Ent-
zweiung durch Gründe bewahrt, welche der Einmütigkeit und der Liebe entgegen-
stehen und der Seele Strafen eintragen.

Wer Vorsteher ist soll sich klug gegen die Nächsten und vorsichtig gegen die Frem-
den verhalten. Er soll danach trachten, in Klugheit – angemessen den Zeitumstän-
den, der Aufnahme in die Gemeinschaft, der Bildung des Herzens – die Brüder zu
ermahnen. Den Novizen soll er zur Furcht des Herrn und zum Gehorsam gegen die
Brüder anleiten, damit er mit allen und mit dem Willen des Vorstehers in Einklang
stehe; denn keine Handlung geschehe gegen seinen Willen! Wer gegen seine Anord-
nungen denkt, redet oder handelt, muß Buße tun. Wer den Vorsteher verachtet,
verachtet Gott; hat doch der Herr gesagt: »Wer euch verachtet, verachtet mich; wer
euch aufnimmt, nimmt mich auf; wer euer Wort hält, hält auch mein Wort« (vgl.
Mt 10,40; Lk 10,16)...

Die Mönche sollen eine Gemeinschaft in einem Kloster bilden und gemeinsam die
heiligste Dreifaltigkeit verehren; sie seien »einmütig und einträchtig und sollen
nichts aus Ehrgeiz und Prahlerei tun«, wie der Apostel sagt, »sondern in Demut den
anderen höher einschätzen als sich selbst« (Phil 2,3). Dann gleichen sie jenen Jung-
frauen, welche das Öl der reinen Liebe immer bei sich tragen und mit brennenden
Lampen in das Brautgemach eintreten (vgl. Mt 25,1–12), welche der allmächtige
Vater mit unendlichen Freuden und den Verheißungen des himmlischen Bräutigams
erfreut. Jene aber, die sich von der Einheit mit der Bruderschaft trennen und ent-
fernen, gleichen den törichten Jungfrauen; sie haben nicht das Öl der Liebe bei sich,
und da ihnen die hochzeitlichen Lampen erlöschen, wird ihnen das Brautgemach
verschlossen. Sie hören die Stimme des Bräutigams: »Weil ihr keine Liebe zu den
Brüdern gehabt und das Band der Eintracht zerstört habt, geht in die äußerste
Finsternis!« Welche aber in geistiger Liebe die Einheit mit den Brüdern und die Ein-
mütigkeit mit dem Vorgesetzten unversehrt bewahrt haben, sind selig; alle guten
Eigenschaften und die Zeichen der Tugend sind ihnen eingeprägt...

Der gemeinsame Gottesdienst darf durch nichts vereitelt werden, es sei denn, daß
man auf Anordnung des Vorgesetzten mit notwendigen Verrichtungen für die Kir-

che beschäftigt ist; aber auch dabei soll gebetet werden. Die Gottesverehrung im Gebet geschehe in geistiger Weise ohne Unterlaß, beim Verweilen im Haus, beim Gehen auf dem Weg, beim Arbeiten, beim Einschlafen und Aufstehen. Den Mönchen soll der Gedanke an Gott nicht aus dem Sinn kommen; sie sollen aber auch darauf bedacht sein, seinen Willen entsprechend ihren Fähigkeiten zu tun in Heiligkeit und Gerechtigkeit. In ihrem Geist sollen sie sich immer erheben zu den Pforten der göttlichen Barmherzigkeit durch unaufhörliches Fürbittgebet, mit glühendem Herzen und unter heißen Tränen, damit ihr Gebet von Gott angenommen werde und er, der die Erlösung aller will, seine Gnade gebe, so daß alle des Reiches würdig seien in Jesus Christus.

Die Übereinstimmung mit dem Vorgesetzten ist bei wahrer Liebe leicht. Er aber verlange von den Mönchen nicht nach Willkür eine Arbeit, sondern nur solche, die ihren leiblichen Bedürfnissen und ihrem geistigen Fortschritt dient. Dann können alle sagen: »Seitdem wir uns Gott hingegeben haben, haben wir unseren Willen in leiblicher und geistiger Hinsicht aufgegeben und uns ganz hingegeben dem Dienst für den Herrn und dem Gehorsam gegenüber den Vorstehern entsprechend den göttlichen Geboten, welche uns die heiligen Väter überliefert haben.« Denn wie die Glieder des Leibes zu einem Leib in Harmonie zusammengefügt sind, einjedes aber seine eigene Aufgabe hat, die Augen sehen, die Ohren hören, die Nase riecht, die Zunge spricht, der Mund schmeckt, die Hände arbeiten, die Füße gehen und der Verstand begreift und die Sinne zu geistigen und körperlichen Verrichtungen hinlenkt, so ist auch das Volk Gottes durch die Liebe mit dem Willen Gottes und durch den lenkenden Verstand mit dem Vorgesetzten zur Einheit verbunden; ihm wurde die Aufsicht über die Bruderschaft und die Sorge um ihre Eintracht unter Berücksichtigung der Fähigkeiten jedes einzelnen übertragen. Denn die Glieder, die für sich betrachtet als schwach gelten, sind stark im Dienst anderer Glieder und deren Aufgaben...

Der Vorgesetzte soll sich der Mühe unterziehen, alle Mönche unter vier Augen oder öffentlich zu ermahnen, damit er jene, die von den Wegen der Gerechtigkeit abgeirrt sind, auf den rechten Weg zu den wahren Überlieferungen leite. Er soll nicht nachlässig bei Aufmunterung und Sorge für Seele und Leib sein, damit er alle, die ihm anvertraut sind, vollendet vor den Richterstuhl Christi führe. ... Der Vor-

gesetzte sei ein wohlmeinender Vater, der gut denkt und handelt; er sei ein Beispiel für die Befolgung der Regel und rechter Lebensführung, für Gebet und Fasten, für Demut und Güte, für Aufrichtigkeit und Wahrheit, für Nachtwache und Buße, für Frieden und Gelassenheit, für Liebe und Geduld, für Recht und Gerechtigkeit, für Sorge und Maßhalten, für Keuschheit und Enthaltsamkeit, für Reinheit und Makellosigkeit, für Wahrheitsliebe vor den Oberen, für ein Leben nach den Gesetzen in Gerechtigkeit. So kann er das ihm von Gott anvertraute Volk mit Weisheit und Verständnis dazu anleiten, durch Reinheit und tugendhaftes Leben die Liebe zu Gott in sich zu festigen und die Liebe zur Welt zu verachten. Einer soll dem anderen in reiner, göttlicher Liebe begegnen. »Denn wenn jemand mich liebt«, sagt der Herr, »wird er mein Wort befolgen; wer mich aber nicht liebt, befolgt auch meine Worte nicht« (Joh 14,23 f.).

Weil der Vorgesetzte geistlicher Vater genannt wird, so sind auch die von ihm Gezeugten nach der Regel der Mönche seine geistlichen Söhne, die ihm noch näher stehen als leibliche Söhne, wie es ähnlich ja auch bei der Taufe (zwischen Paten und Täufling) der Fall ist. Darum sollen die Mönche Söhne des Lichtes und der Gerechtigkeit werden und den weltlichen Geschäften entsagen, die den Verstand verdunkeln und die Sinne verfinstern, die sie zu Kindern der Finsternis und zu Erben der Hölle machen. Die geistlichen Söhne müssen sich durch vollkommenen Gehorsam gegen den geistlichen Vater um eine geistliche Lebensführung bemühen und durch ihre Übereinstimmung mit ihm in Aufrichtigkeit und ohne Falsch Gott selbst ihr Versprechen darbringen. Dann werden sie für jede Unvollkommenheit und jeden Fehler von Gott leicht das entsprechende Heilmittel erhalten, damit sie den Anordnungen des geistlichen Vaters im Gehorsam so zustimmen, als ob sie vom himmlischen Vater den Befehl zu einem Dienst bekommen hätten. Dies ist die Eigenart geistiger Gemeinschaft und wahrer Bruderschaft. Danach zu leben sollen sie bedacht sein, wie es auch Christus tat, der dem Vater »gehorsam war bis zum Tod, ja bis zum Tod am Kreuz« (Phil 2,8). Er erachtete es nicht unter seiner Würde, jene, die er zur Lebensordnung nach der göttlichen Regel berufen und eingeladen hat, Brüder zu nennen und zu sprechen: »Ich will deinen Namen meinen Brüdern verkünden, inmitten der Gemeinde dich preisen" (Ps 22,23). Durch diese Zustimmung im Geist und durch die heilige Liebe erheben sich die Mönche über alles, das sie zu ihrem

Schaden zur Erde hinabzieht. Sie folgen den himmlischen und unsterblichen Mäch-
ten, deren Eigenart jungfräuliches und makelloses Leben und immerwährender
Lobpreis der heiligsten Dreieinigkeit ist. Die reine, heilige und makellose jungfräu-
liche Lebensweise der irdischen Gemeinde führt zur Gemeinschaft mit den himmli-
schen Scharen; auch ihr ist die Verherrlichung Gottes anvertraut. Die Lebensweise
der Mönche gleicht jener der Engel im Himmel; von diesen empfangen sie Ansporn
und Fähigkeiten zu allen guten Werken.
Mesrop, 23. Rede: Ermahnung der Mönche und Ermunterung zum geistlichen Leben;
nach Schmid, 251–264

7. Das Mahl mit den Brüdern: Jesu letztes Abendmahl

Als die Stunde gekommen war, begab sich Jesus mit den Aposteln zu Tisch. Und er
sagte zu ihnen: Ich habe mich sehr danach gesehnt, vor meinem Leiden dieses
Paschamahl mit euch zu essen. Denn ich sage euch: Ich werde es nicht mehr essen, bis
das Mahl seine Erfüllung findet im Reich Gottes. Und er nahm den Kelch, sprach das
Dankgebet und sagte: Nehmt den Wein und verteilt ihn untereinander! Denn ich
sage euch: Von nun an werde ich nicht mehr von der Frucht des Weinstocks trinken,
bis das Reich Gottes kommt.
Und er nahm Brot, sprach das Dankgebet, brach das Brot und reichte es ihnen mit
den Worten: Das ist mein Leib, der für euch hingegeben wird. Tut dies zu meinem
Gedächtnis! Ebenso nahm er nach dem Mahl den Kelch und sagte: Dieser Kelch ist
der Neue Bund in meinem Blut, das für euch vergossen wird.
Lukas 22,14–20

Das Paschamahl erinnert an die Nacht der Befreiung, als Jahwe sein Volk aus ägyp-
tischer Sklaverei in die Freiheit führte (Ex 12). Jesus stiftet in göttlicher Vollmacht
diesem Gedächtnismahl einen neuen Sinn ein und gibt dem Fest dadurch eine neue Bedeutung, daß er sich selbst in Brot und Wein zur Speise reicht und im Hingeben und
Vergießen seines Selbst endgültige Befreiung von den Fesseln gottfernen Todes denen
gewährt, die ihn als Speise empfangen. So wird das Mahl der Befreiung zum Hinweis

auf die Vollendung und Freude im Reiche Gottes, die Jesus im Bild eines Hochzeits-
mahles geschildert hat (Mt 22,1–10). Der Kirche hat Christus sein Mahl und sein Opfer anvertraut, damit durch ihr sakramentales Handeln die Menschen einer jeden Zeit
am Opfermahl des Herrn teilhaben können und in ihnen die Hoffnung auf das himmlische Hochzeitsmahl wachgehalten wird.

Diese vielschichtigen theologischen Wahrheiten hat der Maler der Evangelienhand-
schrift durch eine Fülle symbolhafter Zeichen ins Bild gesetzt. An einem Tisch, der die
Form eines großen Kelches hat, hat Jesus seine Jünger zum jüdischen Paschamahl und
zum christlichen Ostermahl versammelt. Außer den Viertelscheiben des eucharistischen Brotes und dem eucharistischen großen Kelch befinden sich noch die Dinge des
jüdischen Sedermahles auf dem Tisch: Wasserkrug und Segensbecher, bittere Rettiche
und ein Messer. Das Lamm jedoch fehlt, da Christus selbst das Lamm ist, das für uns
geschlachtet wird. Dieser Tisch ist nicht nur der Abendmahlstisch; durch seine Kelch-
form wird er zum Symbol der Kirche, die sich als eucharistische Gemeinschaft versteht
und alle Gläubigen in und um sich als Brüder versammelt und sie von ihren Sakramenten trinken läßt. Das gemeinsame Trinken aus dem Kirchenkelch charakterisiert die
Zugehörigkeit der Jünger zu Christus; sie empfangen die Gabe der Unsterblichkeit,
wenn sie aus dem eucharistischen Kelch trinken, den ihnen die Kirche reicht. Die Sitz-
ordnung der Apostel unterstreicht noch den Gedanken der bruderschaftlichen Gemeinde: Keiner ist hervorgehoben durch Kopfhöhe oder Haltung. »Nur einer ist euer
Meister, ihr alle aber seid Brüder« (Mt 23,8). Brüderlichkeit erschöpft sich nicht in
Gleichheit, sie fordert vielmehr den Stärkeren auf, den Schwachen zu schützen. Jesus
zeigt hierin gerade seine Meisterschaft, wenn er Johannes, den jüngsten Apostel, an
sein Herz drückt und ihn bergend in sein Gewand hüllt. Ein starker sozialer Impuls
geht von dem eucharistischen Mahl und dieser Darstellung aus.

Der Hintergrund weist hin auf die Kirche als sakramentale Gemeinde und die künftige Vollendung des Gottesreiches. Der rote Baldachin über vier Säulen erhebt sich wie
oftmals in den östlichen Kirchen über dem Altar, auf dem Christi Abendmahl sakramental gegenwärtig wird. Die vier Stützsäulen sind um drei weitere Säulen vermehrt;
so wird auf die Siebenzahl der Sakramente hingewiesen, deren heilende Kraft aus der
Ganzhingabe Christi stammt. Die rotgedeckten viereckigen Türme über einer weiter-

Tafel XV:
Abendmahl

laufenden Mauer deuten das himmlische Jerusalem an (Offb 21,12–16) und das Reich Gottes, von dessen Vollendung Jesus beim Abendmahl sprach. Die Glutkraft des Heiligen Geistes, angedeutet durch die rote Farbe, führt die Kirche zur Vollendung im himmlischen Jerusalem und läßt das eucharistische Mahl seine Erfüllung finden im himmlischen Hochzeitsmahl.

In der Liturgie feiert die Gemeinde das unfaßbare Geheimnis der Liebe Gottes. Er, der nach Ezechiel (1,4–28) auf einem »feurigen Thronwagen« sitzt und von himmlischen Mächten angebetet wird, liebt die Menschen so sehr, daß er in ihrer Gemeinschaft seinen Platz sucht. Im Leben und Handeln Jesu kommt die unüberbietbare Menschenfreundlichkeit Gottes zum Ausdruck. Ist schon der Alte Bund nur zu verstehen, wenn man in ihm die Geschichte des fürsorgenden Gottes mit den Menschen sieht, so übertrifft im Neuen Bund Gott in seiner Liebe gleichsam sich selbst, da er den Menschen nicht Gaben anbietet, sondern in Christus sich selbst:

Du thronst auf feurigem Wagen,
unaussprechliches WORT Gottes.
Herabgestiegen vom Himmel wegen deiner Geschöpfe,
hast du dich heute gewürdigt,
mit deinen Jüngern zu Tische zu sitzen.
Die Seraphim und die Cherubim
verwunderten sich gar sehr,
und die Mächte und himmlischen Gewalten
riefen voller Staunen:
Heilig, heilig, heilig
ist der Herr der Heerscharen!
Heilig-Lied am Gründonnerstag; Steck, Liturgie, 50

Am Tag die schattige Wolke
und nachts die lichte Säule schauten jene –
doch mir ist Licht des WORTES Weisheit
und Schatten ist der Heil'ge Geist.

Dort war das Manna, das vergängliche;
denn die es aßen, starben –
doch hier dein Leib, der himmlische,
der Leben gibt dem Kostenden.

Das Wasser tranken jene, das der Fels erzeugte, –
doch ich das Blut vom Felsen deiner Seite.
Für sie ward aufgehängt die eherne Schlange –
doch ich, am Kreuze schaute ich das Leben.

Moses Gesetz besaßen jene,
geschrieben auf die Tafel –
doch ich des Geistes Weisheit,
das Gottes-Evangelium.

Nerses Schnorhali, Jesus, der Sohn, I, 601–616;
Theol. Quartalschrift, 80, 255 f.

Die neutestamentlichen Überlieferungen der syrischen und der armenischen Kirche geben den Vaterunser-Text mit einer kleinen, doch bedeutsamen Variation wieder: Statt des »täglichen Brotes« lesen die syrischen und armenischen Handschriften »immerwährendes Brot«. Daraus ergibt sich die eucharistische Deutung dieser Vaterunserbitte. Der Empfang des immerwährenden Brotes verleiht dem Menschen Unsterblichkeitskräfte; schon im irdischen Leben wird er »vergeistigt und ein Teil Christi«. Für den Kirchenvater Elische spannt sich ein Heilsbogen vom Abendmahlssaal über die Kreuzigung und Auferstehung Christi durch die Zeit der Kirche bis hin zur Vollendung im Reiche Gottes; er wird getragen von der Wirkmächtigkeit des Leibes Christi. Den Leib, den Jesus den Jüngern in Form des Brotes brach, ließ er im Tod am Kreuz brechen, vereinigte mit seinem Auferstehungsleib die zerbrochene adamitische Menschennatur und führte sie in seine unzerstörbare Unsterblichkeit; was Jesus im Abendmahlssaal stiftete, läßt er immer Gegenwart werden in den Kirchen. Die Leiden derer, die ihn dort empfangen, nimmt er in seine Göttlichkeit auf und verwandelt sie wie seinen irdischen Leidensleib zur Herrlichkeit:

»Das immerwährende Brot gib uns heute« (Mt 6,11). *Das von der Erde stammende Brot gibt Gott allen Lebewesen, ohne daß sie darum bitten.* *»Menschen und Tiere rufst du, Herr, zum Leben«* (vgl. Ps 36,7). *Es kann auch nicht immerwährendes genannt werden. Denn es kann die Jugendlichkeit nicht erhalten und die Krankheit nicht abhalten; in der Armut muß man es entbehren, und der Tod nimmt es gar aus den Händen.* *»Eure Väter haben in der Wüste das Manna gegessen und sind gestorben. Doch das ist das wahre Brot, das vom Himmel herabkommt: Wenn jemand davon ißt, wird er nicht sterben in Ewigkeit«* (Joh 6,49 f.). *. . . Dieses Brot, so lehrt er uns, sollen wir im Gebet von Gott als immerwährendes erbitten. Habe wohl acht: Wer dieses Brot mit reinem Herzen ißt und sich gebührend darauf vorbereitet, bedarf nicht des Reichtums dieser Welt. In sterbliche Hände wird das unsterbliche Brot gelegt und alsbald werden auch diese Hände unsterblich. Der ganze Mensch wird, wenn er es ißt, mit Geist, Seele und Leib vergeistigt und ein Teil Christi. Er muß nur die Kraft der ersten Gabe bis zum Ende bewahren. Dann gibt es kein irdisches Leid mehr, das ihn besiegen könnte. . . . Dies Brot ist für alle bereitet. Das Kind, das es empfängt, erscheint in der Reife des Alters; für den durch Krankheit Geschwächten wohnt Gottes Kraft in ihm; wer aus dem Leben dieser Welt scheidet, nimmt unsterbliches Leben mit sich zu Gott . . .*

»Das ist«, sagt Christus, *»mein Leib; das ist mein Blut«* (Mt 26,26.28). *Wenngleich er unzerbrechlich ist, wurde er aus Liebe zu uns gebrochen; und dich, der in seiner Treue zerbrochen wurde, hat er in seiner unzerbrechlichen Gottheit mit sich vereinigt.* *»Nicht dem Totenreich gibst du meine Seele preis; deinen Heiligen läßt du nicht die Verwesung schauen"* (Ps 16,10; Apg 2,31). *Am Freitag wurde er gekreuzigt und im Tode zerbrochen, am Sonntag sammelte er die zerbrochenen Gebeine Adams und vereinigt sie mit seiner Unsterblichkeit; dann zeigte er sich vielen, in Wahrheit und nicht nur dem Scheine nach. An einem Tage gab er sich im Obergemach als Brot; und jetzt gibt er sich immerfort als Brot auf heiligem Altar in den Kirchen. . . . Er ist nun nicht mehr im Leiden, sondern in der Herrlichkeit seines Vaters wird er von Engeln und Menschen verehrt. Doch unsere Leiden hat er in sich aufgenommen in seine leidlose Gottheit.*

Elische, Erklärung des Vaterunsers; nach Weber, 282–283

8. Sterben für das Leben:
Die Kreuzigung Jesu

Die Soldaten führten Jesus hinaus, um ihn zu kreuzigen. Auf dem Wege trafen sie einen Mann aus Zyrene namens Simon; ihn zwangen sie, Jesus das Kreuz zu tragen. So kamen sie an den Ort, der Golgotha genannt wird, das heißt Schädelhöhe. Und sie gaben ihm Wein zu trinken, der mit Galle vermischt war; als er aber davon gekostet hatte, wollte er ihn nicht trinken. Nachdem sie ihn gekreuzigt hatten, warfen sie das Los und verteilten seine Kleider unter sich. Dann setzten sie sich nieder und bewachten ihn. Über seinem Kopf hatten sie eine Inschrift angebracht, die seine Schuld angab: Das ist Jesus, der König der Juden. ... Von der sechsten bis zur neunten Stunde herrschte eine Finsternis im ganzen Land. Um die neunte Stunde rief Jesus laut: Eli, Eli, lema sabachtani?, das heißt: Mein Gott, mein Gott, warum hast du mich verlassen? Einige von denen, die dabeistanden und es hörten, sagten: Er ruft nach Elija. Sogleich lief einer von ihnen hin, tauchte einen Schwamm in Essig, steckte ihn auf einen Stock und gab Jesus zu trinken. Die anderen aber sagten: Laß doch, wir wollen sehen, ob Elija kommt und ihm hilft. Jesus aber schrie noch einmal laut auf. Dann hauchte er den Geist aus. Da riß der Vorhang im Tempel von oben bis unten entzwei. ... Als der Hauptmann und die Männer, die mit ihm zusammen Jesus bewachten, das Erdbeben bemerkten und sahen, was geschah, erschraken sie sehr und sagten: Wahrhaftig, das war Gottes Sohn!
Matthäus, 27,31–54

Bei dem Kreuz Jesu standen seine Mutter und die Schwester seiner Mutter, Maria, die Frau des Klopas, und Maria von Magdala. Als Jesus seine Mutter sah und bei ihr den Jünger, den er liebte, sagte er zu seiner Mutter: Frau, siehe, dein Sohn! Dann sagte er zu dem Jünger: Siehe, deine Mutter! Und von jener Stunde an nahm sie der Jünger zu sich.
Johannes 19,25–27

Jesu Tod am Kreuz, dem Galgen orientalischer und römischer Exekutionskommandos, hat, wie der Miniaturmaler zu erkennen gibt, kosmische und überzeitliche

Tafel XVI: Kreuzigung Jesu

157

Bedeutung. Jesus hängt nicht am Kreuz wie ein unter fruchtbaren Qualen Sterbender, er erweist sich in seiner erhabenen Haltung vielmehr als der Herr der Welt und als ihr Erlöser. Die Arme hat er ausgebreitet, als wolle er die ganze Schöpfung und alle Menschen umfangen, und sein Gesicht mit den geschlossenen und ausruhenden Augen hat er denen zugewandt, für die er sein Leben hingegeben hat. Das Kreuz, eingerammt in die dunkle Erde, ragt hinauf in die lichtvolle Sphäre des Himmels; es ist zur Brücke geworden zwischen den Menschen und Gott. Während die Evangelien die Kreuzigungsstätte wegen ihrer Form als Schädelhöhe bezeichnen, ist für die Kirche seit ihrer Frühzeit diese Benennung zugleich von symbolhafter Aussage: Schädelhöhe heißt sie, weil dort Adams Schädel liegt; der erste Mensch und durch ihn jede adamitische Natur ist hier begraben. Der Erlöser läßt sein Blut gleichsam auf Adams Schädel rinnen, damit er durch den Tod Christi zum Leben erweckt wird. Schon Paulus hat auf die Entsprechung zwischen Adam, durch dessen Sünde der Tod in die Welt kam, und den Erneuerer Adams, Christus, dessen Todesgehorsam der Welt das Leben brachte, hingewiesen (Röm 5,12–21). Die alte Kirche erkannte noch weitere Entsprechungen: Adam wurde am sechsten Schöpfungstag ins Leben gerufen, Christus starb für alle Adamskinder an einem Freitag und schenkte ihnen neues Leben. Es lag nahe, Adams Grab dort anzunehmen, wo das Kreuz Christi stand. Auf unserem Bild wächst es geradezu aus der Grabeshöhle Adams bis in den Himmel empor; es ist der neue Lebensbaum des Paradieses. »Da nämlich durch einen Menschen der Tod gekommen ist, kommt durch einen Menschen auch die Auferstehung der Toten. Denn wie in Adam alle sterben, so werden in Christus alle lebendig gemacht werden« (1 Kor 15,21 f.).

Während Christus sein Leben hingibt und – seine geöffnete Seite, aus der das Blut fließt, deutet es an – schon jenseits des Todes in der Herrlichkeit Gottes ist, sind die Umstehenden von tiefem Schmerz ergriffen. Rechts von ihm stehen Maria, seine Mutter, und die anderen Frauen, die ihm aus Galiläa gefolgt sind; vor ihnen die kleine Gestalt des Mannes, der ihm auf einem Stock den Essig reichen wollte. Links stehen Johannes, der einzige Jünger, der Jesus bis unters Kreuz gefolgt ist, und der römische Hauptmann, der als erster Vertreter des Heidentums das Bekenntnis ablegt, daß der Gekreuzigte der Sohn Gottes ist. In der himmlischen Sphäre sind die Kräfte des Kosmos und die Engelsmächte des Himmels dargestellt. Die Engel sind erschüttert über den Tod des Herrn der ganzen Schöpfung und verhüllen mit den Händen ihr Antlitz; der Mond hat sich blutrot gefärbt und die Sonne hat sich verfinstert. Im Bild hat der Maler gestaltet, was der Prophet Amos im Wort vorherverkündet hat: »Sollte die Erde nicht beben, sollten nicht all ihre Bewohner voll Trauer sein? . . . An jenem Tage – Wort Gottes, des Herrn – lasse ich am Mittag die Sonne untergehen und breite am hellichten Tag über die Erde Finsternis aus« (Am 8,8 f.).

In ihren Gesängen feiert die Kirche den Sieg Christi am Kreuz, durch den er das Todesurteil der Urzeit aufgehoben hat, da er es an sich selbst vollstrecken ließ. Schon im Lebensbaum des Paradieses war vor der Sünde der Ureltern die Lebenskraft des Kreuzes Christi gegenwärtig. Durch seinen Tod hat er dem alten Holz die Lebenskräfte zurückgegeben. Bei solch symbolhafter Gegenüberstellung von Paradiesbaum und Kreuzesholz hat sich verständlicherweise die Legende gebildet, daß Gott dem Sohn der Ureltern, Seth – der Name bedeutet Setzling –, erlaubt habe, zum Trost einen Zweig vom Paradiesbaum als Setzling mitzunehmen; Seth habe ihn auf das Grab seines Vaters Adam auf Golgotha gepflanzt, wo er zu dem Baum herangewachsen ist, aus dem das Kreuz Christi gefertigt wurde. Auch Abraham habe unter diesem Baum gesessen, als Gott ihm erschien und ihm den Sohn Isaak verheißen hat (Gen 18,1–15); in Isaak, den Abraham zu opfern bereit war, sieht die Kirche ein Vorbild für Christus:

Das Kreuz erschien im Anfang, geschmückt,
in dem Garten von Gott gepflanzt,
zum Trost für Seth
und ein glückliches Vorzeichen dem Vater Abraham.
Wir vertrauen auf dieses Holz,
an welchem der Herr Jesus Christus angenagelt wurde;
wir fallen nieder und verehren
dieses gottgefällige heilige Zeichen.

Vor deinem überaus allbesiegenden Kreuz
fallen wir nieder in Verehrung
und flehen um Vergebung unserer Verfehlungen;
denn durch das Kreuz hast du aufgehoben

das Verdammungsurteil über das Menschengeschlecht.
Und jetzt verleihe wegen dieses
deines heiligen göttlichen Zeichens
deinen himmlischen Frieden aller Welt!
Zwei Meßgesänge an Festen des Kreuzes;
Steck, Liturgie, 16.32

In meditativer Versenkung läßt Nerses das Geschehen von Golgotha an sich vorüberziehen und bezieht sich selbst mit ein. Er bekennt, daß es beim Sterben Jesu um sein Leben ging, und bittet den Herrn, die Kraft des Kreuzes an ihm wirksam werden zu lassen beim großen Gericht. Er staunt und kann nur in gegensätzlichen Gedanken fassen, daß der am Kreuze dürstet, der den Ozean geschaffen, und er weiß, daß Gott in Christus sich derart erniedrigt hat, um den Menschen in seiner Niedrigkeit zu erreichen und ihn zu erheben zu seiner Göttlichkeit:

Mit furchtbarer Stimme riefest du
und sprachest aus das »Eli, Eli«.
Da zitterten die Festen der Erde,
die hohen Berge wankten,
das Zelt des Alten Bundes
zerriß von oben bis nach unten,
auftaten sich die Gräber,
der Heil'gen Leiber standen auf.
Der Sonne Licht verhüllte sich,
der Mittag ward zur Finsternis,
es wechselt' die Gestalt der Mond,
nahm Blutesfarbe an;
denn ihren Herrn entblößt am Kreuz
zu schauen, konnten sie nicht ertragen.
Die unvernünftigen Elemente bebten
statt der vernunftbegabten Welt.
Bewege denn, da sich die Felsen selbst bewegten,

das unbewegte Herz zum Guten hin
und meine Seele, die in Sünden ist erstorben,
erweck gleich jenen Toten.
Sowie der Vorhang ward zerrissen
ob Adams Schuld,
zerreiß die alte Urkund' meiner Schuld,
wasch meiner Sünde Schuldbuch ab.
Da dort das Leuchtende verfinstert ward,
verjag von mir die Schar der Finsternis.
Sowie es licht ward um die neunte Stunde,
schaff wieder Licht in mir.
Der du am Kreuze wardst entblößt
für deines Erstgeschaffenen Blöße,
verhülle mich mit deiner Glorie
am großen Tage des Gerichtes.

Nerses Schnorhali, Jesus, der Sohn, III, 153–184;
Theol. Quartalschrift 80, 257 f.

Am Kreuze dürstet wie ein Mensch der Herr,
der, der den Ozean geschaffen, das herrliche Meer.
Um Wasser hat er einst die Samariterin gebeten,
er, die Quelle, der Herr,
der mit Unsterblichkeit getränkt die Elemente.
Galle mischt der Soldat mit Essig,
tränkt ihn, den himmlischen König.
Die Sonne wandelt sich in Finsternis – um Mittag,
verdunkelt sich ob der Beschimpfung des unsterblichen WORTES.
Mit hocherhobener Stimme rief der Herr am Kreuze
das »Eli, Eli« und übergab dem Vater seinen Geist.
Und der Vorhang des Alten Gesetzes im heiligen Tempel
zerriß ob der Leiden des Lebensspenders.
Die Erde in ihrem Fundament,

von den Abgründen aus, erbebte sie;
die Felsen spalteten sich, und die Gräber taten sich auf.
Die Unterwelt erschauert', erschüttert ward der grause Kerker,
entließ die Seelen, die dort in ihr gefesselt waren.
Durch den furchtbaren Ruf des lebenschaffenden Herrn Jesus
wurden frei die Seelen, die im Kerker waren.
Da unser Lebensschöpfer hinunterstieg in jene Tiefen,
erleuchtet' er, die dort in der Finsternis saßen,
führt' sie empor zum Himmel
und reiht' sie ein den körperlosen, himmlischen Scharen.
Des strahlenden Lichtes des Brautgemaches würdigte er sie,
der königlichen Hochzeit des heiligen Bräutigams,
wo die erstgeborenen Kinder der heiligen Mutter Zion,
die Erben des Schoßes Abrahams, ihres Vaters dort oben,
wo die Chöre der Gerechten, der ganzen heiligen Schar
sich freuen zur Rechten der Herrlichkeit des heiligen Bräutigams.
Ihm singen auch wir mit dem Vater und dem Heiligen Geist:
Auf ewig sei Glorie dem gekreuzigten unsterblichen WORT!
Nerses Schnorhali, Hymnus auf die Kreuzigung des Herrn;
Theol. Quartalschrift, 81, 93 f.

In frühchristlicher Zeit gab es Sektierer, die die Menschwerdung Gottes als unvereinbar ansahen mit seiner überweltlichen Wesenheit; sie behaupteten, daß er nicht wirklich die menschliche Natur angenommen habe, sondern nur zum Scheine. Nach ihrer Lehre, daß Gott nur scheinbar Mensch geworden sei, nennt man sie Doketen. Ihre Meinung wurde von den Vätern der alten Kirche energisch bekämpft. Denn wenn Christus nur einen Scheinleib hatte, konnte er nicht wirklich sterben; ohne seine Ganzhingabe aber wären wir nicht erlöst. Denn Christus hat nur das zu Gott heimgeführt, was er mit seiner Gottheit wirklich vereinigt hat. Nichts ist erlöst, was Christus nicht angenommen hat. Auch die Auferstehung in einem Scheinleib wäre nicht Wirklichkeit und enthielte nicht die den Tod besiegende Kraft. (Die Irrlehre des Doketismus wurde von der Kirche erfolgreich bekämpft, doch ist sie nie völlig verschwunden;

in gewandelter Form lebt sie im Islam weiter: Mohammed glaubt, daß Christus als gottgesandter Prophet nicht den schmachvollen Kreuzestod gestorben sei. Gott habe ihn, ohne daß die Menschen es merkten, vor der Kreuzigung in den Himmel entrückt (Sure 4,157–158); es wurde ein anderer gekreuzigt, der Christus nur ähnlich sah). Offensichtlich war im Altertum die Meinung der Doketen weitverbreitet; denn auch die armenischen Väter setzen sich mit ihr auseinander. Christus ist wahrhaft gestorben, damit die Menschen das Leben haben:

> *Wenn Christus nur dem äußeren Aussehen nach Mensch wurde und Kreuz, Leiden und Tod nur zum Schein erduldet hat, dann ist auch keine Erlösung gewirkt worden. ... Hatte Christus einen Leib oder nicht? Wenn einige Leute behaupten, er habe keinen (wirklichen) Leib gehabt, sollen sie folgendes vernehmen: Wenn er ohne Leib kam und hier, wie sie sagen, sich nicht mit einem Leib bekleidete, dann ist doch klar, daß er weder etwas gab noch etwas annahm, daß er nicht starb und auch nicht erlöste, und ihre Behauptung, daß wir der Kaufpreis des Blutes Jesu seien, ist unsinnig; denn es wurde ja weder sein Blut vergossen noch wurden sie erkauft, weil doch Kreuz und Tod angeblich nur Schein, nicht aber Wirklichkeit waren. Zudem widerlegen die Juden sie, welche bis auf den heutigen Tag darauf bestehen: »Unsere Väter haben Jesus ans Kreuz geschlagen«. Damit wird klar gezeigt, daß Christus nicht zum Schein, sondern in Wahrheit auf das Kreuz hinaufstieg. Auch für unsere wirkliche Auferstehung hat er seine eigene Auferstehung zum Vorbild gemacht.*
> Eznik von Kolb, Wider die Irrlehren, IV, 8; nach Schmid, 187 f., und Weber, 163

9. Das Geschenk des neuen Lebens: Die Auferstehung Christi

> *(Beim Tode Jesu) bebte die Erde und die Felsen spalteten sich. Die Gräber öffneten sich, und die Leiber vieler Heiliger, die entschlafen waren, wurden auferweckt. Nach der Auferstehung Jesu verließen sie ihre Gräber, kamen in die Heilige Stadt und erschienen vielen.*
> Matthäus 27,51-53

Wir sind Zeugen für alles, was Jesus im Land der Juden und in Jerusalem getan hat. Ihn haben sie an den Pfahl gehängt und getötet. Gott aber hat ihn am dritten Tag auferweckt und ihn erscheinen lassen, zwar nicht dem ganzen Volk, wohl aber den von Gott vorherbestimmten Zeugen: uns, die wir mit ihm nach seiner Auferstehung von den Toten gegessen und getrunken haben. Und er hat uns geboten, dem Volk zu verkündigen und zu bezeugen: Das ist der von Gott eingesetzte Richter der Lebenden und der Toten. Von ihm bezeugen alle Propheten, daß jeder, der an ihn glaubt, durch seinen Namen die Vergebung der Sünden empfängt.
Apostelgeschichte 10,39-43

Die Christen des Ostens haben das Mysterium der Auferstehung Christi nie im Bild zu fassen gesucht. Sie haben sich dabei getreulich von den Evangelien leiten lassen, die den Vorgang der Erweckung Jesu nicht beschreiben, wohl aber die Tatsache bezeugen, daß er lebt, da Gott ihn auferweckt hat. Christus ist nicht in die irdische Geschichtlichkeit zurückgekehrt, sondern in die übergeschichtliche Wirklichkeit Gottes hinein auferstanden. Diese Glaubensüberzeugung aber läßt sich weder beschreiben noch bildlich darstellen. (Erst in einer späten Phase der Begegnung mit den Christen des Abendlandes wurden Darstellungen, die die Auferstehung zeigen, gelegentlich auch im Osten angefertigt.) Dagegen kennen die östlichen Christen verschiedene Darstellungen, die, auf den Bezeugungen der Evangelien gründend, die Begegnung des Auferstandenen mit seinen Jüngern, »den von Gott vorherbestimmten Zeugen«, bekunden, wie z. B. die Frauen und der Engel am leeren Grab, die Anbetung des Auferstandenen durch die drei Marien, die Erscheinung Christi vor den Jüngern und seine Offenbarung vor Thomas.

Tafel XVII:
Erweckung der
Ureltern zum
neuen Leben
durch Christus

Zu diesem Zyklus gehört auch das Bild von der Erweckung Adams und Evas zum neuen Leben. Mit dem Matthäusevangelium verkündet der Miniaturmaler, daß Jesus durch seinen Tod die Erlösung der Menschheit vollzogen und mit seiner Auferstehung die endzeitliche Auferstehung aller Menschen eingeleitet hat. In den Bergen des Hintergrundes hat der Maler die Erstlinge der Schöpfung dargestellt; denn durch Christi Auferstehung erfährt die ganze Schöpfung eine neue Sinngebung: »Die Schöpfung ist der Vergänglichkeit unterworfen..., aber sie soll von der Sklaverei und Verlorenheit

164

befreit werden zur Freiheit und Herrlichkeit der Kinder Gottes« (Röm 8,20 f.). Zudem sind die gewaltigen Berge wegen ihrer Festigkeit und Unveränderlichkeit Zeichen der Treue Gottes: »Ich hebe meine Augen zu den Bergen empor: Woher kommt mir die Hilfe? – Meine Hilfe kommt vom Herrn, der Himmel und Erde gemacht hat« (Ps 121,1 f.). Auf eine Vision des Propheten Ezechiels machen die Wüsten und Einöden des Hintergrundes ebenfalls aufmerksam. Danach sollen die erstorbene Natur und die leblosen Gebeine der Menschen zu neuem Leben erweckt werden. Israels Berge sollen wieder grün werden (Ez 36,8). «So spricht Gott, der Herr: Wenn ich euch von all euren Sünden gereinigt habe, mache ich die Städte wieder bewohnbar, und die Ruinen werden wieder aufgebaut. Das verödete Land wird bestellt, es liegt nicht mehr öde vor den Augen all derer, die vorübergehen. Dann wird man sagen: Dieses verwüstete Land ist wie der Garten Eden geworden« (Ez 36,33–35). Die zerstreuten Totengebeine in einer weiten Landschaft werden wieder lebendig: »Da sagte Gott zu mir: Rede als Prophet zum Geist, rede, Mensch, sag zum Geist: So spricht Gott, der Herr: Geist, komm herbei von den vier Winden! Hauch diese Toten an, damit sie lebendig werden. Da sprach ich als Prophet, wie er mir befohlen hatte, und es kam Atem in sie. Sie wurden lebendig und standen auf – ein großes, gewaltiges Heer« (Ez 37,9 f.).

Was Ezechiel geschaut hat, ist durch Christus Wirklichkeit geworden, die der Maler im unteren Teil des Bildes gestaltet hat. Unter Jesu Füßen liegen in Kreuzform die zertrümmerten Tore der Unterwelt. Durch seinen Tod hat er die Macht des Totenreiches gebrochen; der Tod kann seine Beute nicht mehr zurückhalten. Darum haben die Frommen Israels ständig gebeten, was nun eingetreten ist: »Führ mich herauf von den Pforten des Todes, damit ich all deinen Ruhm verkünde in den Toren von Zion und frohlocke, weil du mir hilfst« (Ps 9,14 f.). Das Kreuz, mit dem Christus gleichsam die Tore des Totenreiches durchbrochen hat, hat er sich wie einen Mantel umgehangen; er ist bekleidet mit dem Zeichen seiner Liebe und Erniedrigung. Auch in seiner Herrlichkeit bleibt er der Gekreuzigte; doch ist durch seinen Todesgehorsam der Schandpfahl zum Siegeszeichen geworden. Der Auferstandene streckt nun die Hände mit den Wundmalen den Ureltern entgegen; sie sind der Ausweis seiner Liebe zu den Menschen. Adam und Eva haben als erste Menschen aus der Schöpferhand Gottes das Leben empfangen; sie sollen auch als erste das neue Leben von dem erhalten, der ihr

Schöpfer und Sohn zugleich ist. Er reicht ihnen die Hände und erhebt sie in seine göttliche Gegenwart. Was sie sich einst in Eigenherrlichkeit aneignen wollten, wird ihnen nun aus Gnade geschenkt: das göttliche Leben.

Hinter den Ureltern erscheinen in endloser Reihe die aus dem Tod zum Leben befreiten Menschen der Vorzeit, Männer und Frauen, Könige und Bettler; Johannes der Täufer, der Wegbereiter Jesu, der kurz zuvor sein Leben für Christus hingegeben hat, führt die Schar der »gekrönten« Häupter an. Es sind zunächst David und Salomo, die edlen Könige Israels gemeint, dann aber auch alle, denen Gott »die Kronen des Lebens« geben wird: »Fürchte dich nicht vor dem, was du noch erleiden mußt. ... Sei treu bis in den Tod; dann werde ich dir die Krone des Lebens geben« (Offb 2,10). Die Endzeit hat mit Christus und der Totenerweckung begonnen, die Vollendung aber steht noch aus.

Jeder Sonntag und jede Meßfeier ist für die Kirche Erinnerungsfeier des Ostergeheimnisses, ein Osterfest im kleinen. Die armenischen Christen bringen das besonders eindringlich zum Ausdruck, wenn sie zum Ende der Meßliturgie einen Osterhymnus beten bzw. singen, dessen Strophen jeweils mit dem vergegenwärtigenden »Heute« beginnen. Wenn Christus, geschichtlich gesehen, auch nur einmal auferstanden ist, so sind doch seine das Leben erneuernden Auferstehungskräfte sakramental immer dort erfahrbar, wo sich Menschen in seinem Namen versammeln und ihm für seine Menschenfreundlichkeit danken. Diese eucharistische Versammlung, die sich seit der frühen Tagen des Christentums nach ihrem Herrn, dem Kyrios, Kirche nennt, ist seine Braut. Die Kirche feiert im Heute die Auferstehung ihres Bräutigams und im Jetzt schon ihre eigene Auferweckung, ihre Heimholung zu Christus, der sie als neues Israel und sein Zion zu sich gerufen hat:

Heute ist von den Toten auferstanden
der unsterbliche und himmlische Bräutigam.
Botschaft der Freude dir,
Braut von der Erde, Kirche!
Lobe mit jauchzender Stimme deinen Gott, Zion!

Heute hat das unaussprechliche Licht
mit Licht deine Kinder erleuchtet.
Werde licht, Jerusalem;
denn es ist auferstanden Christus, dein Licht!
Lobe mit jauchzender Stimme deinen Gott, Zion!

Heute ist die Finsternis der Unwissenheit
verbannt worden durch das dreifache Licht,
und dir ist ein Licht des Wissens aufgegangen:
Christus, der von den Toten entstand.
Lobe mit jauchzender Stimme deinen Gott, Zion!

Heute feiern wir Ostern dank der Opferung Christi.
Feiern wir mit Freude!
Da wir von der alten Sünde gereinigt sind,
laßt uns sprechen: Christus ist von den Toten erstanden!
Lobe mit jauchzender Stimme deinen Gott, Zion!

Heute hat der lichtstrahlende Engel,
vom Himmel niedersteigend, die Wächter aufgeschreckt
und den heiligen Frauen verkündet:
Christus ist von den Toten erstanden.
Lobe mit jauchzender Stimme deinen Gott, Zion!

Heute sind wir als neues Israel zu Christus gerufen,
befreit durch das Blut des Gotteslammes.
Laßt uns jauchzen und mit den Himmlischen sprechen:
Christus ist von den Toten erstanden!
Lobe mit jauchzender Stimme deinen Gott, Zion!
Osterhymnus nach der Messe; Die heilige Meßliturgie, 85 f.

Der große Poet und Mystiker Nerses besingt in seinen Hymnen das Auferste-
hungsmysterium, das für ihn im Singen Gegenwart wird. Seine eigene sterbliche Natur
ist ja durch die Auferstehung Christi bereits mitauferstanden. Wie die klagenden

Frauen und Petrus mit seinen Freunden durch die Erscheinungen des Auferstandenen zur Freude gewandelt wurden, so dürfen sich auch Adam und Eva freuen, weil ihr Sohn die alte Schlange überwunden und sie zum Leben erneuert hat; ebenso dürfen aber auch all ihre Nachkommen an dieser Freude teilhaben. Denn »heute sind wir zur neuen Schöpfung in Christus geworden«:

Es saßen die Frauen und klagten
am Grabe des Unsterblichen.
Da erschien der Engel,
den Ruf der Botschaft vernahmen sie.
Der heiligen Scharen Ersehnter,
den sie im Grabe verborgen hatten,
aus Liebe erstand er, der Geliebte,
weckt' auf die menschliche Natur.
Von Furcht erfüllt war da
die Schar der Wächter.
Heran schwebt der Seraph,
breitet aus die Schwingen über den Felsen.
Daß sie entsagen sollten aller Furcht,
verkündete den Frauen der Ersehnte.
Sie eilen hin, die Botschaft zu erzählen
Petrus' gepriesener Schar:
Der Lehrer aller Meister,
heute ist er erstanden, der Vielerwartete!
So rufen denn auch wir mit ihnen:
Glorie der Auferstehung des Erlösers!

Der das Leben ist mitsamt dem Vater,
im unsterblichen Leibe erstand er aus dem Grabe.
Des Lichtes Morgen erglänzt uns heute
aus der Finsternis der Grube.
Der König stieg nieder zu den tiefen Gefilden des Todes,
erlöste die Gefangenen.

Durch den der Tod erstarb im Tod des Lebenden,
das Leben König ward.
Flammende Leuchte erglühte vom Himmel her
den in der Finsternis Weilenden.
Zum Leben erhob er, der Unsterbliche, im Tode
die erstorbene Natur.
Freiwillig, unsertwegen, gab er sich hin in den Tod,
freiwillig stand er auf.
Es beklagten die Frauen mit Klagen, mit Tränen,
den Stiller der Tränen.
Schreckhaftem Blitze gleich erschien er
in lichtstrahlender Gestalt.
Mit frohlockender Stimme verkündet' er die Botschaft
den heiligen Salbenträgerinnen:
Blicket her und schauet die Stätte des Unsterblichen,
des Leibes leer!
Heute ist unser Herr auferstanden, frohlocket,
ihr Töchter Zions!
Vor Mutter Evas Ohren rufet aus,
daß überwunden ward die Schlange.
Freu dich, Adam, dein Sohn hat heute
dich erneuert!
Frohlockend laßt uns singen dem Erlöser:
Glorie auf ewig!

Das WORT, dem Vater wesensgleich, Gott,
von Anfang an bei Gott, ein ewig seiend Wesen,
ein Wesen, körperlos, unwandelbar, hat sich verwandelt
und Wohnung genommen bei uns insgesamt.
Der Gesamtheit Herr nahm es auf sich, an unserer Statt
zu sterben im Leibe aus Liebe.
Die Liebe selber ward ins Grab gelegt;

aus Liebe klagten die ölbringenden Frauen.
Der ölbringenden Frauen Tränen
wurden gestillt, da sie sahen den Geliebten.
Der Geliebte, beim Sehnen der Suchenden
rief er: Naht mir nicht!
Genahet war der Engel dem Felsen
und kündet' an, zu den Ölbringerinnen redend:
Euch sei die Botschaft!

Erstanden ist der König der Herrlichkeit.
Botschaft!
Was sucht ihr den Unsterblichen bei den Toten?
Große Botschaft!
Erweckt hat er Adams Natur.
Botschaft!
Aufgerichtet die zu Boden gesunkene Stammesmutter.
Große Botschaft!
Erzählt es den Scharen Petri.
Botschaft!
Johannes, dem heiligen Lieblingsjünger.
Große Botschaft!
Christus ist erstanden; stehet auf mit ihm!
Botschaft!
Ihr Menschenkinder, heute jubilieret!
Große Botschaft!
Christus stieg empor; steiget auf mit ihm!
Botschaft!
Ihr Erdenbürger, werdet himmlisch!
Große Botschaft!
Heute wurden aufgetan der Unterwelt Tore.
Botschaft!
Emporstiegen die Seelen, die darin gefesselt waren.

Große Botschaft!
Heute ist der Tod gestorben durch das Leben.
Botschaft!
Gebrochen ward die Finsternis, gegründet das Licht.
Große Botschaft!
Heute sind wir zur neuen Schöpfung in Christus geworden.
Laßt uns singen dem Erneuerer mitsamt den Engeln:
Gloria in der Höhe!

Nerses Schnorhali, Vier Hymnen auf das Mysterium der Auferstehung;
Theol. Quartalschrift 81, 95–99

Da durch die Auferstehung Christi die menschliche Natur grundsätzlich erlöst und auferstanden ist, kann jeder einzelne Mensch dieser Gnade teilhaftig werden, wenn er sich Christus im Glauben anschließt und sich in der Taufe sakramental in sein Sterben und Auferstehen hineintauchen läßt. Der leibliche Tod führt den Menschen dann nicht mehr in die Gottesferne, sondern in die Gottesnähe, da Christus ihn vor Gott gerechtfertigt hat und er mit ihm schon gnadenhaft, sakramental auferstanden ist. Die Hoffnung auf die endgültige Auferstehung ist nach Mesrop nicht Illusion, sondern durch Christus verbürgte Hoffnung. Er hat sich selbst zur Hoffnung gemacht, da er sein Leben für die Menschen lebte und es für sie auch freiwillig in den Kreuzestod hingegeben hat:

Als unser Herr Jesus Christus, »die Sonne der Gerechtigkeit« (Mal 3,20), erschien, vollendete und erfüllte er die Unzulänglichkeit des Alten Bundes. Er öffnete die Pforten der Gnaden zum neuen Leben durch die Taufe und ihre Erleuchtung im wahren Glauben an die allerheiligste Dreifaltigkeit. So können die Menschen den Tod der Sünden im Wasser der Reinigung sterben und, mit Christus auferstanden, für immer in der Neuheit des Lebens bleiben; und wenn sie auch noch sterben, so bleiben sie doch geistig lebendig und in der Hoffnung auf das ewige Leben. Sie haben ja den alten Menschen ausgezogen (Eph 3,9), der schuldigerweise unter der Strafe des Gesetzes stand, und Christus angezogen (Gal 3,27). Sie haben die Kleider der Kindschaft angelegt und sind Christi Erben geworden (vgl. Röm 8,16 f.), insbesondere jene, welche am wahren Glauben und an den rechten Sitten bis ans Ende in der

Hoffnung auf Christus festhalten. Denn die Hoffnung ist für sie mit Christus auf-
erstanden und mit Christus sitzt sie zur Rechten der Herrlichkeit im Himmel...
Christus befreit die Menschen und macht sie gerecht. Durch ihn werden die Sün-
den des alten Menschen gelöst und in ihm nimmt der neue Mensch seinen Anfang,
der nach Gott geschaffen ist (Eph 4,24) und im reinen und wahren Glauben an Chri-
stus lebt, fern von allem Bösen und durch alle guten Werke bereitet für die Verhei-
ßungen des erhofften Lebens. Denn durch seinen Tod hat Christus die Macht Satans
gebrochen, der der Sünden wegen die Herrschaft über den Tod besaß. Nun aber
herrscht das Leben wegen der Rechtfertigung durch Christus, und in ihm ist die
Hoffnung auf die Auferstehung begründet. Christus hat uns ja mit sich auferweckt
und hat die Hoffnung der Gläubigen und Heiligen auf die himmlischen Güter ge-
richtet. »Alle, die zu Christus gehören, haben ihr Fleisch und damit ihre Leiden-
schaften und Begierden gekreuzigt« (Gal 5,24), und sie werden auch mit ihm
verherrlicht und in seiner Freude leben.

Durch Christi reine Liebe und dank seines versöhnenden Opfers, durch das er die
Geschöpfe erlöst hat, sind die Heiligen zur Hoffnung ermutigt worden. Auf die un-
sichtbaren Güter hat er durch seinen sichtbaren freiwilligen Kreuzestod hingewie-
sen, durch den er die Geschöpfe mit dem Schöpfer versöhnte. Durch seine erleuch-
tende Lehre hat er den Glauben an die allerheiligste Dreifaltigkeit als Wahrheit aus-
gewiesen. Er hat die Leiden und Gefahren von den Menschen genommen, die in
vielfältigen Nöten und Qualen gefangen waren: Die vielen Hungernden hat er in
der Wüste gespeist, er hat die Toten auferweckt, die bösen Geister ausgetrieben und
die Menschen von ihren Angriffen befreit, durch sein Leiden hat er alle Leiden von
den Menschen genommen und durch seine verschiedenen Wohltaten sie der Sorge des
Vaters und der Gnade des Heiligen Geistes anvertraut und ihnen die göttlichen
Gaben verheißen.

<small>*Mesrop, 13. Rede: Der Wert des Gedächtnisses für die Verstorbenen;*
nach Schmid, 175–177</small>

10. Stärkung auf dem Weg zur Vollendung:
Die Sendung des Heiligen Geistes

Als der Pfingsttag gekommen war, befanden sich alle am gleichen Ort. Da kam plötzlich vom Himmel her ein Brausen, wie wenn ein heftiger Sturm daherfährt, und erfüllte das ganze Haus, in dem sie waren. Und es erschienen ihnen Zungen wie von Feuer, die sich verteilten; auf jeden von ihnen ließ sich eine nieder. Alle wurden mit dem Heiligen Geist erfüllt und begannen, in fremden Sprachen zu reden, wie es der Geist ihnen eingab. In Jerusalem aber hielten sich Juden auf, fromme Männer aus allen Völkern unter dem Himmel. Als sich das Getöse erhob, strömte die Menge zusammen und war ganz bestürzt; denn jeder hörte sie in seiner Sprache reden. Sie gerieten außer sich vor Staunen und sagten: Sind das nicht alles Galiläer, die hier reden? Wieso kann sie jeder von uns in seiner Muttersprache hören: Parther, Meder und Elamiter, Bewohner von Mesopotamien, Armenien und Kappadokien, von Pontus und der Provinz Asien, von Phrygien und Pamphylien, von Ägypten und dem Gebiet Libyens nach Zyrene hin, auch die Römer, die sich hier aufhalten, Juden und Proselyten, Kreter und Araber, wir hören sie in unseren Sprachen Gottes große Taten verkünden.
Apostelgeschichte 2,1–11

Die Juden feierten das Pfingstfest fünfzig Tage nach dem Pesachfest als Erntefest, an dem die ersten Feldfrüchte Gott dargebracht wurden, und als Schwurfest, an dem man sich der Übergabe des Gesetzes an Mose und der Konstituierung als Volk Gottes durch den Sinaibund erinnerte. Beide Festinhalte wurden von den ersten Christen mit neuer Sinngebung übernommen: Sie wissen sich als Erstlingsfrüchte des auferstandenen Christus, die er Gott heimgebracht hat, und als neues Israel, als Volk Gottes, das unter dem Wirken des Heiligen Geistes nun erstmals als Kirche an die Öffentlichkeit tritt. Wie die Völkerliste der Apostelgeschichte zu erkennen gibt, war zur Zeit der Abfassung dieser Schrift (im letzten Viertel des 1. Jahrhunderts) das Christentum bereits in die ganze antike Welt vorgedrungen. Interessant ist, daß die ältesten syrischen Überlieferungen dieses Textes, auf denen auch die armenischen Übersetzungen fußen, statt Judäa in der bei uns geläufigen Wiedergabe Armenien lesen. Die Reihenfolge

»Mesopotamien, Armenien, Kappadokien« ist, wenn auch nicht so häufig bezeugt, durchaus sinnvoll, da die Nennung Judäas völlig aus dem Rahmen fällt – es ist ja das Zentrum des Pfingstereignisses –, Armenien dagegen zusammen mit Mesopotamien und Kappadokien das östlich und nördlich von Jerusalem liegende Gebiet ausmacht. Wenn Armenien die ursprüngliche Lesart ist, besitzen wir in dieser Textstelle der Apostelgeschichte das älteste Zeugnis von der Missionierung unter den Armeniern. In allen Gegenden des Römischen Reiches und darüber hinaus war die Botschaft verkündet worden, mit der Petrus seine erste öffentliche Predigt am Pfingsttag beschließt: »Gott hat ihn zum Herrn und Messias gemacht, diesen Jesus, den ihr gekreuzigt habt« (Apg 2,36). Es ist die Überzeugung der Christen, daß der Heilige Geist die Botschaft Christi zu allen Völkern getragen und die Kirche in ihnen verwurzelt hat, damit in allen »Sprachen Gottes große Taten« verkündet werden. In der Kirche setzt Christus sein Werk unter allen Völkern geist- und machtvoll fort.

Tafel XVIII:
Sendung des
Heiligen Geistes
In einem leuchtenden von roten Farben begrenzten Portalbogen, der von unten her weit in den Kreis der Jünger hineinragt, zeigt die Buchillustration drei Personen. Die mittlere unterscheidet sich durch Haltung, Gewand und Krone deutlich von den beiden anderen; in ihr erkennt man den Propheten Joel und zugleich den personifizierten Kosmos. Joel spielt in der ersten Rede des Petrus die Schlüsselfigur. Denn der Apostel weist die zusammengeströmten und erstaunten Zuhörer darauf hin, daß sich im Pfingstgeschehen bewahrheitet hat, was der Prophet vorherverkündete: »Ich werde meinen Geist ausgießen über alle Menschen« (Joel 3,1). In der Gestalt des Joel erscheint auch der Kosmos selbst. Dabei ist Kosmos zunächst nicht im Sinne von Weltall zu verstehen, sondern als »alle Menschen«, wie es in der Joelverheißung steht und wie in der mittel- und neugriechischen Sprache dieser Begriff gebraucht wird. Kosmos meint alle Welt, alle Leute, alle Menschen. Dieser Kosmos trägt eine Krone; nach dem Zeugnis der Bibel ist dieses Würdezeichen Ausdruck ewigen Heils. In der gekrönten Gestalt sind der Prophet Joel und alle Menschen gemeint, die je unter dem Geiste Gottes standen und sich vom Pfingstereignis an in besonderer Weise durch sein Wirken in der Kirche leiten lassen. Waren einst beim Turmbau zu Babel die Menschen durch ihren Hochmut so verwirrt worden, daß einer des anderen Sprache nicht mehr verstand, so führt nun der Heilige Geist die getrennten Sprachen im Glauben an Christus

zu einer Gemeinde wieder zusammen. Die beiden Männer neben dem Kosmos sind Vertreter der herbeigelaufenen Juden, die die Wahrheit des Prophetenwortes mit Staunen im Gesicht und erhobenen Händen in ihrer Mitte erleben. Das feurige Rot des Geistes, den Christus gesandt hat, und sein helles Licht erleuchten von nun an die Menschen und »alle Welt«.

Der Geist Gottes ist als Taube dargestellt, wie er sich bei der Taufe Jesu im Jordan offenbarte. Er thront auf einem mit rotem Tuch ausgelegten himmlischen Thron. Über der Geist-Taube erscheint das Kreuz; denn aus dem Kreuzestod Christi stammt die erlösende und weltverwandelnde Kraft, die der Herr seinen Jüngern sendet. Christus-Zeichen und Geist-Taube sind von mehreren Kreisen umgeben, die vom Tiefblau bis zum lichten Hellblau abgestuft sind. Sie weisen auf Gott hin, den Unabbildbaren, in dem der menschgewordene Christus und der erschienene Heilige Geist ihren ewigen Ursprung haben.

Aus der himmlischen Sphäre Gottes kommen die Feuerzungen des Geistes, die sich auf die zwölf Apostel herabsenken. Die Apostel, in eine Sechsergruppe und zwei Dreiergruppen aufgeteilt, empfangen in den Feuerflammen die Erleuchtung, in der sie Jesus als den »Messias, den Sohn Gottes« (Mk 1,1) erkennen, und sie empfangen die Weisheit, für ihn in rechter Weise einzutreten und sein Werk als Kirche fortzusetzen. Bis heute bezeichnen daher die Christen der östlichen Tradition die Taufe als Erleuchtung. Am Pfingsttag sind die Jünger Christi getauft worden im Heiligen Geist.

In ihren Liedern bekennt die Kirche, daß sie in besonderer Weise der Stärkung bedarf, damit sie als Dienerin Christi sein Heilshandeln an den Menschen unverfälscht und mutig fortsetzt bis zur Vollendung der Schöpfung. Darum hat der Herr, der über der Welt als »Sonne der Gerechtigkeit« (Mal 3,20) aufgegangen ist, nach seiner Himmelfahrt die Menschen nicht ins Dunkel zurücksinken lassen; er hat ihnen vielmehr an seiner Statt den Geist der Wahrheit und den Geist des Trostes gesandt. Alle, die in der Taufe durch diesen Geist neugeboren werden, sind »Söhne des Lichtes«, Kinder des himmlischen Vaters:

Die Sonne der Gerechtigkeit, Christus,
ging auf über der Welt,
vertrieb die Finsternis der Unwissenheit

und nach seinem Tode und der Auferstehung
fuhr er auf zum Vater,
von dem er gekommen war.
Er wird angebetet von den Himmlischen und den Irdischen
zusammen mit dem Vater und dem Heiligen Geist;
darum fallen wir nieder vor dem Vater
im Geist und in der Wahrheit.

An Stelle des WORTES,
das geboren aus dem Schoße des Vaters
und aufgefahren in den Himmel,
ward uns gesandt aus der Höhe der Geist der Wahrheit,
die Frohe Botschaft des Vaters,
um jene zu trösten, die durch Adam betrübt,
und um die Gemeinschaft der auserwählten Apostel
mit Feuer zu wappnen;
darum fallen wir nieder vor dem Vater
im Geist und in der Wahrheit.

An diesem Tage wurden die Geburtswehen,
die leidvollen und nächtlichen,
der Urmutter gelöst;
denn jene, die geboren waren im Fleisch
zu Tod und Verderben,
wurden aufs neue geboren durch den Geist,
um Söhne zu werden des Lichtes des himmlischen Vaters;
darum fallen wir nieder vor dem Vater
im Geist und in der Wahrheit.

Geist-Hymnus bei der Prozession zum Taufbrunnen;
Thon, Ordnung der Taufe, 118 f.

Das Wirken des Heiligen Geistes in der Heilsgeschichte stellt uns Gregor von Narek
vor Augen: Der Heilige Geist schwebte am Anfang der Schöpfung über den Wassern

und ordnete das Chaos zum Kosmos (Gen 1,2); er hat die Propheten erleuchtet, so daß sie als »Sprecher für Gott« dessen Heilswillen schauen und den Menschen verkünden konnten; er hat das Volk Gottes beim Durchzug durch das Rote Meer getauft und in der Wüste unter den Schutz seiner Wolke gestellt und damit schon hingewiesen auf seine künftige Rettung in der Taufe:

Allmächtiger, Gnadenspender, Menschenfreund, unser aller Gott,
Schöpfer aller Wesen, der sichtbaren und unsichtbaren,
Du bist es, der rettet und stärkt,
der sich fürsorglich zeigt und Frieden schenkt,
kraftvoller Geist des Vaters! . . .

Du hast ja teil am gleichen Thron,
an der gleichen Herrlichkeit, an der gleichen Schöpfertat
wie der Vater, dem unvermindert Ehre eigen ist,
und du ergründest die Tiefen der verborgensten Geheimnisse
des vollkommensten Willens des Vaters des Emmanuel,
der dich gesandt hat,
er, der Retter und Ausspender des Lebens ist
und Schöpfer aller Dinge.

Durch deine Vermittlung ward uns geoffenbart
die Dreiheit der Personen
in der Einheit des Wesens der Gottheit;
unter diesen Personen
bist auch du erkannt als eine von ihnen,
Unverstehbarer!

Durch dich und deine Vermittlung
haben die ersten Nachfahren des Patriarchenstammes,
die wir Seher nennen,
in einer lichtvollen Sprache
Ereignisse erzählt, vergangene und künftige,

Taten, die schon geschehen sind,
und solche, die noch geschehen werden.

Du wurdest von Mose als Gottes Geist verkündet,
der über den Wassern schwebte,
unermeßliche Macht!
Mit der bergenden und furchtbaren Schutzwolke
hast du voller Fürsorge deine Flügel ausgebreitet
als Zeichen deines mitfühlenden Beistandes
für die Neugeborenen
und hast uns dadurch geoffenbart
das Geheimnis des Taufquells. ...
Gregor von Narek, Geist-Hymnus; Le livre de prières, 206 f.;
übers. in: Die Kirche Armeniens, 99

Das Wirken des Heiligen Geistes in der Heilsgeschichte besingt Nerses Schnorhali: Mit Jesu Leben und Handeln ist auch Gottes Geist in der Welt gegenwärtig. Christi geistvolles Wort offenbart vor der Welt Gottes Gerechtigkeit; die Annahme oder Ablehnung seiner Person und seiner Botschaft bedeuten für die Menschen Gericht, das im Lichte des Geistes offenkundig wird, wie das Johannesevangelium bezeugt (16,7–15). Seine Gaben an die Menschen spendet Christus durch seinen Geist aus; in den sieben Sakramenten wirkt Christus geist- und machtvoll das Heil. Christi Leib ist seine Kirche; der Heilige Geist führt die Glieder dieses Leibes zur Einheit und hält sie in der Liebe geeint:

Ähnlich einem furchtbaren Sturm
mit gewaltigem Rauschen,
in Schreck versetzend,
bist du erschienen, Geist,
dem Kreis der Zwölf im Abendmahlssaal;
getauft wurden sie von dir
und wie Gold im Feuer
wurden sie gereinigt.

Vertreib in uns
den Nebel der Sünde
und bekleide uns wieder
mit dem herrlichen Licht.

Gekommen bist du wie Gott zur Erde,
zu richten die Welt
mit Vollmacht
wegen der Gerechtigkeit,
wegen der Sünde
und wegen der Verurteilung des Bösen;
geöffnet hast du deinen Schatz,
den geistigen,
und die Menschheit mit Gaben beschenkt.
Vertreib in uns
den Nebel der Sünde
und bekleide uns wieder
mit dem herrlichen Licht.

Liebe, geboren aus der Liebe,
dich hat gesandt die Liebe;
Dank sei dir, denn zur Einheit
führst du seine Glieder;
die Kirche, von ihm erbaut,
hast du auf deinen sieben Säulen
fest gegründet,
als Ausspender gesandt ihr die Apostel
und mit deinen sieben Gaben sie geschmückt.
Vertreib in uns
den Nebel der Sünde
und bekleide uns wieder
mit dem herrlichen Licht.
Nerses Schnorhali, Pfingsthymnus; Inni sacri, 112 f.

179

Gottes heiliger Geist wird in der Welt geheimnisvoll gegenwärtig bleiben und wirken, bis er bei der Wiederkunft Christi die Schöpfung zur Vollendung geführt hat. Schon haben die Apostel in ihm den »unsterblichen Trank« getrunken, in dessen Kraft einst Himmel und Erde, Gott und Menschheit, zu einer heiligen Gemeinschaft geeint werden:

Die Taube, die gesandt, kam herab von der Höhe
mit gewaltigem Brausen und – wie Lichterzungen –
stattete die Jünger mit Feuer aus,
als sie in dem oberen heiligen Raum saßen.
Die geistige Taube, unerforschbar sie,
welche die Tiefen Gottes erforscht
und diese vom Vater selbst empfängt,
kündet vom schrecklichen zweiten Kommen (Christi);
sie wird als wesensgleich bekannt
mit dem Vater und dem Sohne.
Lobpreis in der Höhe
ihm, der vom Vater ausgeht,
dem Heiligen Geist,
durch den die Apostel
tranken unsterblichen Trank
und die Erde zum Himmel luden.
Geist-Hymnus bei der Taufwasserweihe;
Thon, Ordnung der Taufe, 120 f.

Der Gottesgeist, dessen Wirken in der Welt mit der Menschwerdung Christi eine neue Intensität erfahren hat, ist Gott, die dritte göttliche Person in der Einheit Gottes. Dieses geoffenbarte Geheimnis kann der Mensch mit dem Verstand nicht erfassen, wohl aber im Gebet verehren. Da die drei göttlichen Personen einheitlich und gemeinschaftlich wirken, betet der Gläubige den Heiligen Geist an als »den Urgrund des Lebens aller Geschöpfe« und er fleht zu ihm, bei der Wiederkunft Christi ihn in die Vollendung hinein zu retten:

Unteilbare Dreieinigkeit und himmlische Kraft,
dein Licht schien hernieder auf die Welt.
Ihm laßt uns Preislieder singen!
Ihm, der vom Himmel herabkam an diesem Tag
und auf den Aposteln ruhte,
dem wahrhaft Heiligen Geist,
laßt uns Preislieder singen!
Er, der wirkt in den rettenden Mysterien,
erschien an diesem Tag, da er auf die Apostel herabkam,
als jener, von dem gewußt die Propheten.
Ihm laßt uns Preislieder singen!
Hymnus zu Ehren des Heiligen Geistes vor der Taufe;
Thon, Ordnung der Taufe, 116

Als Gott bekennen wir dich, Heiliger Geist,
und beten dich an.
Du bist der Urgrund des Lebens aller Geschöpfe
und der Friedensschöpfer der Welt.
Du hast die unwissenden Jünger
mit großer Weisheit erfüllt
und, zerteilt in feurige Zungen,
dich ihnen auf unaussprechliche Weise gezeigt.
Wir bitten dich, Herr, verschone und rette uns!
Einzugsgesang am Pfingstfest; Steck, Liturgie, 28

Nerses, dem großen Poeten der armenischen Kirche, gelingt es, die vielfältigen Gedanken über den Gottesgeist in wenige Worte zu kleiden und im Bekenntnis die ganze Geist-Lehre zu entfalten und zugleich zusammenzufassen. Betend stellt er sich und seine Mitbeter unter das Wirken des Heiligen Geistes:

Gleich dem Vater und dem Sohn,
Geist, unerschaffen und wesenseins,
unerforschlich hervorgegangen

aus dem Vater
und unaussprechlich genommen
vom Sohn,
heute bis du hinabgestiegen in den Abendmahlssaal,
mit deinem Geist der Gnade
den Durst zu löschen der Apostel.
Auch uns gewähre zu trinken
erbarmungsvoll
aus deinem Kelch
der Weisheit.

Du, Schöpfer aller Wesen,
schwebtest über den Wassern
und wurdest auch uns im Gnadenbrunnen
geschenkt von dem dir wesensgleichen Sohn;
voller Güte liebkost du uns
wie eine Taube
und läßt die Menschen wiedergeboren werden
in göttlicher Weise.
Auch uns gewähre zu trinken
erbarmungsvoll
aus deinem Kelch
der Weisheit.

Herr der himmlischen Engel,
der körperlosen,
und der irdischen Menschen,
mit Vernunft begabt,
du machst Propheten aus Hirten
und Apostel aus Fischern,
Evangelisten aus Zöllnern
und Prediger aus Verfolgern.
Auch uns gewähre zu trinken

erbarmungsvoll
aus deinem Kelch
der Weisheit.
Nerses Schnorhali, Pfingsthymnus;
Inni sacri, 111 f.

Das Wirken des Gottesgeistes läßt sich nicht in Lehren beschreiben, sondern nur in liturgischer Gemeinschaft feiern. So finden wir keine ausgesprochenen Lehrtexte über den Heiligen Geist. Der Kirchenvater Mesrop aber macht in einer Predigt einsichtig, daß der Mensch wegen seiner aus der Ursünde stammenden Schwachheit ständig der Kraft Gottes bedarf, um sein Ziel im »Land der Lebenden« zu erreichen:

Unser Leib ist vergänglich, weil er wie die vernunftlosen Lebewesen seine Nahrung von der Erde bekommt, von den Kräutern und Pflanzen und den lebenden Tieren. Dem Noach wurde ja aufgetragen, das Fleisch der lebenden Tiere zu essen und Wein zum Trost gegen die Traurigkeit zu trinken; sie war wegen der allgemeinen Verwüstung der Erde über ihn gekommen (vgl. Gen 9,3.4.20). Denn das ursprüngliche Leben und die Ernährung im Paradies haben wir wegen der Sünden verloren und sind in vielerlei Schwachheiten gefallen. ... Der Leib wurde der Schwachheit unterworfen, damit wir, die wir ja das Ebenbild Gottes genannt werden, uns nicht stolz erheben und durch die Überheblichkeit in die Abgründe des Verderbens stürzen wie jener, der sich gegen Gott erhob, der seinen Thron über die Wolken zu setzen und dem Höchsten gleich zu sein gedachte, der aber mit dem ganzen Heer der Abtrünnigen in die Hölle stürzte, wie es der Prophet vor dem Herrn bezeugt hat (vgl. Jes 14,13–15).

Doch Christus hat diesen Leib der Niedrigkeit angenommen und durch seine Erniedrigung Satan gestürzt und seinen Hochmut zuschanden gemacht (vgl. Lk 10,18), während er die Demütigen erhöht hat (vgl. Lk 1,52). Das Gift der satanischen Bosheit ist so groß wie das Gift der Insekten und der Schaden durch ungenießbare Pflanzen und Wurzeln. Ärzte behaupten, es gebe Wurzeln, mit denen man böse Geister aus den Menschen vertreiben könne. Das muß man folgendermaßen verstehen: Gottes Wirksamkeit macht durch die schwache Materie des Feindes Schwäche offenkundig und kämpft seine vermeintliche Stärke nieder, so daß er ge-

gen die Heiligen nichts vermag. Sollen diese ihn doch in der Vollmacht des Herrn mit Füßen niedertreten (vgl. Lk 10,19; Röm 16,20), was allen Gläubigen ja bekannt ist. Wer ihm aber willfährig ist und auf ihn sein Vertrauen setzt, »soll zurückweichen und vor Scham erröten« (Ps 70,4). Wer jedoch die Allmacht der allerheiligsten Dreieinigkeit preist, verehrt und verherrlicht, wird mit seinem schwachen Leib tugendhafte und heiligmäßige Taten vollbringen und sicher alle Lebenslagen durchschreiten. So vergehen die Stunden, Tage und Jahre, in denen er voranschreitet und die Sprossen der Tugend in einem reinen und gerechten Leben ersteigt. Geschult in der Heiligkeit und bewährt in allen Tugenden wird er dann von dieser Welt in das Land der Lebenden hinübergehen, wo der Ruf des Todes nicht mehr zu hören ist, zu den lieblichen und ewigen Freuden.

Mesrop, 14. Rede: Gottes Vorsehung; nach Schmid, 186 f., und Weber, 309 f.

11. Die Vollendung der Schöpfung: Gottes neue Welt unter der Herrschaft Christi

Ich sah einen großen weißen Thron und den, der auf ihm saß; vor seinem Anblick flohen Erde und Himmel, und es gab keinen Platz mehr für sie! Ich sah die Toten vor dem Thron stehen, die Großen und die Kleinen. Und Bücher wurden aufgeschlagen; auch das Buch des Lebens wurde aufgeschlagen. Die Toten wurden nach ihren Werken gerichtet, nach dem, was in den Büchern aufgeschrieben war. Und das Meer gab die Toten heraus, die in ihm waren; und der Tod und die Unterwelt gaben ihre Toten heraus, die in ihnen waren. Sie wurden gerichtet, jeder nach seinen Werken. Der Tod und die Unterwelt aber wurden in den Feuersee geworfen. Das ist der zweite Tod: der Feuersee. Wer nicht im Buch des Lebens verzeichnet war, wurde in den Feuersee geworfen.

Dann sah ich einen neuen Himmel und eine neue Erde... Ich sah die heilige Stadt, das neue Jerusalem, von Gott her aus dem Himmel herabkommen; sie war bereit wie eine Braut, die sich für ihren Mann geschmückt hat. Da hörte ich eine laute Stimme vom Thron her rufen: Seht, die Wohnung Gottes unter den Menschen! Er wird in ih-

rer Mitte wohnen, und sie werden sein Volk sein; und er, Gott, wird bei ihnen sein. Er wird alle Tränen von ihren Augen abwischen: Der Tod wird nicht mehr sein, keine Trauer, keine Klage, keine Mühsal. Denn was früher war, ist vergangen. Er, der auf dem Throne saß, sprach: Seht, ich mache alles neu. . . . Ich bin das Alpha und das Omega, der Anfang und das Ende. Wer durstig ist, den werde ich umsonst aus der Quelle trinken lassen, aus der das Wasser des Lebens strömt. Wer siegt, wird dies als Anteil erhalten: Ich werde sein Gott sein, und er wird mein Sohn sein.
Offenbarung 20,11–15; 21,1–7

Gottes künftige Welt läßt sich nicht mit den Kategorien dieser erfahrbaren und meßbaren Welt beschreiben; denn »wir verkünden«, wie Paulus sagt, »was kein Auge gesehen und kein Ohr gehört hat, was keinem Menschen in den Sinn gekommen ist: das Große, das Gott denen bereitet hat, die ihn lieben« (1 Kor 2,9). Und doch haben Christen, um die Hoffnung auf die eschatologische Vollendung wachzuhalten, immer wieder Bilder dieser Welt genommen, ihre Grenzen gesprengt, ihre Unreinheiten beseitigt und sie zu Hoffnungsbildern der Vollendung umgestaltet. Sie bedienten sich zur Zeit der Bibel wie auch in späteren Zeiten jener Bilder, die, dem antiken Weltbild entsprungen, bis zum Beginn der Neuzeit in ihrer Aussageabsicht leicht verstanden werden konnten.

Es sind Bilder, die vom Schrecken der Endzeit dieser Welt künden, bei dem im göttlichen Gericht die Kräfte des Bösen vernichtet werden, mehr aber noch Bilder der Freude über die künftige Vollendung, wenn Christus die Herrschaft antritt, die sein Wirken in Israel zu erkennen gab. Vor allem die frühchristlichen Gemeinden fanden angesichts der Verfolgungen in diesen Hoffnungsbildern Trost und den Mut, ihr Christsein trotz Unterdrückung durchzustehen. Aber auch angesichts der immer wieder erfahrbaren Sinnlosigkeit und der Ängste, die Verkennung, Ungerechtigkeit, Krieg und schließlich Tod hervorrufen, besitzen die Bilder der Hoffnung ihren bleibenden Wert.

Tafel XIX: Bereitung des Thrones zur Wiederkunft Christi

Im Zentrum der Miniatur steht vor einem weiten Sternenhimmel der Thron Christi. Noch hat der Herr, der Erlöser und Richter, auf ihm nicht Platz genommen; er ist aber bereitet für seine Wiederkunft. Auf dem Thron liegt ein Buch; es ist das Buch des Le-

185

bens, das Evangelium mit der neuen Lebensordnung, die Christus in der Bergpredigt verkündet hat, und zugleich jenes Buch, in dem die Namen der Geheiligten verzeichnet sind. Darüber sind wie Schmuckstücke die Siegeszeichen der Erlösung angebracht: das Kreuz Christi, die Stange, auf der ihm beim Sterben der Essig gereicht wurde, und die Lanze, mit der der römische Hauptmann seine Seite durchbohrte. Adam und Eva, die Stammeltern der Menschheit und zugleich die Ersterlösten, knien anbetend vor dem Thron ihres Sohnes, die Hände in Demut verhüllt. Sie erwarten seine Wiederkunft und die Vollendung all ihrer Kinder durch ihn. Die Vollendung vollzieht sich zunächst im befreienden Gericht über alle Menschen, wie es Christus in seiner großen Gerichtsrede im Matthäusevangelium bekundet (Mt 25,31–46). Jene, die ihm in seinen geringsten Brüdern gedient haben, werden eingehen in das Reich, das Gott ihnen seit Erschaffung der Welt bereitet hat (Mt 25,34). Wer aber seine geringsten Brüder übersehen hat, ist für die ewige Strafe bestimmt (25,46). Deshalb sehen wir unter dem Thron Christi, der auch sein Richterstuhl ist, eine Hand im Kreissegment, dem Zeichen der göttlichen Welt, die eine Waage trägt. Im Bild der Waage drückt sich das Gericht Christi aus.

Eine endlose Schar, angeführt vom Schlüsselträger Petrus, zieht unter der Waage zum Paradies, in die heilige Stadt Jerusalem. In der Stadt mit einer achtseitigen Mauer, dem Zeichen der Vollendung und Geborgenheit, befinden sich schon die geheiligten Vertreter des Alten Bundes: Links sitzt Abraham, der Vater des Glaubens, der in seinen Händen ein Tuch hält, in dem spätjüdischer Anschauung zufolge die Seelen der Gerechten auf den Tag der Vollendung warten. Rechts von Abraham steht mit einem geschulterten Kreuz der gute Schächer, dem sterbend Jesus verhieß, daß er noch heute mit ihm im Paradiese sein werde (Lk 23,43). Vier reich sprudelnde Quellen fließen aus der Stadtmauer, die wie eine antike Brunnenanlage gestaltet ist. Sie erinnern an die vier Paradiesströme des Alten Testamentes (Gen 2,10–14). Nach der Offenbarung des Johannes werden sie in Gottes erneuerter Welt wieder fließen als »das Wasser des Lebens« (Offb 22,1); die Lebensfülle in Gott wird durch sie symbolisiert.

Der heiligen Stadt gegenüber öffnet sich der zähnebewehrte Rachen eines unförmigen Tieres, der Schlange, des Drachens, mit dem die Offenbarung die widergöttliche Macht beschreibt: »Er wurde gestürzt, der große Drache, die alte Schlange, die Teufel oder Satan heißt und die ganze Welt verführt« (Offb 12,9). In einem Glutstrom verschlingt dieser Drache all seine Anhänger, Könige und einfache Leute, die ihm gedient haben. Der Glutstrom kommt von oben her; es ist der feurige Gerichtsstrom, von dem Daniel in seiner Vision vom endzeitlichen Gericht gesprochen hat: »Ein Strom von Feuer ging von ihm (dem Richterstuhl Gottes) aus. ... Das Gericht nahm Platz, und man öffnete die Bücher. Ich sah immer noch hin, bis das Tier – wegen der anmaßenden Worte, die das Horn redete – getötet wurde. Sein Körper wurde dem Feuer übergeben und vernichtet. ... Da kam mit den Wolken des Himmels einer wie ein Menschensohn. Er gelangte bis zu dem Hochbetagten und wurde vor ihn geführt. Ihm wurden Herrschaft, Würde und Königtum gegeben. Alle Völker, Nationen und Sprachen müssen ihm dienen. Seine Herrschaft ist eine ewige, unvergängliche Herrschaft. Sein Reich geht niemals unter« (Dan 7,10–14).

Der Menschensohn, von dem Daniel spricht, ist nach frühchristlicher Auffassung, wie die Gerichtsrede Jesu im Matthäusevangelium bezeugt, Christus selbst. Die Miniatur zeigt ihn im Bereich des Himmels, wo er gleichsam wartet auf den Augenblick seiner Parusie, seines Erscheinens in der Welt; denn »jenen Tag und jene Stunde kennt niemand, auch nicht einmal die Engel im Himmel, nicht einmal der Sohn, sondern nur der Vater« (Mt 24,36). Bis zur Parusie Christi ist den Menschen Gelegenheit gegeben, ihr Leben auf die neue Lebensordnung hin auszurichten, sich nach Christus, dem Urbild des Menschen, zu gestalten; es ist die Zeit der Gnade. Deshalb stehen neben Christus Maria, seine Mutter, und Johannes, sein Wegbereiter. Mit flehenden Händen bitten sie den Menschensohn für alle Menschen, deren vornehmste Vertreter sie sind. Ihrem Gebet schließen sich die Apostel an, denen Christus verheißen hat, daß sie mit ihm bei der Neugestaltung der Welt auf zwölf Thronen sitzen werden (Mt 19,28).

Mit ihren vielen Einzelthemen ist diese Miniatur ein großes Gemälde von der christlichen Hoffnung. In Bildern drückt sie aus, was Jesus verheißen hat: »Wer bis zum Ende standhaft bleibt, der wird gerettet« (Mt 10,22).

Wie die Apostelgeschichte bezeugt, bedeutet die Himmelfahrt Christi kein Fortgehen aus der Welt und ihrer Geschichte, sondern vielmehr verwandelte, geistvolle Anwesenheit in ihr. In der Aufnahme Christi in die Herrlichkeit Gottes ist daher sein stets zu erwartendes Offenbarwerden, seine Wiederkunft in Herrlichkeit, begründet:

»Dieser Jesus, der von euch ging und in den Himmel aufgenommen wurde, wird ebenso wiederkommen, wie ihr ihn habt zum Himmel hingehen sehen« (Apg 1,11). So feiert auch die Kirche am Himmelfahrtsfest das ganze »Mysterium der Erlösung«, das bei der »zweiten Ankunft« des Erlösers seine Vollendung findet:

Auf unbeschreiblichem Throne sitzest du
und wirst von den unkörperlichen Engeln hochgepriesen,
unbegreifliches WORT, Gott.
Auf der Erde erschienst du als wahrer Mensch
und hast das Mysterium der Erlösung vollzogen.
Kreuz und Tod hast du auf dich genommen
und deine wunderbare Auferstehung mit starker Kraft bewirkt.
Heute erhobst du dich mit Herrlichkeit in den Himmel
und schmücktest deinen von der Jungfrau geborenen Leib
auf wunderbar herrliche Weise mit Licht.
Dich schaute im voraus schon Jesaja und sprach:
Wer ist dieser, der von der Erde kommt? (63,1)
Staunend riefen die himmlischen Mächte einander zu:
Hebet, Fürsten, eure Tore in die Höhe,
daß Einzug halte der König der Herrlichkeit! (Ps 24,7)
Da du über alles mächtig und stark bist,
verleihe auch uns,
dir auf Wolken entgegenzugehen bei deiner zweiten Ankunft;
denn du allein bist der Menschenfreundliche.
Eingangslied am Fest der Himmelfahrt Christi;
Steck, Liturgie, 28

In seiner Verklärung auf dem Berge Tabor (Mt 17,1–9) hat Jesus drei Jünger, seine bestellten Zeugen, ahnen lassen, daß er in der Herrlichkeit Gottes den Menschen nicht fern ist. Was wenigen zu schauen geschenkt war, wird einst vor der ganzen Welt offenbar. Jesus ist in der Seinsweise Gottes mitten in der Welt wirksam:

Der Herr erscheint heute den Jüngern auf dem Berge Tabor;
und die Jünger riefen erschrocken und sprachen:
Laßt uns drei Hütten bauen,
eine dem Herrn, eine dem Mose, eine dem Elija.
Auch wir geistige Scharen singen
mit deinen wahrhaftigen Blutzeugen:
Sende über uns das Licht deiner Gnaden
bei deiner zweiten Ankunft
und rette uns!
Einzugsgesang am Fest der Verklärung; Steck, Liturgie, 32

Im auferstandenen Christus ist die Geschichtlichkeit Gottes verwirklicht, die sich nicht mit Jahreszahlen belegen läßt, wohl aber durch geistgewirkte Taten, die ihren Impuls in der Bergpredigt Jesu und ihre Kraft in seinen Sakramenten finden. Christus ist der in der Geschichte geheimnisvoll Herrschende. Er, das Haupt der ganzen Schöpfung, ist auch der innere Halt derer geworden, die sich an ihm orientieren; die Erlösten, für die er sühnend sein Leben hingegeben hat, sind sein Leib, seine Kirche, geworden, wie der Christus-Hymnus im Kolosserbrief (1,15–20) bezeugt. Einst werden aber seine Güte und seine Herrlichkeit die ganze Welt schattenlos durchdringen:

Wenn die Strahlen deiner Güte und Herrlichkeit,
die keine Schatten werfen, hervorbrechen,
dann schmelzen die Sünden dahin,
werden die Dämonen verjagt.
Ausgelöscht sind unsere Verfehlungen,
zerbrochen die Fesseln, die uns banden,
aufgesprengt die Ketten.
Wiedergeboren zum Leben werden die, die tot waren.
Dann sind die Verletzungen geheilt,
vernarbt die Wunden,
zunichte gemacht, was Fäulnis war.
Es verschwinden alle Traurigkeiten.

189

Es hört das Stöhnen auf.
Entflohen sind die Finsternisse,
zerteilt ist der Nebel,
weggeblasen ist der Dunst.
Es lichtet sich das Undurchdringliche.
Die mähliche Dämmerung kommt zu ihrer Vollendung.
Das Dunkel entweicht.
Fort eilt die Nacht.
Damit ist die Angst gebannt,
sind die Übel, an denen wir leiden, überwunden,
sind die Hoffnungslosigkeiten aus dem Horizont verschwunden.
Denn erkennbar ist: Deine allmächtige Hand regiert;
du hast ja für alle gesühnt.

Gregor von Narek, Parusie-Hymnus, Le livre de prières, 240 f.;
übers.: Baronian Krikorian, Liturgie, 100 f.

In einer großartigen Schilderung der Wiederkunft Christi und seines Gerichtes setzt Nerses die biblischen Hoffnungsbilder zu einem farbenprächtigen Mosaikgemälde von mehr als 700 Versen, von denen hier nur ein Ausschnitt wiedergegeben werden kann, zusammen. Es ist würdig, als Wortgemälde an die Seite von Michelangelos Jüngstem Gericht in der Sixtinischen Kapelle gestellt zu werden. Der Kirchenvater schreibt nicht aus Spaß an einem grandiosen Geschehen, vielmehr sieht er sich einbezogen in das kosmische Ereignis, wenn er seine Dichtung als Gebet formuliert und für sich bittet, wenigstens als allerletzter gerettet zu werden:

Wann in Erfüllung gehn die Schriften,
die uns von jenem Tag erzählten,
zu Ehren kommen dann die Worte der Propheten,
die der Apostel werden eingelöst.

Wann alle Elemente wanken,
die Firmamente beben
und in den Wallungen des Kessels
den Meereswogen gleich sich sammeln,

der Boden weithin zittert
und durch die Wucht der Fundamente in Bewegung kommt,
die eines nach dem anderen versagen,
von beiden Seiten aus erschüttert wanken,
in ihren Grundfesten die Berge zittern,
gerüttelt mit gewalt'gem Stoße,
der Felsen massige Natur zerfließt
und aller Stoff verbrennt;
wann Feuerströme tosen,
wie Wasserfluten sich ergießen
und rauschen unter mächtigem Sturmesheulen,
heran, von Nacht umgeben, brausen,
in düst'rer Farbe glühend,
unwiderstehlich niederstürzend;
wann alle Staubeswesen
verzehret werden wie ein einzig Blatt,
und Berg und Hügel jäh zerfließen,
zum eb'nen Lande werden,
im Meere die Wogen trocknen
und seine Lebewesen allesamt verschmachten;
wann der Gesang erschallt,
wann die Posaune Gabriels ertönt
urplötzlich in der Nacht zu ungeahnter Stunde –
heran die Seelen fliegen
aus dem Verließe ihrer Aufbewahrung,
sich wieder mit demselben Leib vereinigen,
sie alle, die seit Adams Tagen lebten,
indes der Menschen Gräber sich erschließen,
neu die verwesten Leiber sich gestalten,
ob sie zum Fraße waren Meerestieren,
ob auf dem trocknen Lande wilden Tieren;
denn allen Elementen

sind unsere Leiber anvertraut
und werden unverderbt durch sie bewahrt,
weil deiner Satzung jene folgen.
Und hören sie die Schreckensstimme
des Gottessohns, des Lebensspenders,
da bringen sie hervor die Überbleibsel eines jeden
wie einst den Lazarus
durch deines Wortes Wunderkraft
zur selbigen Natur gemischt von neuem,
nicht, sowie jetzt, zerstörbar,
nein, unvergänglich wie im Paradiese.
Nicht in dem greisen Leib ersteht der Greis
und nicht das Kind als unreifes Geschöpf,
gleichmäßig alle dreißigjährig (wie Christus),
im Maß des Erstgeborenen, stehn sie auf...

Wann deines heil'gen Kreuzes Zeichen
aufleuchtet wie der Blitz,
von Osten her erglänzt,
vierfach sich dehnend,
das Licht der Sonne abnimmt,
des Mondes Licht verfinstert wird,
vom Himmel die Gestirne stürzen,
die Kräfte jäh erschüttert werden...,
dann rühmen sich, die dich verehrt,
frohlocken, die mit dir gekreuzigt waren.
Die aber träg' ihr Leben hingebracht,
die Sünder, bitten flehentlich.
Der Jungfrau'n lichte Lampen werden angezündet,
der Jungfrau'n, die das Öl zuvor bereit gehalten,
und die der Toren werden ausgelöscht,
die säumig noch zu kaufen gingen.

Wann zu der Erde niedersteigen
mit dir der Vater und der Heil'ge Geist,
so wie geschaut hat Daniel
der Tage Alten und den ewig Seienden,
so daß gewürdigt die Geschöpfe werden,
an jenem Tag die Dreipersönlichkeit zu schauen
zum Zeugnisse für dich, den Eingeborenen,
so wie am Jordan und auf Tabor, –
 Die Engel wogen um dich her,
 so daß der Himmel öde wird.
 Voran die Engel schreiten,
 die Engelfürsten dir zur Seite.
 Es ordnet sich der Chor der heil'gen Mächte,
 es sammeln die Gewalten sich,
 die Fürstentümer schauern,
 die Herrschaften erbeben,
 die Seraphim verhüllen sich mit ihren Flügeln,
 das Antlitz niedersenkend,
 zum Throne ordnen sich die Cherubim,
 den König zu empfangen. –
dann lässest du dich nieder auf dem großen Richterstuhl,
als König auf dem Throne des Gerichtes;
denn nicht will Erdgeborene der Vater richten,
dir, Eingebor'ner, gab er das Gericht allein.
Vor dich, den Hirten, kommen sie und sammeln sich,
den Herden gleich, das erdgeborene Geschlecht,
die Schafe aufgestellt zur Rechten,
die Böcke eingereiht zu deiner Linken.
Da sieht man keine Könige mehr,
noch werden Fürsten dort geehrt,
da brüstet sich kein Hochmut mehr,
kein Starker drängt sich vor.

Alleinig, ganz alleinig steh'n sie da,
verlassen von den Heeren, die sie hier besaßen,
und schauen, den sie nicht geschaut,
und lernen, daß sie Schatten waren.
Dann sind, die arm im Geiste waren, Könige,
und hochgeehrt, die Gutes taten,
die hungerten, ersättigen sich am Lebensbrot,
und Reiche werden leer ausgehn.
Verstummen werden dort beredte Zungen,
und Schmäher werden stille schweigen;
denn keine Antwort wissen sie zu geben
auf dein gerecht Gericht...
Die aber auf der guten Seite steh'n,
die wirst fürs Gute du beschenken
nach ihrem Glauben und nach ihren Werken
und nach den Gnaden ihrer Taufe...

Erstaunen werden da die Erstgeschaffenen,
in solcher Zahl erschauend
das Menschenvolk, von ihnen ausgegangen...

Und schenk mir, Herr, mit ihnen
in deines Vaters Himmelswohnungen
zu gehen ein, wenn auch nicht mit den ersten,
so doch zuletzt, der Letzten allerletzter.
Nerses Schnorhali, Jesus, der Sohn, II, 269–986;
Theol. Quartalschrift 80,269–273

Zu den Hoffnungsbildern der frühen Christenheit gehört auch die Überzeugung, daß in Gottes neuer Welt Menschen und Engel eine heilige Gemeinschaft bilden. Zwar geben die Menschen ihre menschliche Natur in der Vollendung nicht auf, wie auch Christus sie nicht ablegte, aber sie werden an Würde und Ehre jenen Wesen gleichen, die schon jetzt als himmlische Mächte in der Herrlichkeit Gottes leben. Wohl ist die künftige Würde der Menschen unverdientes Gnadengeschenk Gottes, sie dürfen an ihr aber auf Erden insofern schon mitwirken, als sie die ihnen vom Schöpfer anvertrauten geistigen Fähigkeiten voll entfalten und sie im Sinne Christi in den Dienst ihrer Mitmenschen stellen. In der Aussage, daß der Mensch selbst verantwortlich ist für seine Zukunft, kommt die biblische Wahrheit zur Geltung, daß der Mensch als Ebenbild Gottes geschaffen wurde und nur in ihm die Erfüllung seines Lebens findet:

Wegen ihrer Tugend wird Gott die Menschen, die verständig und vernünftig sind und die Werke des Glaubens, des Gehorsams und der Liebe üben, zu neuer Würde erheben, zum Ruhm und zur Herrlichkeit der Engel und Erzengel, der Seraphim und Cherubim und aller himmlischen Scharen... Die Engel und die Menschen stehen als Diener und Schüler gleicherweise unter dem einen guten Willen Gottes. »Denn es ist nur ein Gott, der Vater, von dem alles ist, und nur einer ist der Herr: Jesus Christus, durch den alles ist« (1 Kor 8,6); und nur einer ist der Heilige Geist, der alles erneuert (1 Kor 12,11) – die heilige Dreifaltigkeit. . . . Es gibt aber für Engel und Menschen Unterschiede in der Ehrung und Stellung bei Gott entsprechend ihrer Zuneigung und Liebe zu ihm.

Wer ein kirchliches Dienstamt verwaltet, bleibe treu in Freundschaft, guter Gesinnung und guten Werken; er leite auch andere zum Guten an, wie es dem allmächtigen Herrn gefällt. Er widerstehe dem Reiz schlechter Sitten, denke an die himmlischen Engel, damit er den gleichen Ruhm und die gleiche Herrlichkeit wie sie erlange; er sei Diener des lebendigen WORTES und des Willens des Schöpfers durch wahrhaftige Predigt und verbreite unverfälschtes Wissen vor den Ohren der Menschen; er leite die Menschen zu guten Werken an und lenke ihren Willen auf die Beobachtung der Gebote und Gesetze des Herrn. Wer dies tut, der gleicht den Cherubim und erhält vom Schöpfer die gleiche Ehre wie sie.

Wer Gesetzwidrigkeit und Willkür ablehnt und sich im Gehorsam Gott gegenüber zu makelloser Reinheit erzieht, wer aus Seele und Leib das Unkraut des Lasters, der Verkehrtheit, der List, des Betruges und aller Bosheit ausrottet und sich nach den göttlichen Gesetzen der Gerechtigkeit sehnt, der erhält die Würde und den Rang eines Seraphs.

Wer wachsam ist im Schmucke reiner und makelloser Tugend, wer auf das achtet, was für Seele und Leib von Nutzen ist, der besitzt die Würde, die Ehre und die Seligkeit der wachsamen Engel.

Wer den Verlorenen sucht und den Gefundenen bewahrt und jene, die sich in Zorn und Aufgeblasenheit erregen, zur Ruhe, zur Demut und zum Frieden besänftigt, der wird dem Sohne Gottes gleichen und Erbe seines Wortes werden: »Selig, die Frieden stiften, sie werden Söhne Gottes genannt werden« (Mt 5,9).

Wer die Fremden beherbergt und die in Sünde Gefallenen aufrichtet, wer die durch Unglauben und Zweifel Erkrankten durch rechten Glauben und gute Werke heilt, wer die durch Leidenschaft an Seele und Leib Entstellten nach aufrichtigem Bekenntnis im Bad der Gnade reinigt oder zur Buße führt, der wirkt mit dem Heiligen Geist und wird zu seiner Wohnung nach dem Wort der Schrift: »Ihr seid Tempel Gottes, erbaut in Gerechtigkeit und Heiligkeit, und der Geist Gottes wohnt in euch« (1 Kor 3,16; Eph 4,24), da er euch durch seine göttliche Herrlichkeit geheiligt hat.

Wer die Hoffnungslosen zur Hoffnung auf das ewige Leben erneuert, wer die Verirrten und Getrennten durch Langmut zur Ruhe und Geduld führt und sich in Mitleid und Fürsorge ihrer annimmt, wer sie erbarmungsvoll und mit der Gnade mitwirkend zum Guten, zur Erleuchtung durch Gotteserkenntnis und reine Sitten führt, damit sie Erben Christi und des Himmelreiches werden, wer Christus in seiner allumfassenden Menschenliebe ähnlich geworden ist, der wird von der heiligen Dreifaltigkeit das ewige Leben erlangen. ...

Diejenigen dagegen, die in guten Werken nachlässig sind, den Gesetzgeber verachten und sich in Stolz und Unglauben vom Herrn abwenden, die das lebendige Wort verlassen und sich gegen die nachsichtige Herrlichkeit der Allmacht auflehnen und so für viele Ursache des Verderbens werden, gehen der ewigen Gaben und der seligen Hoffnung verlustig; sie sind dem Satan ähnlich und werden die gleichen Strafen wie er erleiden in der ewigen Qual. Schon hier sind sie den furchtbaren Drohungen des gerechten Richters verfallen wegen ihrer gottlosen und ausschweifenden bösen Taten. ...

Doch jene, welche sich noch während ihres irdischen Lebens von Trug und Täuschung abwenden, die in aufrichtiger Reue und unter Tränen ihr Herz durch die Gnade von der Anklage des Bösen reinwaschen, um fortan das Böse zu hassen und das Gute zu lieben, die sich vom Trug falscher Lehre abwenden und der heiligsten Dreifaltigkeit ihre Opfer darbringen, empfangen die Würde der Apostel. Sie werden würdig der Verheißungen des Neuen Bundes und werden Erben des himmlischen Reiches.

Mesrop, 5. Rede: Bestärkung in der Wahrheit; nach Schmid, 53–57, und Sommer u. Weber, 283–286

III.
DAS LEBEN MIT CHRISTUS

1. Die Kirche Christi auf dem Fundament der Apostel

Neben der Kreuzkirche von Achtamar in der heutigen Osttürkei (s. o. Kap. I, 2; Tafel III) sollen in den beiden folgenden Kapiteln noch zwei weitere ehrwürdige Kirchen im armenischen Heimatland vorgestellt werden: die Etschmiadzin-Kirche in der Sowjetunion und die Thaddäuskirche in Persien.

Tafel XX: Kathedrale von Etschmiadzin, Mutterkirche der armenischen Christen

Als älteste armenische Kirche kann die Kathedrale von Etschmiadzin betrachtet werden, westlich von Jerewan im heutigen Sowjet-Armenien gelegen. Sie wurde zu Beginn des 4. Jahrhunderts durch Anregung Gregors des Erleuchters in der damaligen Königsresidenz neben dem Palast König Tiridates III. errichtet. In einem Kloster neben der Kathedrale nahm der Katholikos seinen Sitz, der hier vom 4. bis zum 12. Jahrhundert und, nach dem Untergang des Königreiches von Kilikien, wieder vom 15. Jahrhundert an bis heute residiert. Etschmiadzin heißt übersetzt »die Stelle, an der der Eingeborene zur Erde niederstieg«; diese Bezeichnung geht auf eine Legende zurück, die zu Anfang des 5. Jahrhunderts Agathangelos, der Verfasser einer griechisch und armenisch erhaltenen romanhaften Geschichte der Christenverfolgungen und der Bekehrung Armeniens, berichtet: Gregor, dem Apostel Armeniens, sei im Traum Christus erschienen mit einem glühenden Hammer in der Hand; mit diesem habe er die Stelle bezeichnet, wo die erste Kirche Armeniens errichtet werden sollte. Mit dieser Ehrenbezeichnung für die Kirche und den Sitz des Katholikos wollen die armenischen Christen ihre Überzeugung zum Ausdruck bringen, daß ihre Kirche so alt und ehrwürdig ist wie die apostolischen Gründungen von Antiochien, Ephesus und Rom, ja, daß die armenische Kirche letztlich ihren Ursprung im Heilswillen Christi selbst hat.

198

Im Laufe der Jahrhunderte wurde die Kathedrale mehrfach umgebaut. Ursprünglich hatte sie die Form einer basilikalen Anlage; doch schon Ende des 5. Jahrhunderts (oder erst im 7. Jahrhundert; die Ansichten gehen hier auseinander) wurde sie mit einer Zentralkuppel versehen, die nach außen von einem zwölfseitigen Pyramidendach geschützt ist. In den Blendbögen des Tambours unterhalb des Pyramidendaches erscheinen die Brustbilder der zwölf Apostel. Vom 7. Jahrhundert an nahm von hier aus der für Armenien und Georgien typisch gewordene zentrale Kreuzkuppelbau seinen Ausgang. Wo heute Armenier in der Welt Kirchen errichten, greifen sie auf die Form der Kreuzkuppelkirche mit dem an den heiligen Berg Ararat erinnernden Pyramidendach zurück; sie ist zum Symbol der nationalen Einheit und Identifikation geworden. Die heutige Kuppel von Etschmiadzin wurde im 16. Jahrhundert erneuert. Der Kirche wurde schon im 7. Jahrhundert im Osten ein Choranbau in Gestalt eines Fünfecks vorgegliedert, und im 17. Jahrhundert wurde im Westen ein Glockenturm errichtet und mit ihr verbunden; mit seiner Errichtung fand das Kunstschaffen der armenischen Steinmetze einen würdigen Ausklang. Kuppel und Wände wurden zu Beginn des 18. Jahrhunderts mit Fresken geschmückt, die in ihrer iranisch-orientalischen Formenpracht der Blumenmuster nicht ganz mit dem alten Gotteshaus zu harmonisieren scheinen. In den Jahren 1955 bis 1965 wurde die ganze Kirche archäologisch untersucht und restauriert.

Nachdem über dem mittleren Choranbau, in dem der Hauptaltar steht, im 18. Jahrhundert noch ein offener Tambour mit Helmdach errichtet worden war, ist die Patriarchatskirche in ihrer äußeren Form zum steinernen Glaubenszeugnis an den dreieinigen Gott geworden. So bringt sie in ihrem Erscheinungsbild und in ihrem Namen zum Ausdruck, daß die Kirche eine Heilsstiftung des dreieinigen Gottes ist, die Christus, der Eingeborene, der zur Erde niederstieg, auf den Aposteln gegründet hat. Im steinernen Kirchenbau haben die Armenier das geistige Wesen der Kirche gestaltet, wie es der Epheserbrief bezeugt: »Durch Christus haben wir in dem einen Geist Zugang zum Vater. ... Ihr seid auf das Fundament der Apostel und Propheten gebaut; der Schlußstein ist Christus Jesus selbst. Durch ihn wird der ganze Bau zusammengehalten und wächst zu einem heiligen Tempel im Herrn. Durch ihn werdet auch ihr im Geist zu einer Wohnung Gottes erbaut« (Eph 2,18–22). Mit Recht kann man die Kathedrale von Etschmiadzin – ähnlich wie die Hagia Sophia in Konstantinopel für die

Kirchen im griechischen Kulturraum und die Erlöser-Basilika auf dem Lateran in Rom für die Christen der römischen Tradition – als die Mutterkirche aller armenischen Christen bezeichnen.

In der Frühzeit verteidigt Elische gegenüber den persischen Machthabern und den Vertretern der persischen Staatsreligion, des sonnenverehrenden Mazdaismus, den göttlichen Ursprung des Christentums. Die Kirche ist nicht Menschenwerk oder nur in Armenien, einem Winkel der Erde, verbreitet; sie ist im wahren Sinn »die heilige katholische Kirche«, d. h. eine Gabe Gottes für alle Menschen, und in echter Weise ökumenisch, Heimat aller Nationen und Kulturen:

> *Was unsere Religion anbelangt, so ist sie keineswegs unsichtbar oder wird nur in irgendeinem Winkel der Erde gepredigt; sie ist vielmehr über die ganze Welt verbreitet, über Meer und Festland und Inseln, nicht nur im Abendland, sondern auch im Morgenland, aber auch gegen Mitternacht und gegen Mittag zu, und im Zentrum (Konstantinopel) ist sie in ihrer Fülle ganz vertreten. Nicht auf einen Menschen ist sie gegründet, unter dessen Schutz sie über die Erde ausgebreitet wäre, sondern in sich selbst trägt sie ihre Kraft. Nicht nur im Vergleich mit irdischen Dingen ist sie über diese erhaben; sie hat vielmehr von oben her, vom Himmel, ihre unfehlbare Gesetzgebung, nicht durch eine Mittelsperson. Denn es gibt nur einen Gott, und es ist keiner außer ihm, weder über noch unter ihm. ...*

> *Die Kirche ist nicht eines Menschen Werk noch die Gabe der Sonne, von der man fälschlich glaubt, daß sie Gott sei; nicht nur, daß die Sonne kein Gott ist, sie ist nicht einmal lebendig. Unsere Kirchen sind nicht Geschenke der Könige, noch Meisterwerke der Geschicklichkeit, sie sind weder Erfindungen der Weisen noch Beute soldatischer Tapferkeit noch lügenhafter Trug der Dämonen. Was immer man an irdischen Dingen anführen mag, seien es erhabene oder geringe, unter ihnen wird sich die Kirche niemals finden. Eine Gabe des großen Gottes sind vielmehr die Kirchen; sie sind nicht einem Menschen allein anvertraut, sondern allen vernunftbegabten Geschlechtern, die unter der Sonne leben dürfen.*
> *Elische, Geschichte des armenischen Krieges, 2. Kap.; Nirschl. Patrologie, III, 258*

In ihrer Liturgie bekennt die Kirche, daß Christus seine Botschaft den Aposteln anvertraut hat, damit sie den Glauben an den dreieinigen Gott allen Menschen künden. Da Christus »die Sonne der Gerechtigkeit« (Mal 3,20) ist, soll sein Licht allen Völkern leuchten. Auch die Armenier haben seine Lehre – alter Tradition zufolge – von den Aposteln Thaddäus und Bartholomäus erhalten:

Die Apostel und Blutzeugen Christi,
des allmächtigen Gottes,
haben durch des Geistes Kraft
alle insgesamt zur Kindschaft und zum Leben gerufen;
sie haben sie aufgefordert,
der wesensgleichen heiligen Dreieinigkeit
Lob zu singen in Ewigkeit.
Eingangsgesang zum Apostelfest; Steck, Liturgie, 31

Sonne der Gerechtigkeit,
du bist vom Vater ausgegangen
und hast die Apostel mit unaussprechlichen Gnaden erfüllt.
Den Weg des Lichtes haben sie
den armenischen Völkern gezeigt,
der große Thaddäus
mit Bartholomäus, dem Erleuchteten.
Festgesang zum Apostelfest; Steck, Liturgie, 15

Die Kirche ist nach Elische auf den Glauben der Apostel, wie ihn Petrus als ihr Sprecher bezeugt hat, gegründet. Nicht Petrus als Person oder sein Nachfolger in Rom ist der Felsen, den Christus zum Fundament der Kirche machte, sondern sein Glaube, dessen Felsenhaftigkeit sich im Martyrium für den Herrn erwies. Die Petrus-Qualität des Glaubens ist in allen Kirchen, bei allen Völkern und im letzten Dorf, erfahrbar:

Die Apostel zogen eilig aus, jeder in die Gegend, wohin der Heilige Geist sie führte; Petrus selbst nach dem großen Rom ... Wie Petrus zu Rom die Kirche gründete, so auch die anderen Apostel in den Ländern, in die sie gesandt waren und wo ihnen auf-

*getragen worden war, das Evangelium Christi zu verbreiten... Petrus, das Haupt
der Apostel, wurde in dieser Stadt zum Tode verurteilt, den er ähnlich wie Christus
am Kreuz erlitt. Er legte dort einen festen Felsen als Fundament für die Kirche und
erfüllte das Wort des Herrn: »Du bist ein Felsen, und auf diesen Felsen werde ich
meine Kirche bauen« (Mt 16,18). Ist doch das wahre Bekenntnis des Glaubens
wahrlich ein Felsen! Wie Petrus sich selbst durch das Zeugnis seines Todes auf Christus erbaute, so ist auch die Kirche auf den Glauben Petri erbaut worden, nicht allein
zu Rom, sondern auch hier bei uns in allen Städten und Dörfern, in den großen bis
hin zu den kleinen: derselbe Glaube, dasselbe Fundament, dieselbe Festigkeit. Denn
es gibt nur einen Herrn und eine Taufe, durch die wir die Vergebung der Sünden
erlangt haben (vgl. Eph 4,5; 1,7) und das Leben der Seele im Namen des Herrn
Jesus Christus.*

Elische, Die Predigt der Apostel; Nirschl, Patrologie, III, 261

Zu Ehren der Apostel hat Nerses einen herrlichen Hymnus geschaffen; in ihm
besingt er die Gaben, mit denen Christus sie ausgestattet hat, und die vielfältigen Aufgaben, die sie in seinem Dienst an der Welt vollziehen. Die Apostel sind wahrhaft
Mütter der Gläubigen geworden; durch ihr Wirken hat Christus sich Kinder gezeugt
im Bad der Taufe. Von diesem Verständnis ausgehend erfährt die Kirche sich als Braut
Christi und als Mutter der Glaubenden:

*Gesandte des Gottessohnes,
des selber aus dem Schoße des Vaters Entsandten.
Der vernunftbegabten Herden Hirten,
des Lebenswortes herrliche Verkünder.
Schöne Füße wandelnd,
Prediger des Friedens.
Richter Israels,
Throngenossen des Eingeborenen vom Vater.
Vom himmlischen König
beorderte Fürsten des Alls.
Streiter heldenhaft*

gegen den bösen Fürsten des Todes.
Zwölfe, die Erstbeorderten,
Siebzig, eine vollendete Zahl.
Erwählt zuvor, von Anfang an,
heilig und rein vom Mutterleib an.
Könige versammelt,
vom Himmlischen zum Kampfe vereinigt.
Ausharrend im Kriege,
die Seelen der Menschen gefangenführend.
Zu Salem, der himmlischen Stadt,
erstrahlt ihr glänzend wie Schnee,
erstrahlet in blendendem Weiß.
Von feurigen Zungen umleuchtet,
im Festsaale vergeistigt.
Der Geheimnisse, der göttlichen,
reichlich verteilende Tausendfürsten.
Gebärend im heiligen Bade
die Kinder der Menschen zu Kindern des Lichtes.
An euren Brüsten habt ihr mit Milch getränkt,
die Kinder geworden in Christus.
Mit dem Brote des Lebens, das vom Himmel gestiegen,
habt ihr gespeist die Dürftigen.
Ihr riefet zu den Betörten
mit lauter Stimme, mit mächtigem Schalle:
Im Scheine des Lichtes des WORTES
zu kommen, zu trinken die Weisheit.
Des wahren Weinstocks Reben
und Zweige, traubentragend.
Durch des Winzers, des himmlischen,
sorgsame Beschneidung Früchte bringend.
In wasserreicher Flüsse Lauf
als vierfach geteilter Strom aus Eden kommend.

Die neugegründete Stadt, die heilige,
ob der Geistsendung freuet sie sich.
Gnaden verleihend an Staubgeborene,
umsonst die Gaben der feurigen Engel.
Besitzend die Gewalt,
zu vergeben die Sünden den Erdenbewohnern.
Für schlimme Wunden ein beißend Salz,
für reine Seelen Erleuchtung schaffend.
Chorführer des Chors der Seligen
bei des Eingeborenen vom Vater Hochzeit.
Mit lebendigem Wasser vom Sprudeln des Geistes
in unserem Durste tränkt uns.
Mit Balsam, süß, heilkräftig,
macht genesen uns von unseren Krankheiten.
Des Heiligen Geistes gereinigte Tempel
mit seiner Weisheit erfüllet.
Lehrer geworden aus Fischern
und Kundige aus Unwissenden.
Des Hauses Gottes gute Verwalter,
kostbare Steine des neuen Zion.
Weise Meister der Lehrer
und Unterweiser der Klugen.
Mit dem Tau eures Blutes auf Erden
krönet ihr die Kirche.
Umwoben von Licht feiert heute
die heil'ge Kirch' euer Gedächtnis mit Pracht.
Dem, der euch mit Glorie gekrönt hat,
Glorie und Ehre bringen wir ihm dar.
Sühnung erflehet uns
von dem mit überreicher Freigebigkeit Schenkenden.

Nerses Schnorhali, Hymnus zu Ehren der Apostel;
Theol. Quartalschrift 81,103–105

Apostel Armeniens ist Gregor, den die Kirche mit dem Beinamen »der Erleuchter« ehrt. In den östlichen Kirchen bzeichnet man seit der Frühzeit die Taufe als Sakrament der Erleuchtung, da Christus, »die Sonne der Gerechtigkeit« (Mal 3,20), die Taufbewerber aus dem Dunkel irriger Gottesvorstellung in das Licht wahrer, orthodoxer, Gottesverehrung führt. Der rechte Gottesglaube ist jedoch nicht nur eine Angelegenheit des Kultes oder nur des Verstandes; er zeigt sich vielmehr in der rechten Einstellung zum Leben und zum Mitmenschen, er äußert sich in der Freude und in der Mildtätigkeit, den Zeichen der Erlösung:

Gregor, heiliger Hoherpriester,
du hast den Glauben verkündet
und die Heere der Teufel in die Flucht geschlagen,
die Menschen lehrtest du,
zu bekennen die Dreieinigkeit;
gekrönt wurdest du im Himmelreich.
Nun sei Fürbitter
bei dem Herrn für uns.
Einzugsgesang am Fest des hl. Gregor des Erleuchters;
Steck, Liturgie, 33

Den Patriarchenstuhl ziertest du auf Erden
und die apostolische Ehre empfingest du vom Himmel,
Diener Christi, Seliger
unter den Vätern, heiliger Patriarch.
Deines Lehramtes Aussaaten
haben die Ähren der Mildtätigkeit hervorgetrieben,
der Freude Frucht getragen
und den Gläubigen die Erlösung verliehen.
Bitte für uns bei dem Herrn
für unsere Seelen.
Einzugsgesang zur Messe am Fest der Kirchenväter;
Steck, Liturgie, 31

Die Verehrung des hl. Gregor ist bei den Armeniern nicht geringer als jene des hl. Andreas in der griechischen oder der Apostel Petrus und Paulus in der lateinischen Kirche. Wie Moses von Choren im 9. Jahrhundert auf Grund älterer Quellen aus dem 5. Jahrhundert berichtet, hat Gregor, der von Geburt kein Armenier war, sondern als Parther das Christentum in Persien kennengelernt hatte, seine theologische Ausbildung in der griechischen Kirche von Kaisareia in Kappadokien erhalten. (Die Verlegung nach Byzanz ist geschichtlich nicht haltbar, da Gregor um 332 starb, als Konstantinopel gerade erst zum Neuen Rom (330) eingeweiht worden war.) Zu jener Zeit war die Kirche in Kappadokien schon sehr gefestigt und verfügte über vielfältige caritative Hilfswerke. Von dort übernahm Gregor die christlichen Sozialeinrichtungen, die zum Segen für Armenien wurden und schnell der christlichen Lehre Einfluß bei den Fürsten und Ansehen beim Volk verschafften:

Gregor, wie allen bekannt, der Nation nach ein Parther, dem Gau nach ein Pahlav, aus königlichem Geschlecht, dem hervorragenden arsakidischen, aus der surenischen Linie, von einem Vater namens Anak, ist von den östlichen Gegenden unseres Landes her als Sonnenaufgang uns erstrahlt, als wahrnehmbarer Strahl einer geistigen Sonne, als Befreier von der tiefen Schlechtigkeit des Götzendienstes, als wahrhaft guter Mensch und Vertreiber der bösen Geister, als Ursache geistiger Glückseligkeit und Erbauung, als göttliche Palme fürwahr, gepflanzt im Hause des Herrn und blühend in den Vorhöfen unseres Gottes (vgl. Ps 92,13 f.). Nachdem er schon zahlreiche Stämme bekehrt hatte, hat er auch uns in seinem Alter und in der geistigen Reife zur Ehre und zum Lobe Gottes der Kirche zugeführt.

Wenn wir von dem heiligen und großen Helden reden, der nach den Aposteln den zweiten Platz einnimmt, von unserem erleuchteten Wächter über unsere Erleuchtung, von dem einzig wahren König unter allen, die seit Christus waren, dann müßten wir in den erhabensten Worten fortfahren und unseren Führer und Fürsten der Erleuchtungen als Mitarbeiter des Paulus und als Mann, der dem asketischen Johannes ebenbürtig ist, preisen. Denn es dünkt mir gut und wird auch dem Heiligen Geist gefallen, meinen Erleuchter zu schmücken mit dem Ruhm des Martyriums, ja noch mehr mit dem des Apostolates. Denn in allem, was diesen Würdebezeichnungen zu-

kommt, hat er ähnliches und gleiches wie sie vollbracht. Ich füge aber noch die kö-
nigliche Würde hinzu. Denn Gottverbundenheit und asketische Lebensweise ver-
band ihn mit diesen beiden Männern; doch durch überzeugende und gewaltige Rede
(die Armenier für Christus) zu besiegen, das war dieses Königs besondere Gnade.
Seinem Glauben entsprach in allen Dingen auch sein Handeln. Deshalb nenne ich
ihn den Weg, der zu Christus führt, und nach Gott ihn den zweiten Vater unserer
Erleuchtungen.
Moses von Choren, Geschichte Armeniens, II, 91. 92; Nirschl, Patrologie, III, 248 f.

Aus Byzanz nach Kaisareia zurückgekehrt und in Armenien angekommen, er-
neuerte Gregor alle Satzungen, welche seine Väter für ein geordnetes Leben gegeben
hatten; aber er tat noch mehr. Denn die gute Ordnung, die er bei den Griechen, zu-
mal in der Kaiserstadt Konstantinopel gesehen hatte, führte er auch hier ein. Er hielt
eine Synode der Bischöfe im Verein mit den Laien ab und ließ durch kanonische Be-
stimmungen caritative Werke errichten, damit die Wurzeln der Unbarmherzigkeit
ausgerottet würden, die in unserem Lande durch Gewöhnung zur zweiten Natur
geworden war. Denn man vertrieb die Aussätzigen, als ob sie gesetzlich als unrein zu
betrachten wären, und jene, die sich angesteckt hatten, verjagte man, damit nicht
von ihnen das Leiden auf andere übergehe. Ihre Wohnstätten waren Wüste und Ein-
öden, ihre Zufluchtsorte Felsen und Gebüsch (vgl. Jes 33,16); bei niemandem fan-
den sie in ihrem Elend Trost. Bei solcher Einstellung versorgte man auch die Ver-
krüppelten nicht, unbekannte Reisende nahm man nicht auf, Fremde beherbergte
man nicht. Gregor ließ nun in den einzelnen Bezirken an einsamen und abgelegenen
Orten Armenhäuser errichten; sie sollten wie die griechischen Hospitäler den leiden-
den Menschen zur Hoffnung werden. Er teilte diesen Einrichtungen Dorfschaften
und Ländereien zu, die einen reichen Ertrag an Feldfrüchten, Milch und Wolle auf-
zuweisen hatten, damit man die Erkrankten aus der Ferne mit allem Notwendigen
versorgen konnte und sie nicht aus ihren Heimen herauszugehen brauchten. Die
Aufsicht über diese Einrichtungen übertrug er seinem Diakon Chadd, der aus dem
Wiesenland von Karin (heute Erzerum) stammte. Er ließ auch in allen Dörfern Her-
bergen bauen, damit sie Obdach für die Fremden seien, und Pflegestätten für die
Waisen und Greise und Fürsorgestätten für die Bedürftigen. In Einöden und men-

schenleeren Gegenden erbaute er ferner Bruderhäuser und Klöster und für Einsiedler Zellen.

Moses von Choren, Geschichte Armeniens, III, 20; Nirschl, Patrologie, III, 249 f.

Die Segnungen des Christentums in religiöser wie in kultureller und sozialer Hinsicht haben in den Armeniern eine tiefe Liebe zur Kirche geweckt. In der Treue zu ihr sehen sie trotz Zerstreuung in alle Welt ihre nationale Identität gesichert. Darum preisen sie die Kirche als ihre Mutter, sie verehren sie als Dienerin Christi, die sie mit den Gnadengaben und Sakramenten des Herrn nährt und bei ihm ihre Mittlerin ist:

Gott hat gesprochen von der Höhe!
Hört es, Bewohner der Erde.
Er kam und rettete alle Geschöpfe,
auf daß wir anrufen den Namen des Herrn
und preisen Gott in der Höhe.

Wir wurden genannt das neue Israel in Christus
und wurden des Herren Erbteil
und zu Miterben Christi,
auf daß wir anrufen den Namen des Herrn
und preisen Gott in der Höhe.

Wir haben gekostet vom Überfluß des lebendigen Steins;
denn süß ist der Herr;
wir sind gesalbt im Glauben mit heiligem Öl,
auf daß wir anrufen den Namen des Herrn
und preisen Gott in der Höhe.

Unser Vertrauen haben wir auf dich gesetzt,
die du Mutter bist und Dienerin Christi;
sei du unsere Mittlerin,
auf daß wir anrufen den Namen des Herrn
und preisen Gott in der Höhe.

Auferstehungshymnus nach der Taufe;
Thon, Ordnung der Taufe, 122

2. Die Kirche als Mutter der Gläubigen und die Geburt ihrer Kinder zu neuem Leben in der Taufe

Irdische und himmlische Mutter der Gläubigen ist die Kirche. So sehen die armenischen Christen das Kirchengebäude, in dem sie zu neuem Leben getauft wurden, als ihre geistige Heimat an und betrachten es als Vorbild des himmlischen Jerusalem, des erneuerten Paradieses. Diese Überzeugung bringen sie auch in der Gestaltung der Kirchen zum Ausdruck, die oftmals wie Juwelen im südlichen Sonnenlicht leuchten und die Botschaft von der Erlösung durch Christus weit in das Land und in die islamische Umgebung hinein verkünden.

In Westpersien, in der Provinz Azerbaidjan, liegt von den schlichten Zellen eines Klosters umgeben die Kirche des heiligen Thaddäus. Das Land ist bergig, wasserarm und wirkt unter glühender Sommersonne leblos und lebensfeindlich. Diese wüstenhafte Landschaft bietet nur wenigen Menschen karge Lebensbedingungen. Die einheimische, zumeist islamische Bevölkerung, spricht einen türkischen Dialekt und nennt das christliche Gotteshaus Kara Kilise, Schwarze Kirche. Das Thaddäuskloster und die in seiner Mitte stehende Kirche liegen auf einer kleinen Hochebene, die auf drei Seiten von einem tiefeingeschnittenen Bach begrenzt wird. Das Kloster, oftmals seit dem Einfall der islamischen Seldschuken im 13. Jahrhundert ausgeplündert, ist heute aufgegeben. Die Zellen stehen leer, die Wirtschaftsgebäude sind weitgehend zerstört. In der Kirche wird nur gelegentlich Gottesdienst gefeiert, wenn aus einer größeren Gemeinde, wie etwa Täbris, ein Geistlicher hierher kommt. In der Umgebung leben nur noch ein paar armenische Christen. Ende der siebziger Jahre ließ die iranische Regierung aber durch französische Spezialisten Restaurierungsarbeiten durchführen.

Tafel XXI: Thaddäuskirche in Westpersien

Fast den ganzen Klosterhof nimmt die Thaddäuskirche ein. Wegen ihres Reliefschmucks zählt sie zu den faszinierendsten Kirchenbauten Armeniens. Ähnlich wie die Etschmiadzin-Kirche gliedert sie sich in drei Gebäudeteile. Im Westen steht ein triumphartiger Vorbau; er ist unvollendet und sollte den Glockenstuhl aufnehmen. Den Ostabschluß bildet eine alte Kirche in quadratischer Form; sie besitzt eine große Apsis, in der sich auf erhöhtem Podest der Altar befindet. Zwei kleinere Apsiden sind vom Kirchenraum aus zu erreichen. Gekrönt wird dieses Gebäude von einem kuppel-überdeckenden Pyramidendach von etwa 19 m Höhe. Diese ältere Kirche stammt aus dem Anfang des 6. Jahrhunderts. Die Legende will natürlich, daß sie schon von einem der zwölf Apostel, von Judas Thaddäus, erbaut wurde. Er soll, von Palästina über Syrien kommend, im Jahre 66 in dieser Gegend sein Missionswerk begonnen haben und nach seinem Martyrertod in der von ihm errichteten Kirche bestattet worden sein. Auf jeden Fall gehört die Thaddäuskirche zu den ältesten Gotteshäusern Armeniens. Erneuert wurde sie im 14. Jahrhundert. Gegen Einsturzgefahr hat man die Mauern mit hölzernen Stützbalken gesichert. Die in den Jahrhunderten schwarz gewordenen Kalksteine haben der Kirche den volkstümlichen Namen Kara Kilise, Schwarze Kirche, eingetragen.

Beide Gebäude, der triumphartige Vorbau und die alte Kirche, werden von einer großen, wiederum fast quadratischen neueren Kirche aus hellen Kalksteinen verbunden; zwei seitliche Apsiden verleihen ihr die Form eines Kreuzes. Das Pyramidendach erhebt sich in eine Höhe von etwa 25 Metern. Es ruht auf einem von zwölf Fenstern durchbrochenen Tambour, durch die das innen gedämpft wirkende Licht einfällt. Der zentrale Zwischenbau der Kreuzkuppelkirche wurde zwischen 1810 und 1820 errichtet; er knüpft an ältere Vorbilder an und beschließt die im 17. Jahrhundert eingeleitete Renaissance armenischer Architektur. Bewußt ahmt die „weiße" Thaddäuskirche in der Architektur den Mittelbau der Etschmiadzin-Kirche nach, übertrifft diesen aber bei weitem in der Gestaltung der Außenwände durch den großartigen Reliefschmuck. Zur Zeit ihrer Erbauung wollten die persischen Behörden den Katholikos für die Übersiedlung aus dem von den Russen annektierten Etschmiadzin in das Thaddäus-kloster gewinnen; es gelang jedoch nicht.

Tafel XXII:
Paradiesfries an
der Thaddäus-
kirche

Fast ganz ist das äußere Mauerwerk der neuen Thaddäuskirche von Reliefschmuck überzogen. In einem Band von Blendarkaden, gebildet von Halbsäulen, die sich in Rundbögen treffen, reiht sich ein Relieffeld an das andere. Die flachen Reliefs stellen reich verzierte Lebensbäume, wie sie die persische Kunst kennt, Heiligengestalten und armenische Kreuze dar. In den Zwickeln der Arkadenbögen befinden sich Cherubim-köpfe, von sechs Flügeln umgeben. Ähnlich wie das Weinrankenrelief von Achtamar umschließt und krönt auch hier ein doppeltes Reliefband die neue Thaddäuskirche.

210

Der untere Teil besteht aus einem reichen Gebinde stilisierter Pflanzen, der obere zeigt, eingerahmt von Pflanzenornamenten, Menschen bei der Arbeit, bei der Jagd, beim Spiel mit Tieren, Liebespaare, grasende und jagende Tiere und das Sonnensymbol. Der Reliefschmuck erinnert durchaus an den Schmuck der älteren Kreuzkirche von Achtamar im Vansee. Während dort aber die Reliefs zu tiefer und lebendiger Plastizität ausgearbeitet sind und in freier Anordnung gleichsam über die Wände hingestreut wurden, weist die hiesige Kirche eine straffe, schematische Ordnung auf, der nicht jene Ausdruckskraft innewohnt wie den Plastiken an der Kreuzkirche. Dennoch macht die Thaddäuskirche mit diesem einzigartigen Reliefschmuck in wüstenhafter Umgebung einen bezaubernden Eindruck.

Sinn dieser in Stein gehauenen Bilder ist es, die Kirchen als Vorbild des Paradieses zu sehen und sie als Symbol des himmlischen Jerusalem zu feiern. Ihren Reliefschmuck hat die Kirche wie ein bräutliches Gewand angelegt und bezeugt im steinernen Material die künftige Unsterblichkeit ihrer Kinder. Die Plastiken sind mehr als äußere Zutat; sie bestimmen das Wesen der Kirche als Begegnungsstätte von Gott und Menschen. Wie durch die Taufe die Glieder der Kirche zu neuen Menschen in Christus gestaltet werden, so wird auch der steinerne Bau durch die Weihe zum Paradies und erhält ein neues Gesicht: »Sendest du deinen Geist aus, so . . . wird das Angesicht der Erde erneuert« (Ps 104,30). Anders als bei den byzantinischen Gotteshäusern, die ihren auf das himmlische Jerusalem hinweisenden Bildschmuck ganz nach innen verlegen, strahlen die armenischen Kirchen ihre Botschaft von der Erneuerung der Welt durch die Menschwerdung Gottes in alle Himmelsrichtungen aus. Gottes Wohnung steht nun inmitten der Lebenswelt der Menschen; es gibt für sie keine Trennung mehr zwischen Arbeitswelt, Natur und Gottesverehrung. Die ursprüngliche und wiederkehrende Harmonie des Paradieses läßt sich am Gotteshaus und seinem Schmuck erahnen. Der Cherub auf unserem Bild verschließt nicht mehr den Paradiesgarten, wie es ihm nach dem Sündenfall aufgetragen war (Gen 3,24). Christus hat die Schöpfung und die Menschheit erneuert; so darf der Cherub und mit ihm alle Engelsmächte zum Weggeleiter ins Paradies werden. Im erneuerten Paradies, inmitten üppiger Pflanzenpracht, fühlen die Menschen sich nicht mehr wie nach dem Sündenfall »nackt«; sie brauchen sich nicht mehr vor Gott zu verbergen, da er sie in der Fülle seines Lebens birgt. In liebender Umarmung begegnen sie einander.

Zur Kommunion, dem Sakrament der Einheit, verehren in jeder Meßfeier die Gläubigen ihre Kirche. Der Kommuniongesang macht deutlich, daß sie als personhaft geistige Gestalt gesehen wird, die sich in ihrer irdischen Erscheinungsweise im Kirchengebäude verleiblicht hat. Für die Gemeinde ist sie die Mutter des Glaubens und als heiliger Hochzeitssaal der Ort, an dem Christus sich mit seinen Gliedern zu lebendiger Gemeinschaft vereinigt. Als Braut Christi gebiert sie ihm im Bad der Taufe Kinder des Lichtes und nährt sie mit der sakramentalen Speise, die er ihr anvertraut hat:

Mutter des Glaubens, heiliger Hochzeitssaal,
erhabenes Brautgemach,
Wohnung des unsterblichen Bräutigams,
der dich schmückte für ewig.

Ein zweiter Himmel du, bewundernswürdig,
von Herrlichkeit zu Herrlichkeit erhoben,
uns, dem Lichte gleiche Söhne, zeugtest du
durch das Bad der Wiedergeburt.

Du teilst aus dieses reinigende Brot,
gibst zu trinken dein ehrwürdiges Blut,
erhebst uns zu höherer Würde,
den Geistwesen gleich.

Kommt, Söhne des neuen Zion,
nähert euch unserem Herrn in Heiligkeit,
kostet und seht,
wie gütig unser Herr ist in seiner Macht.

Der Alte Bund ist Vorbild und Gleichnis für dich
und du ein Bild des himmlischen Heiligtums;
jener zertrümmerte bronzene Tore (Jes 45,2),
du aber von Grund auf die Tore der Hölle.

Jener hat geteilt den Jordan,
du das Meer der Sünden der Welt;

bei jenem war Josua Heerführer,
doch bei dir Jesus, der Eingeborene des Vaters.

Dieses Brot ist der Leib Christi,
dieser Kelch das Blut des Neuen Bundes,
das große verborgene Mysterium,
in welchem Gott sich uns sehen läßt.

Dieser ist Christus, das göttliche WORT,
der zur Rechten des Vaters sitzt
und für uns geopfert wird,
der hinwegnimmt die Sünden der Welt,

welcher gepriesen ist in Ewigkeit
einmütig mit dem Vater und dem Geist,
jetzt und mehr und in Zukunft
und auf die Dauer der Zeiten. Amen.
Kommuniongesang; Steck, Liturgie, 93–95

In mystischer Schau und mit Worten tiefer Gläubigkeit spricht Nerses die Kirche an als die himmlische Braut Christi. Mit ihren Kindern, welche sie im Blutbad des Martyriums zum Leben geboren hat, hat sie jetzt schon Anteil an der Herrlichkeit ihres unsterblichen Bräutigams. Da sie die himmlische Mutter ihrer Kinder auf Erden ist, wird sie sich mit ihrer ganzen Liebe für die Vereinigung ihrer Glieder mit dem Haupte Christus einsetzen. Nerses stellt uns in seinem Hymnus das Bild von der Kirche als dem mystischen Leib Christi vor Augen, wie es im Epheserbrief vorgezeichnet ist: »Die Kirche ist sein Leib und wird von ihm erfüllt« (Eph 1,23):

Mit Worten froher Botschaft
laßt uns in persönlicher Weise die Rede richten
an dich, du Kirche,
du himmlische Tochter Zion.

Als unzählige Sterne gebarst du,
Hochherrliche und Himmelansteigende,

die taubengleichen Küchlein, die du trugst
und eintauchtest in ihr eigenes Blut.

Du thronst im Zelte,
dem weißglänzenden, flammenartigen,
das deine Kinder für dich bereiten
durch ihre Peinen und ihr heiliges Blut.

Im reinen und himmlischen,
im unzugänglichen Lichte weilst du
zum Lohne für ihre finsteren
Banden und Fesseln.

Deine Stärke zu überwinden
vermochten die Pforten der Unterwelt nicht;
denn der Bräutigam ließ für dich sich kreuzigen,
und die Hochzeitskinder sind ermordet worden.

Am Lebensbrot
und am Lebenstranke erfreust du dich,
weil erduldet haben
jene Hunger und Durst.

Einen unsterblichen Bräutigam besitzt du,
wenngleich er starb aus Liebe zu dir;
auch die Kinder verharren im Leben,
obwohl du sie hingabst dem Grabe.

In Unvergänglichkeit auf ewig
jubelst du, frohlockend, die du eine Weile warst unfruchtbar,
da du nun wohnest im Hause
als Mutter mitsamt deinen Kindern, frohen Sinnes.

Von unsagbarer Liebe bist du gefesselt,
in Liebe zu deinem unsterblichen Bräutigam,

und umarmst deine Kinder
mit zärtlichen heiligen Küssen,

wenn du neugestaltet, neubeschwingt,
strahlend im Lichte erglänzt
der Sonne gleich
im Reiche, der Satzung gemäß.

Zu einer einzigen Harmonie
lies aus die Seelen deiner Erstlinge,
sammle sie, lege Fürsprache ein
für das Heil der hier Lebenden,

so wie du einstens uns gebarst
im lichtgeschmückten Bade,
um wieder uns zu erneuern
von unseren alten Sünden,

in drei Zeitläufen
überreichlich zu schenken das Erbarmen,
jetzt und für die Zukunft,
für die endlose Ewigkeit.

Vereinigen wird uns zu einer Fülle
die katholische, die himmlische Zion,
und alle insgesamt
mit den seligen, den heiligen Martyrern,

zu läutern, in blendendem Weiß erstrahlen zu lassen
das Gewand unserer Seelen
durch das Strömen ihres Blutes
und ihre duftenden Opfer,

mit dem Haupte abermals
uns zu verknüpfen in seiner Liebe,

die Seelen, die verwitwet gewesen,
zu vereinen mit ihrem Bräutigam,

zu heiligen das Blut der Lämmer
und heilig zu machen die Asche der Brandopfer,
zu schaffen das zweite Bad
zur Läuterung der Sünder.

Dem dreifach einen Wesen,
dem Kröner der Gekrönten,
dem Sohne mitsamt dem Geist des Vaters
sei Ehre auf immer und auf ewig!
Nerses Schnorhali, Hymnus zu Ehren der Martyrer;
Theol. Quartalschrift 81,107–109

Personhafte Urgestalt der Kirche, die als Braut und Mutter erscheint, ist Maria, die Mutter Christi. Wie er aus ihrem Schoß zum irdischen Leben geboren wurde, so empfangen die Christen im Taufbrunnen der Kirche das göttliche Leben. Jene Kraft, die beide Male den Lebensprozeß ermöglichte, ist der Heilige Geist. Bereits bei der Erschaffung der Welt schwebte er über der Urschöpfung und verlieh ihr Leben und Fruchtbarkeit; ähnlich war sein Wirken an Maria und ist es weiterhin in der Kirche:

Sohn Gottes und WORT des Vaters,
uns zuliebe wurdest du ein Kind
von der heiligen Jungfrau Maria:
Heilige sie, die zu Kindern gemacht worden sind
durch den heiligen Brunnen der Heiligkeit.
Denn sie, die getauft und erleuchtet werden,
empfangen die Würde adoptiver Sohnschaft
durch die Gnadentaufe, die du den Gläubigen verliehen hast
kraft des Gnadengeschenkes an die Apostel;
ihnen sagtest du: Taufet sie
im Namen des Vaters, des Sohnes und des Heiligen Geistes.
Gebet bei der Beerdigung von Kindern;
Conybeare, Rituale Armenorum, 288

Quell des Lebens, Spender der Gnaden,
Geist, gekommen herab von der Höhe,
du hast ausgeteilt deine unverderblichen Gaben
unter den Aposteln.

Als du schwebtest über den Wassern,
hast du die Kreaturen geschaffen;
nun aber, da du herabkommst in die Wasser dieses Brunnens,
bringst du hervor Gotteskinder.

Du hast errichtet und erneuerst allzeit
deine neue Kirche,
so daß ihre Kinder erstrahlen
ob deiner verschiedenen Gaben.

Geisthymnus bei der Taufsalbung (Firmung);
Thon, Ordnung der Taufe, 121

Was grundlegend an Maria und in der Kirche durch das Wirken des Gottesgeistes geschieht, wird zur konkreten Wirklichkeit an jedem Gläubigen, der sich taufen läßt. In der Taufe empfängt er durch den Heiligen Geist neues, göttliches Leben und die Fähigkeit, Früchte des Geistes zu bringen, deren Lohn einst die Teilnahme am vollendeten Leben Christi in Herrlichkeit sein wird. Als Christus in den Jordan hinabstieg, um sich taufen zu lassen, wurde das Wasser durch den Geist Gottes, der über ihm schwebte, geheiligt. In diesem Geschehen hat Christus das Sakrament der Taufe begründet, so daß durch das Segensgebet der geistdurchdrungenen Kirche Wasser zum Taufwasser wird und der Täufling in ihm, dem Mutterschoß der Kirche, zu neuem Leben geboren wird:

Diesen deinen Diener, Herr, hast du berufen
zur Heiligkeit und zur Erleuchtung durch die Taufe.
Wir bitten dich,
mache ihn würdig deiner großen Gnade.
Nimm von ihm das alte Gewand der Sünde
und erneuere ihn zu neuem Leben.

Erfülle ihn mit der Kraft des Heiligen Geistes,
daß er die durch deinen Christus erneuerte Herrlichkeit besitze
und dir, dem Mächtigen, und deinem eingeborenen Sohn
und dem befreienden Heiligen Geist
Preis, Herrschaft und Ehre erweise,
jetzt und allezeit und in alle Ewigkeit der Ewigkeiten!
Gebet vor der Taufe; Thon, Ordnung der Taufe, 121

Herr, du hast durch deine große Macht
das Meer und das Land und alle Kreaturen darin erschaffen. ...
Du hast die heiligen Apostel ausgesandt,
gabst ihnen den Befehl,
allen Nationen zu predigen und sie zu taufen
im Namen des Vaters und des Sohnes und des Heiligen Geistes.
Du hast auch angeordnet durch dein unfehlbares Wort,
daß jene, die nicht aus dem Wasser und dem Geist geboren werden,
nicht in dein Königreich eingehen sollen.
So ist dieser dein Diener,
der in Ehrfurcht zu deinem Worte steht
und das ewige Leben begehrt,
freiwillig zur Taufe in diesem geistlichen Wasser gekommen.

So bitten wir dich nun, Herr,
sende deinen Heiligen Geist in dieses Wasser
und heilige es, wie du den Jordan geheiligt hast,
als du in ihn gestiegen bist
und diesen Taufbrunnen zur Erneuerung
aller Menschen vorgebildet hast,
du, unser Herr Jesus Christus,
der allheilig und sündelos ist.

Gewähre, daß dieses Wasser,
in dem dieser dein Diener jetzt getauft werden soll,

ihm zur Vergebung der Sünden gereiche
und zum Empfang des Heiligen Geistes,
zur Annahme als Kind des himmlischen Vaters
und zum Erben des himmlischen Königreiches.

Er möge, von Sünden gereinigt,
in dieser Welt leben und deinem Willen entsprechen
und in der kommenden Welt die unerschöpflichen Güter erlangen
mit all deinen Heiligen.
Er möge dir freudig danksagen
und dich verherrlichen allezeit
mit dem Vater und dem Heiligen Geist.
Segnung des Taufwassers; Thon, Ordnung der Taufe, 119 f.

Als Braut Christi und Mutter der Gläubigen ist die Kirche in ihrer leiblichen Gestalt, als Kirchengebäude, mehr als jede andere Stätte in der gottgeschaffenen Natur ein heiliger Ort, ein Ort der Gottesbegegnung, der Ort, an dem Christus seit seiner Auferstehung in „herrlichen und heiligen Zeichen" sakramental erfahrbar ist. In der Kirche, dem „Versöhnungsort" Gottes mit den Menschen, feiern die Engel und die Gläubigen gemeinsam die Liturgie zur Verherrlichung ihres Schöpfers. Die Kirche ist für die armenischen Christen die geistige Heimat und ein Bild des künftigen Paradieses:

Laßt uns den Herrn mit unserer heiligen Kirche bitten,
daß er uns durch sie von unseren Sünden erlöse
und durch die Gnade seiner Erbarmung rette:
Allmächtiger Herr, unser Gott,
rette uns und erbarme dich unser!

In der Mitte dieses Tempels
und vor diesen Gott genehmen, herrlichen und heiligen Zeichen
und an diesem heiligen Ort werfen wir uns in Ehrfurcht nieder

und beten an und preisen
deine heilige, wunderbare und siegreiche Auferstehung.
Wir bringen dir dar Macht und Herrlichkeit
zusammen mit dem Vater und dem Heiligen Geist,
jetzt und allezeit und von Ewigkeit zu Ewigkeit.

Lasset uns preisen den Vater unseres Herrn Jesus Christus,
der uns gewürdigt hat, an den Ort der Lobpreisung zu kommen
und geistliche Lieder zu singen:
Allmächtiger Herr, unser Gott,
rette uns und erbarme dich unser!

In der Wohnung der Heiligkeit
und an dem Ort der Verherrlichung,
dieser Wohnung der Engel und diesem Versöhnungsort der Menschen,
vor diesen Gott genehmen, erleuchteten und heiligen Zeichen
und vor diesem heiligen Altar werfen wir uns in Ehrfurcht nieder
und beten an und verherrlichen
deine heilige, wunderbare und siegreiche Auferstehung.
Wir bringen dir dar Macht und Herrlichkeit
zusammen mit dem Vater und dem Heiligen Geist,
jetzt und allezeit und in Ewigkeit.
<small>Gebet beim Einzug in die Kirche; Steck, Liturgie, 10 f.</small>

Besitzt jeder Mensch aufgrund seiner Herkunft von Gott eine unverletztliche Würde, die ihn, da er geistbegabtes und personhaftes Abbild des Schöpfers ist, über alle Geschöpfe erhebt, so empfangen die Getauften darüber hinaus eine unvergleichliche Gabe: Gott macht sie zu seinen Söhnen und Töchtern und beruft sie zu seinen himmlischen Erben. Die Berufung zum ewigen Leben muß sich aber als »Beruf« im irdischen Raum erweisen, wie der Kirchenvater Mesrop betont: In der tätigen Liebe an den Brüdern bezeugt der Christ seine geistige Kindschaft in Gott:

*Die Liebe drängte den Schöpfer der Schöpfung, alle Geschöpfe zu schaffen, die
sichtbaren wie die unsichtbaren; nicht weil seine Gottheit ihrer bedurfte, sondern
damit seine Herrlichkeit offenbar werde, welche Engel und Menschen an den Geschöpfen erkennen und sehen können. Wie er von den Lebenden nichts nimmt, ihnen
vielmehr das Leben gibt, wie das Licht nicht von den Augen, sondern diese vom
Licht erleuchtet werden und sich nicht selbst sehen können, so belebt und erleuchtet
der Herr seine denkenden und vernunftbegabten Geschöpfe und teilt ihnen Gnaden
zu, wie er es will. Wenn jedes auch nur einen Teil der Gaben empfängt, so ist es doch
derselbe Gott, welcher alles in allem gelingen läßt. Den Engeln und Menschen hat
er, um sie zu ehren, den freien Willen gegeben, damit sie den gütigen Gott verherrlichen, der sie aus dem Nichtsein zum Dasein brachte und der sie die rechte Weise der
Gottesverehrung entsprechend der Heiligen Schrift lehrte; sie sollen das Böse meiden
und das Gute tun und so zu noch größerer Ehre erneuert werden.*

*Darin zeigt sich Gottes Liebe zu uns, daß er Himmel und Erde und die Geschöpfe
auf ihr für uns geschaffen hat. Durch solche Fürsorge hat er die Güte seiner Liebe geoffenbart. ... So sehr hat Gott die Menschen geliebt, daß er uns göttliche Ehre und
Herrlichkeit geschenkt hat. Er hat diese Welt der Menschen wegen geschaffen, damit
sie hier geboren werden, sich ernähren und in Rechtschaffenheit und Gerechtigkeit
leben. Und wenn sie die Tugend üben und seine Gebote beobachten, schenkt er ihnen seine unsterbliche, kostbare und göttliche Herrlichkeit und läßt sie teilhaben an
den unvergänglichen Gütern und der ewigen Freude. Was wir angedeutet haben, ist
nur wenig von den unzähligen Wohltaten. Wie die Kinder im Leib der Mutter nicht
wissen, in welchen Zustand sie versetzt werden, und Gottes Geschöpfe noch nicht sehen und genießen können, so können auch wir das Künftige noch nicht begreifen,
wie der Apostel sagt: »Stückwerk ist unser Erkennen und Stückwerk unser prophetisches Reden; wenn aber das Vollendete kommt, vergeht alles Unvollendete«
(1 Kor 13,9 f.). Unaussprechlich ist dieses alles umfassende Heil; selbst die unster-
lichen Engel können es nicht verstehen, geschweige daß einer der Sterblichen es mit
seinem Verstand erfassen und aussprechen kann. Wie die Finsternis vor dem Lichte
flieht, so weicht das irdische vor dem himmlischen und unsterblichen Leben.*

*Wegen solcher Gaben müssen wir uns um das Gute mühen und im Wohlgefallen
Gottes bleiben, der voll guter Verheißungen ist. Fliehen wir die unreinen und scham-*

losen Begierden und das Böse, für das uns schmerzliche Strafe angedroht ist; folgen wir vielmehr dem Glanz des himmlischen und reinen Lebens. Üben wir wohltätige Liebe gegen die Brüder in allen Nöten des Lebens; pflegen wir die guten Überlieferungen zum Heil der Seele und des Leibes, damit wir zur Gnade der Kindschaft geladen und gerufen werden. Denn das Gute hat Gott uns eingepflanzt, aber auch den freien Willen zum Erweis, ob wir auch immer das Gute tun wollen. Die Gesetze des Geistes sollen in unseren Herzen gefestigt werden, die Hoffnung, die Liebe, der Glaube und noch andere Tugenden. Zur freien Entscheidung sind Engel und Menschen gerufen. Denn wir sollen Erben des himmlischen Lebens werden; der Schöpfer will uns mit einer Seligkeit beglücken, die unaussprechlich ist.

Mesrop, 2. Rede: Die Eigenschaften der heiligen Dreifaltigkeit;
nach Schmid, 19–23, und Sommer und Weber, 257–261

In der Naturordnung ist die Gotteskindschaft aller Menschen grundgelegt; da der Mensch aber durch die Sünde sich von Gott abgewandt hatte, hat Gott sie durch seine Menschwerdung in Christus erneuert und gefestigt. Gott ist in solch absoluter und totaler Weise Vater, daß er nicht nur für die Belange seiner Kinder sorgt, sondern selbst ein Kind wird. In dem geschichtlichen Jesus von Nazareth macht er sich die Menschen zu Brüdern und zeigt ihnen den besten Weg, der zu ihm heimführt. Die Vaterschaft Gottes begründet die Gotteskindschaft der Menschen:

Das Vaterunser ist edel im Inhalt und voll Hoheit im Ausdruck. Nach oben lenkt es den Blick und lehrt uns, daß Gott der Vater aller Menschen ist. Das Verlangen nach Erbarmen drängt die Kinder, zum Vater zu flehen, und die Zuneigung des Vaters zu den Hilfesuchenden weckt in ihm die Barmherzigkeit. Die Kinder sollen nach dem Willen des Vaters leben, doch der Vater richtet sich auch nach dem Willen der Kinder, stillt ihre Nöte und macht sie zu Erben seines ganzen Reichtums. ... Nur einer ist Vater und Schöpfer der ganzen Welt. Ohne die Begierlichkeit der Zeugung und ohne die Schmerzen der Geburt hat er alles, das Sichtbare und das Unsichtbare, hervorgebracht. Da er sich Kinder gezeugt hatte, wurde er sogar ein Mensch unter ihnen und lehrte sie, sich zum himmlischen Vater zu erheben. Denn die Welt sollte nicht ständig im Kindesalter bleiben und nur Milch und Brei genießen; sie sollte nicht im abstoßenden Schmutz liegen bleiben, vor dem die Mütter und Ammen sich ekeln

222

und von dem die Erzieher und Pfleger sich abwenden. Diese Personen waren das Gesetz und die Propheten; sie haben die Menschen im Meere gewaschen und konnten sie doch nicht sauber machen, die haben sie durch Flüsse geführt und doch nicht reingewaschen. ... Da erbarmte sich der himmlische Vater und neigte sich zur Erde; er fand sie alle in unerträglichem Blutvergießen und bei den toten Opfern des Götzendienstes. Da nahm er sie, reinigte sie und bekleidete sie mit dem himmlischen Gewand. Er lehrte und unterwies sie wie ein Vater, damit sie zum geliebten Vater im Himmel beten konnten. Wenn ihr betet, sagte er, so macht nicht wie die Kinder viele Worte (vgl. Mt 6,5). Gott achtet auf die Gedanken des Herzens; er ist gütig und vergilt die guten Werke. Es genügt, daß der Mund das Bekenntnis spreche: Vater unser im Himmel, geheiligt werde dein Name!

Das ist das größte Gnadengeschenk an die Menschheit, daß Gott der Vater aller Menschen ist. Die Engel können ihn nicht Vater nennen; wenngleich sie mächtige geistige Wesen sind, so sind sie doch seine Diener (vgl. Hebr 1,14) und nicht seine Söhne. Mensch, bedenke wohl, welcher Ehre du gewürdigt wurdest: Du darfst Gott Vater nennen. Und auch dies beherzige gut: Sei dem Vater ähnlich, damit groß und klein erkennen kann, daß du wirklich ein Kind Gottes bist. ... Er, der von Natur her unser Gott ist, ist aus Gnade in seiner Gottheit unser Vater.

Da Gott der Vater aller Menschen ist, ist Christus der Bruder aller, die seinen Willen tun. Er war König und wurde dein Bruder. Diese Gnade ist größer als das Geschenk der ersten Schöpfung. ... Denn jetzt hat er mit seiner Lehre die Jünger Söhne genannt und die Knechte zu Herren gemacht. Die dem Tod Verfallenen hat er zur Unsterblichkeit eingeladen, wenn er uns zu beten heißt: Dein Reich komme!
Elische, Erklärung des Vaterunsers; nach Weber, 278–280

Die durch göttliche Liebe und Gnade geschenkte Nähe des Menschen zu seinem Schöpfer ist nicht nur geistiger Art, die gleichsam individuelles Heil verheißt. Im praktischen und sozialen am Glauben orientierten Handeln erweist sich die weltverändernde Kraft der Kinder Gottes. Kind Gottes kann man nur sein im Hinblick auf den Gott, der Vater aller Menschen ist, und im Hinblick auf die Menschen, denen man vor Gott zum Bruder wird. Die Gnade der Gotteskindschaft schließt die Berufung ein, als

Mitarbeiter Gottes zu wirken am irdischen Wohl der Brüder und zu ihrem ewigen Heil:

Gott ist wesenshaft der Vater seines eingeborenen Sohnes: Vom Leben das Leben, vom Licht das Licht, vom Guten das Gute. Aber er wird auch unser Vater aus Gnade genannt: Das Licht, welches uns erleuchtet durch den Glauben, das Leben, welches uns belebt. Für diese Wahrheit gibt es unter uns Menschen einen Vergleich: Dem einen ist jemand Vater von Natur, dem anderen durch Vormundschaft über Waisen. So macht Gott uns sich verwandt und übernimmt als Schöpfer gleichsam eine Vormundschaft, um die Verirrten durch die Güte eines wohltätigen Vaters zurückzuführen zur Gotteserkenntnis. In gleicher Weise sollen auch wir ihm in seiner Güte ähnlich werden durch Barmherzigkeit gegen die Sünder, daß sie nicht ganz zugrundegehen. Mit Klugheit sollen wir sie zur Rechtschaffenheit nach den Geboten Gottes führen, damit sie seine Weisheit und Ermahnung lernen, wissen und erkennen. Den Verirrten sollen wir durch Zeichen und Künste den rechten Weg weisen; die Schüler sollen wir im Glauben festigen, damit sie in der Wahrheit unerschütterlich feststehen und beharrlich bleiben in allen Versuchungen. Nach dem Beispiel des Herrn und seiner Liebe sollen wir alle ermahnen, sich nach seinem Ruf zu sehnen. In Milde sollen wir für sie sorgen und sie pflegen, für viele Lasten und Leiden tragen und sie zur Gnade der Taufe und Buße rufen. In Langmut und Klugheit sollen wir alle mit dem geistigen Netz für die Gottesverehrung fangen. Wir sollen jene erleuchten, die durch Sünden und Ungerechtigkeit verfinstert sind, sie läutern, reinigen und von der Knechtschaft Satans befreien, sie durch die Tauferleuchtung zu einem neuen Menschen machen, der nach Gott geschaffen ist in Gerechtigkeit und Wahrheit (Eph 4,24), und sie ablegen lassen den alten Menschen mit seinen bösen Werken (Eph 4,22), damit sie würdig werden der Krone der Herrlichkeit (1 Petr 5,4).

Diese Künste hat uns der Vater, der Sohn und der Heilige Geist gelehrt, welcher uns stets zu Mitarbeitern seines gütigen Willens macht nach den Überlieferungen der Wahrheit; sie bringt das Volk in unverfälschtem Glauben den Wohnungen der Heiligen nahe. So wurden auch wir unterwiesen in den Geboten, im Glauben, in der Hoffnung, in der Liebe, in der Gerechtigkeit durch die Werke der tugendhaften Menschen, der wahren Apostel, der Propheten, der rechtgläubigen Lehrer, der Mar-

tyrer, welche uns Geduld im Leiden lehren, der Bekenner, welche Enthaltsamkeit, der jungfräulichen Asketen, welche Reinheit und Tugendhaftigkeit, der Büßer, welche Verzeihung lehren. Durch alle diese Dienste hat Gott sein Volk unter den Menschen auserwählt, damit es die guten Werke nachahme und auch unvergängliche Kronen empfange von seiner Güte. Denn sie haben den Schöpfer geliebt und sind von ihm geliebt worden. Durch seine Gnade hat er sie verherrlicht und auf Erden und im Himmel ausgezeichnet, er, der ist und bleibt in Ewigkeit.

Mesrop, 2. Rede: Die Eigenschaften der heiligen Dreifaltigkeit; nach Schmid, 29–31, und Sommer und Weber, 266 f.

3. Vergegenwärtigung des Heilshandelns Christi in der Eucharistiefeier der Kirche

Die Altäre in den armenischen Kirchen stehen, von keiner Ikonostase wie in byzantinischen Gotteshäusern abgeschirmt, auf einem Podest im Chorraum, so daß sie von allen Seiten sichtbar und zugänglich sind. Fast ausnahmslos befindet sich an der Wand über dem Altar ein großes Bild der Gottesgebärerin Maria mit ihrem Kind Jesus, dem menschgewordenen Gott.

Tafel XXIII: Altar und Marienbild – die Zeichen der lebenspendenden Entäußerung Christi

In der Auferstehungskirche von Jerusalem, in der Anastasis, gehört der armenischen Gemeinde auf der linken Empore neben der Rotunde eine Marienkapelle; sie wurde in den siebziger Jahren unseres Jahrhunderts aus dem Geist der Vätertradition neu gestaltet. Sonnensymbole schmücken die Vorderseite des Altares; sie greifen altarmenische und -iranische Formen auf und weisen den Altar als Thron Christi aus, der „die Sonne der Gerechtigkeit" (Mal 3,20) ist. Christi Heilswirken hat sich gleichsam kristallisiert in seinem Todesleiden; er hat es als Konsequenz seines Lebens und seines Einsatzes für die Gottesherrschaft auf sich genommen. Das marmorne Kreuz auf dem Altar, geziert mit dem Endlosband, dem Sinnbild der Ewigkeit, den Weintrauben als Zeichen der Lebensfülle und -freude und dem Sonnensymbol im Zentrum, steht für Christus selbst, der hier inmitten der feiernden Gemeinde gnadenhaftsakramental gegenwärtig ist.

Das Mosaik an der Rückwand »erinnert« an die geschichtliche Grundlage für das Geschehen auf dem Altar, und die eucharistische Feier ermöglicht es den Gläubigen, das Heilsgeschehen durch »Verinnerlichung« in sich aufzunehmen, an ihm teilzuhaben. Maria hat dem Sohne Gottes einen Leib bereitet und ist ihm inmitten der dunklen Menschheitsgeschichte zur Mutter und Heimat geworden. Die dunkle Höhle im Hintergrund des Bildes ist nicht nur die Grotte von Bethlehem, in ihr erscheint vor allem das Dunkel irdischer Existenz, das Leid und die Todesverfallenheit der Menschen, die hinein Christus sich bei der Menschwerdung und in seinem Sterben entäußert hat: »Er war Gott gleich, hielt aber nicht daran fest, wie Gott zu sein, sondern er entäußerte sich und wurde wie ein Sklave und den Menschen gleich. Und sein Leben war das eines Menschen; er erniedrigte sich und war gehorsam bis zum Tod, bis zum Tod am Kreuz« (Phil 2,6–8). Und doch ist er der Herr, der Kyrios über Himmel und Erde, der Sohn Gottes: »Darum hat Gott ihn über alle erhöht und ihm den Namen verliehen, der größer ist als alle Namen, damit alle im Himmel, auf der Erde und unter der Erde ihre Knie beugen vor dem Namen Jesu und jeder Mund bekennt: Jesus Christus ist der Herr! – zur Ehre Gottes, des Vaters« (Phil 2,9–11). Maria, seine Mutter, war sein lebendiger Thron auf Erden. Wie ein Siegeszeichen bietet sie ihn der Welt dar. In der kniefälligen Haltung der Anbetung sind die Weisen aus dem Morgenland mit ihren Gaben vor dem Erlöser aller Menschen erschienen; als Könige sind sie dargestellt: Die Könige der Erde beugen sich vor dem König Welt, der in Gott seinen Ursprung hat. In der von Matthäus überlieferten Geschichte von der Huldigung der heidnischen Sterndeuter aus der altpersischen Priester- und Königskaste (Mt 2,1–12) sind die Psalmworte in Erfüllung gegangen: »Gott wurde König über alle Völker, Gott sitzt auf seinem heiligen Thron« (Ps 47,9), und: »Die Könige von Tarschisch und von den Inseln bringen Geschenke, die Könige von Saba und Seba kommen mit Gaben. Alle Könige müssen ihm huldigen, alle Völker ihm dienen« (Ps 72,10 f.).

Was in geschichtlicher Einmaligkeit geschehen ist in Bethlehem, das »Haus des Brotes« heißt, wird ständige Gegenwart auf den Altären der Kirche. Hier entäußert sich Christus in die Gestalt des Brotes hinein, in welchem er – wie beim Todesleiden – gebrochen wird, um den Gläubigen zur Speise zu werden. Wie Maria ihm Mutter, Heimat und Thron war, so wohnt er nun inmitten der Gemeinde, die aus allen Völkern zusammenkommt, um ihn anzubeten. In der Gestalt der eucharistischen Speise von Brot und Wein ist er auf dem Altar-Thron der geheimnisvolle Mittelpunkt der Gläubigen, ihr König und ihr Gott, die hier in kultischer Feier seinen Opfertod und seine Auferstehung erleben und seine lebenschaffende Kraft im heiligen Mahl empfangen.

In den Hauptgebeten der Meßfeier – zur Gabenbereitung, Wandlung und Kommunion – bezeugt die Gemeinde ihren Glauben an die Gegenwart Christi im eucharistischen Opfer und Mahl. Im Gesang zur Gabenbereitung erscheint die Kirche als Braut Christi und Mutter ihrer Kinder, um dem Herrn anbetend ihre Gaben darzubringen. Ausdrücklich preist sie dabei Maria, die durch ihre Mutterschaft Christus den Weg in die irdische Leiblichkeit eröffnet hat. So kann er nun in seiner Gemeinde leibhaftig gegenwärtig werden als »das Brot des Lebens und der Kelch der Freude«:

In dieser Wohnung der Opfer, des Gelübdes,
im Tempel des Herrn sind wir versammelt zu dieser Stunde
zum Mysterium der Gebete und des bevorstehenden Opfers.
Mit duftenden Rauchwerken versammeln wir uns
und jubeln in der Gemeinschaft des Heiligtums:
Nimm unsere Gebete in Güte auf
und den angenehmen Duft des Weihrauchs, der Myrrhe und des Zimts.
Behüte uns Opfernde, damit wir in Reinheit
immer und ewig dir dienen.
Durch die Fürbitten deiner Mutter und der Jungfrau Maria
nimm die Bitten deiner Diener gnädig an.

Erhaben über die Himmel hast du die heilige Kirche
durch dein Blut erleuchtet, Christus,
und nach der Weise der himmlischen Chöre geordnet
die Gemeinschaft der Apostel, Propheten und Kirchenlehrer.
Heute bringen wir, die versammelten Chöre
der Priester, Diakone, Lektoren und aller Gläubigen,
Rauchwerk vor dir dar, Herr,
nach dem Beispiel des greisen Zacharias.
Nimm nun von uns an die mit Weihrauch dargebrachten Gebete
wie das Opfer Abels, Noes und Abrahams.

Durch die Fürbitte deiner himmlischen Heere
erhalte stets unerschüttert das Christentum der Armenier.

Frohlocke sehr, Tochter des Lichtes,
heilige katholische Mutter mit deinen Kindern, Zion!
Schmücke dich, erhabene Braut, himmelgleich strahlender Tempel!
Denn der gesalbte Gott, Wesen vom Wesen,
der sich in dir immer opfert zur Versöhnung mit dem Vater,
verteilt zu unserer Aussöhnung, ohne verzehrt zu werden,
seinen heiligen Leib und sein heiliges Blut.
Wegen der Verdienste seiner Menschwerdung gewährt er Vergebung
dem, der diesen Tempel erbaut hat.

Die heilige Kirche bekennt die unbefleckte Jungfrau Maria,
die Gottesgebärerin, durch die uns gegeben ward
das Brot des Lebens und der Kelch, der uns Freude verschafft.
Preist sie mit geistlichem Gesange!
Gesang zur Gabenbereitung; nach Steck, Liturgie, 20–22

In den Gebeten zur Wandlung, im Kanon, gedenkt die Kirche der Ganzhingabe Christi beim Kreuzestod; sie wird nun in ihrer Mitte sakramental gegenwärtig. Das Opferlamm von Golgatha ist das eucharistische Brot; Christus, dem Maria einen Leib bereitet hat, ist der Priester, der sich selbst opfert und sich als Speise und Trank an die Gläubigen austeilt. Er legt seinen Leib in die Hand der Kirche, damit sie »für alle« Gott das Versöhnungsopfer immer wieder darbringen kann, »das Deinige von dem Deinigen«:

Heilig, heilig, heilig bist du wahrhaftig, über alles heilig.
Wer mag sich rühmen, in Worte zu fassen die Gaben
deiner unaussprechlichen Güte gegen uns!
Von Anfang an hast du für den der Sünde unterlegenen Menschen
Sorge getragen auf vielfältige Weise und ihn getröstet
durch die Propheten, durch die Verkündigung der Gebote,
durch das Priestertum und die vorbildhaften Opfer.

Aber in diesen letzten Tagen hast du die Verdammungsschrift
all unserer Vergehen zerrissen
und uns deinen eingeborenen Sohn gegeben
als Schuldner und als Schuld,
als Schlachtopfer und als Gesalbten,
als Lamm und als himmlisches Brot,
als Hohenpriester und als Opfer.
Denn er selbst teilt aus und er selbst wird ausgeteilt
unter uns und nie aufgezehrt.
Denn er ist in Wahrheit und nicht zum Schein
Mensch geworden
und hat in unvermischter Vereinigung Fleisch angenommen
von der Gottesgebärerin und heiligen Jungfrau Maria.
Er ist durch alle Leiden des menschlichen Lebens
ohne Sünden gewandelt
und kam aus freiem Willen ans Kreuz,
der Welt Erretter und der Grund unserer Erlösung.

(Es folgen die Einsetzungsworte zur WANDLUNG.)

Himmlischer Vater,
deinen Sohn hast du für uns in den Tod gegeben,
als Träger unserer Schulden.
Wir bitten dich, durch die Vergießung seines Blutes
erbarme dich deiner geistigen Herde.

Dies immerfort zu seiner Erinnerung zu tun,
gab uns den Auftrag dein gütiger Sohn, dein Eingeborener.
Er stieg hinab in die Unterwelt des Todes
mit dem Leibe, den er von unserer Natur angenommen hat,
und hat die Riegel der Hölle siegreich zerbrochen
und dich, den allein wahren Gott,
uns als den Gott der Lebenden und Toten geoffenbart.

Nach dieser Anordnung also, Herr, gedenken wir,
indem wir dieses Mysterium des erlösenden Leibes
und Blutes deines Eingeborenen darbringen,
seiner unser Heil wirkenden Leiden,
seines Leben gebenden Todes am Kreuz,
des dreitägigen Liegens im Grab,
der seligen Auferstehung,
der in Gotteskraft vollbrachten Himmelfahrt
und seines Sitzens zu deiner Rechten, Vater.
Die furchtbare und herrliche zweite Ankunft
bekennen wir und preisen wir.

Wir opfern dir das Deinige von dem Deinigen
in allem und für alle.
Hochgebet; nach Steck, Liturgie, 59–62

Im Kommunionsgesang legt die feiernde Gemeinde das Bekenntnis ab, daß die eucharistische Speise von Brot und Wein der Leib und das Blut Christi ist. In ihnen sind Leben, Hoffnung und Auferstehung gewährleistet. Der Christus, der sich am Kreuz geopfert hat, wird seiner Gemeinde zur Speise. Aus seiner Menschwerdung aus Maria und seiner Todeserniedrigung am Kreuz erwächst den Gläubigen die Erhebung zum Leben bei Gott:

Von dem heiligen und ehrwürdigen Leibe
und Blute unseres Herrn und Erlösers Jesus Christus
laßt uns in Heiligkeit genießen;
herabgekommen vom Himmel,
teilt er sich unter uns aus.
Dieser ist das Leben, die Hoffnung, die Auferstehung,
die Vergebung und Nachlassung der Sünden.
Psalmen singt dem Herrn, unserem Gott,
Psalmen singt unserem himmlischen, unsterblichen König,
der auf dem Cherubimthron sitzt:

Christus hat sich geopfert
und teilt sich unter uns aus. Alleluja!
Seinen Leib gibt er uns zur Speise
und sein heiliges Blut sprengt er über uns. Alleluja!
Tretet zu dem Herrn und empfangt sein Licht. Alleluja!
Kostet und seht, wie süß der Herr ist. Alleluja!
Preiset den Herrn im Himmel. Alleluja!
Preiset ihn in der Höhe. Alleluja!
Preiset ihn all seine Engel. Alleluja!
Preiset ihn all seine Mächte. Alleluja!

(am Montag:)
Wahres Licht und Abglanz des Vaters,
aus ihm hervorgegangen und sein Bild,
sein WORT und von ihm gezeugt,
die heilige Kirche hast du auf sieben Säulen erhoben.
Zur Opferung wurdest du geführt als Opfertier;
verleihe uns, in Weisheit von deinem Tisch zu essen.
Erbarme dich!

(am Dienstag:)
Brot des Lebens und der Unsterblichkeit,
heilige und unaussprechliche Speise,
ehrfurchtgebietendes Mysterium,
vom Himmel bist du herabgestiegen als Leben der Menschen,
als lebendiges und Leben schaffendes;
schenke uns Hungernden die Speise deiner Güte.
Erbarme dich!

(am Mittwoch:)
Pforte des Himmels und Weg zum Paradies,
Herr des Himmels, gepriesen von den himmlischen Chören,
deinen Leib und dein heiligstes Blut

hast du deinen Aposteln ausgeteilt;
reinige uns, damit wir teilnehmen können
am Mysterium deiner Heiligkeit.
Erbarme dich!

(am Donnerstag:)
WORT des Vaters und heiliger Hoherpriester,
von den Körperlosen gelobt in der Höhe,
am Kreuze geopfert im Fleisch,
hast du dein Blut zur Erlösung vergossen;
wasche ab unsere Sünden durch dein Leben schaffendes
und erlösendes versöhnendes Blut.
Erbarme dich!

(am Freitag:)
Geistiger Fels und gesalbter Schlußstein,
gepriesen von den Engeln,
am Kreuze hast du die Quelle deiner Seite geöffnet
und die Unsterblichkeit ausgegossen auf die ganze Welt;
heilige uns, die dürsten
nach dem Kelch der Erlösung.
Erbarme dich!

(am Samstag:)
Lamm Gottes, immer geopfert und doch lebendig,
unschuldig bei diesem Opfer,
zur Versöhnung des Vaters geopfert,
hast du die Sünden der Welt weggenommen.
Von den unsterblichen Scharen verherrlichtes Lamm,
erinnere dich der Seelen unserer im Glauben an dich Entschlafenen.
Erbarme dich!
Kommuniongesang; nach Steck, Liturgie, 82–85

Die Vätertheologie betont, daß in der eucharistischen Feier Christus vollkommen als Mensch und Gott in die irdische Wirklichkeit eingeht. In geistig-gnadenhafter Weise ist er in den Gestalten von Brot und Wein gegenwärtig, so daß man ihm nur in tiefer Ehrfurcht und mit geläutertem Gewissen nahen darf. Die erforderliche Reinheit und Bereitung des Herzens und der Gesinnung soll aber niemanden abhalten, häufig Christus zu empfangen. Christuszugehörigkeit muß den Menschen total ergreifen und nicht nur zeitweilig. Deshalb schärft Mandukani seinen Zuhörern die ständige Christusgemeinschaft im heiligen Mahl ein:

Weißt du nicht, daß in dem Augenblick, in dem das heilige Sakrament auf den Altar kommt, sich droben der Himmel öffnet und Christus herabsteigt und hier gegenwärtig wird, daß die Heerscharen der Engel vom Himmel zur Erde schweben und den Altar umstehen und daß alle mit dem Heiligen Geist erfüllt werden? Die also, welche das Gewissen anklagt, sind nicht würdig, an diesem Sakrament teilzunehmen, bis sie sich durch Buße geläutert haben. Achte auf den warnenden Zuruf des Diakons: Keiner von den Katechumenen, keiner von den Ungläubigen, keiner von den Hoffnungslosen trete hinzu! Wer sich nicht durch die heilige Taufe bereitet hat, den schickt er hinaus. Denen aber, die drinnen bleiben, ruft er zu: Erforscht euch, prüft eure Herzen, damit keiner mit schuldigem Gewissen, keiner mit Heuchelei, Verstellung und Betrug, keiner im Zweifel oder Unglauben hinzutrete! ... Schau auf dieses Sakrament nicht wie auf einfaches Brot und halte es nicht für Wein; denn das furchtbare heilige Geheimnis ist nicht sichtbar, seine Kraft ist vielmehr geistig. Christus hat uns in der Eucharistie und Taufe nicht sichtbare, sondern geistige Gaben gegeben. Brot und Wein sehen wir, doch glauben wir dem göttlichen WORT, das spricht: »Das ist mein Leib und mein Blut. Wer mein Fleisch ißt und mein Blut trinkt, der bleibt in mir und ich in ihm, und ich werde ihn auferwecken am Jüngsten Tage« (Joh 6,55.54). Im wahren Glauben wissen wir, daß Christus auf den Altären weilt, daß wir uns ihm nahen, daß wir ihn schauen, daß wir ihn berühren, ihn küssen, daß wir ihn empfangen und in unser Innerstes aufnehmen, daß wir sein Leib und seine Glieder und Kinder Gottes werden. ... Wirf darum einen Blick in dein Innerstes und bedenke, wo du stehst, wen du schaust, wen du küßt und in dein Herz aufnimmst. Unter himmlischen Mächten weilst du, mit den Engeln lobpreist du, mit den Seraphim benedeist du, Christus siehst du, Christus küßt du, erfüllt wirst du mit dem Heiligen Geist, mit göttlicher Gnade wirst du verklärt und beständig gestärkt. Deswegen, ihr Priester, naht euch mit Furcht, wachet ängstlich über dieses Sakrament, vollzieht es in Heiligkeit und dient ihm mit Sorgfalt! Ihr habt einen königlichen Schatz; seid um ihn besorgt und wacht über ihn mit großer Ehrfurcht. ...

Wir wollen nicht so nachlässig sein und nur an den Festtagen die Kommunion empfangen. Denn ein und dasselbe Opfer wird am Freitag und am Sonntag dargebracht, an Pfingsten wie an Ostern, und dasselbe Sakrament wird dann ausgeteilt. Bewahre nur deine Seele rein für den Empfang und verschiebe ihn nicht von Tag zu Tag. Es ist keine Verwegenheit, mit reinem Herzen viele Male zu kommunizieren, denn du belebst und erfrischst dadurch deine Seele immer mehr. Wärest du aber unwürdig und machte dir das Gewissen Vorwürfe und du würdest in deinem ganzen Leben auch nur einmal kommunizieren, so bedeutete es für die Seele den Tod. Vielleicht entgegnest du: In der Fastenzeit will ich mich heiligen und dann zur Kommunion gehen. – Welchen Nutzen wird es dir bringen, daß du dich einmal heiligst, wenn du dich wieder entweihst? ... Was soll es nützen, am Festtage kostbare Edelsteine zu finden und sie tags darauf zu verlieren? Darum ist es nutzlos, am Festtage zu kommunizieren, wenn du durch einen unwürdigen Lebenswandel wieder zugrundegehst. ... Wenn du des Sakramentes würdig bist, dann empfange es stets mit Zuversicht, damit du heilig wirst, Christus anziehst und ihn aufnimmst; wenn du aber infolge deines Lebenswandels unwürdig bist, dann bist du es auch am Osterfest. Du erwiderst vielleicht: In dem vierzigtägigen Fasten habe ich mich geheiligt; ich will nun das heilige Sakrament empfangen. – Das ist recht so, und ich will es loben. Aber warum empfängst du es denn nicht immer? – Ich kann, antwortest du, nicht immer sündelos bleiben. – Wenn das deine Gesinnung ist: einmal am Festtage kommuniziere ich, dann aber halte ich mich davon fern, dann bist du auch am Festtage unwürdig, weil deine Gesinnung böse ist. Was soll es denn helfen, Christus zu nahen, wenn man sich nicht vom Satan trennt? Was nützt es, die köstliche Arznei einzunehmen, wenn du den Schmerz in deinem Innern behältst? Was kann es helfen, zum Arzt zu laufen, wenn du ihm die Wunden nicht zeigen willst? So kannst du auch beim Empfang der Kommunion für dich nichts Gutes gewinnen, wenn du dich von den Sünden nicht losreißen willst.

Johannes Mandukani, Die Ehrfurcht beim Kommunionempfang; nach Blatz, 226–232

Das Heil in Christus ist nicht individualistisch zu erreichen. Wie Jesus sich in seinem geschichtlichen Wirken allen Menschen zugewandt und ihnen die Freude der Gottesherrschaft verkündet hat, besonders denen, die für die angeblich Frommen in Israel im notorischen Unheil standen, den Sündern, Aussätzigen, Zöllnern, so wird auch das eucharistische Opfer für alle Lebenden und Verstorbenen, die Gerechten und die Sünder dargebracht: für die Heiligen, die aus ihm die Kraft zur Nachfolge Christi geschöpft haben; selbst für die Engel, deren Freude es ist, die Heiligen in der Gemeinschaft ihres gemeinsamen Herrn zu sehen; für die Sünder, denen es zur Versöhnung mit Gott wird; für die feiernde Gemeinde, die am Leben Christi Anteil erhält. Die Priester aber, die im Namen Christi die heilige Handlung vollziehen, müssen in besonderer Weise von seiner Gesinnung geprägt sein:

Wenn der Priester das schreckliche und furchtbare Sakrament der Erlösung darbringt, gedenkt er auch der Wohltaten und der Menschenliebe Christi und erfleht unter heißen Tränen die Versöhnung Gottes für Lebende und Verstorbene und erhält das Erbetene. Vornehmlich wenn der Priester, der das Opfer darbringt, selbst rein und makellos und frei von Sünden ist, erwirbt er wegen seines wahren Glaubens für die Seelen der Verstorbenen die Kronen der Herrlichkeit. Jenen, für die das Opfer dargebracht wird, gewährt der gütige Herr wegen ihres Vertrauens Verzeihung. Wenn der Herr dem, der im Streit mit seinem Nächsten liegt, befiehlt, vom Opfer abzustehen, bis er sich ausgesöhnt hat (Mt 5,23 f.), was soll man dann noch hinweisen auf andere böse und schlechte Sitten und auf die schrecklichen Strafandrohungen für jene, die nicht in Reinheit Gott das Opfer darbringen und in Unwürdigkeit die Kommunion empfangen? Wem viele Gnaden gegeben wurden, von dem wird auch viel verlangt, und wem wenig gegeben wurde, von dem wird wenig verlangt, sagt der Herr im Evangelium (Lk 12,48). Darum fordert die WAHRHEIT vollkommene Tugend von den Dienern des eucharistischen Sakramentes. Es enthält ja das Leben unserer Erlösung und soll keinem zur Verurteilung durch den Herrn gereichen. Denn alles wird von ihm und in ihm vollendet für die Lebenden wie für die Verstorbenen.

Auch das Gedächtnis der heiligen Apostel, Propheten und Martyrer wird im Opfer Christi begangen. Denn der Priester gedenkt im eucharistischen Gebet des Heldenmutes der Heiligen und verkündet ihn zur Ermunterung der gottliebenden Gemeinde und zum Ruhm der allerheiligsten Dreifaltigkeit, welche all ihren Heiligen die Gnade des Sieges verliehen hat. Selbst für die himmlischen Mächte ist das Gedächtnis der Heiligen eine Freude, da diese die Tyrannen besiegt haben und Engel wurden. ... Durch das Gedächtnis der Vollendeten und Gerechten, ihres Heldenmutes und ihrer Liebe, welche sie Gott gegenüber bezeugt haben, erwerben auch wir großen Nutzen für unsere Seelen dank der Fürsprache, die die Heiligen für uns beim Herrn einlegen.

Aber auch der gläubigen Sünder, der Bekenner und Büßenden, wird beim Opfer Christi gedacht, wenn sie am Erlösungssakrament teilnehmen und sich durch Gebet und Mitleid gegen die Armen und andere gute Taten von den Werken der Welt lossagen. Selbst die verstorbenen gläubigen Sünder werden durch die guten Taten der Büßer zur Neuheit des unendlichen Lebens erneuert. ... Und wenn jemand bis zum Tode von den Einflüsterungen Satans und in schlechten Sitten gefangen ist und sich der sorgenden Liebe Gottes entzogen hat, doch noch beim Sterben in Reue und Bekenntnis unter heißen Tränen umkehrt und um Verzeihung bittet im Glauben an das heilige Sakrament und voller Hoffnung seine Zuflucht zur Menschenliebe Christi nimmt, so soll er nicht ohne Hoffnung auf die zu erwartenden Güter sterben wegen seiner Buße und des lebenspendenden Leibes und Blutes Christi, unseres Erlösers, der seinen Geschöpfen das Leben schenkt. »Denn jeder, der den Namen des Herrn anruft, wird gerettet werden« (Joel 3,5; Röm 10,13).
Mesrop, 13. Rede: Das Gedächtnis für die Verstorbenen; nach Schmid, 177–180

4. Maria, die personhaft verwirklichte Kirche

Durch die heilshafte Einheit von irdischer Geschichtlichkeit Christi und sakramentalem eucharistischem Geschehen, durch die geistgewirkte Nähe seiner Menschwerdung aus seiner jungfräulichen Mutter zu seiner Brotwerdung inmitten seiner Gemeinde ergibt sich eine innere Zuordnung von Maria und Kirche. Es handelt sich hierbei nicht um eine Vergleichbarkeit nur oder um eine Ähnlichkeit, vielmehr besteht zwischen beiden eine wesentliche Gemeinsamkeit. In Maria ist personhaft verwirklicht, was Kirche ist und immer mehr werden soll: Jüngerschaft Jesu, die als seine Braut ihm in Liebe verbunden ist und durch ihr mütterliches Wirken reiche Frucht trägt. Schon das Johannesevangelium bezeichnet im Kapitel nach der Hochzeit von Kana, bei welcher Jesus als der eigentliche Gastgeber erscheint (Joh 2,1–11), ihn als den Bräutigam, der sich seine Jünger zur Braut erwählt (3,29), und in der Bildrede vom Weinstock (Kap. 15) klingt der Gedanke geistiger Mutterschaft an, wenn Jesus sagt: »Ich habe euch erwählt und dazu bestimmt, daß ihr euch aufmacht und Frucht bringt und daß eure Frucht bleibt« (Joh 15,16). Die geistgeführte Kirche ist in Maria exemplarisch gegenwärtig und verwirklicht, und Maria läßt durch Gesinnung und Leben erkennen, wie die Kirche in ihrer Vollgestalt aussieht: Durch ihr bräutliches Ja-Wort übereignet sie sich vorbehaltlos dem Gottesgeist und öffnet sich seinem Wirken; sie bietet ihre Kräfte dem Gottessohn bei seiner Menschwerdung an und umsorgt ihn in mütterlicher Weise, doch tritt sie als seine Dienerin ganz hinter ihm zurück; bei seinem Todesleiden steht sie unter dem Kreuz und erhält von ihrem Sohn den Auftrag, Mutter seiner Jünger zu sein; in ihrer Mitte betet sie um die weltverändernde Kraft des Heiligen Geistes; heimatlos auf Erden weist sie auf das pilgernde Gottesvolk hin und findet in der Herrlichkeit Gottes eine bleibende Stätte. Alle diese Aussagen über Maria bestimmen auch das Wesen der Kirche. Sie ist in geistiger Hinsicht sein Leib; seinen geschichtlichen und durch die Auferstehung verklärten Leib aber hat ihm Maria bereitet. Maria steht nicht gegen Christus oder verdunkelt seine Gestalt, sie macht auch der Kirche Rang und Bedeutung nicht streitig; vielmehr wird an ihr in einmaliger Weise deutlich, worauf Christi Heilshandeln hinzielt und wie Jüngersein in der Christusnachfolge sich bewährt.

Armenische Kirchen sind deshalb nicht nur zum Schmuck mit Marienbildern ausgestattet; in ihnen sieht der Gläubige vielmehr seine eigene Berufung vorgezeichnet und die Eigenart der Kirche dargestellt, als deren Glied er sich weiß. Auch die Kachelwand in der Etschmiadzin-Kapelle des Jerusalemer Patriarchats macht mit ihren Bildern des

Tafel XXIV: Bilder des Heils: Wandkacheln in der Etschmiadzin-kapelle zu Jerusalem

237

Heils diese Wesensbeziehung zwischen Kirche und Maria bewußt. Die Parallelität im Wesen und Handeln kommt noch klarer zur Sprache in den Hymnen der betenden Gemeinde, wie es der folgende Text belegt. Zunächst wird die Kirche angeredet als die Ausspenderin der Gaben Christi und die Mutter der Gläubigen, dann geht der Hymnus unvermittelt zu Maria über, die zum Tempel Gottes geworden ist, und schließlich wird wieder die Kirche angeredet als Haus Gottes und jungfräuliche Mutter der Kinder Gottes:

> *Kirche, zur dir heben wir Herzen und Stimme,*
> *unseres Leibes Augen und die flehenden Bitten unserer Seele.*
> *Du Tabernakel der Heiligkeit, lichtstrahlender Altar des Herrn,*
> *Felsen, vor dem wir verehrend niederfallen.*
> *Dich sollen umschweben die Heerscharen der himmlischen Geister,*
> *die mit einer Stimme den unerschaffenen Gott loben.*
> *Du festgefügter Altar der Heiligkeit,*
> *auf dir ruht der Fürst des unsterblichen Lebens.*
> *Von dir spendet man aus das Brot der Lebendigen,*
> *das ist der Leib des Herrn;*
> *an dir teilt man den Kelch,*
> *das heilbringende Blut.*
> *In dir, Kirche, werden die Priester geehrt,*
> *und die Gemeinden freuen sich im fröhlichen Jubel.*
> *Auf dir gründet der Glaube aller,*
> *die getauft sind in deinem hochheiligen Taufbrunnen.*
> *Siehe, Kirche, vergiß uns nicht*
> *und laß uns immer dich anflehen;*
> *unsere Seelen legen wir in deine Hände.*
> *Du vielfältiger Thronsitz,*
> *wundervoll bist du geziert mit edlen und heiligen Steinen.*
>
> *Allgebenedeite, unberührte Jungfrau,*
> *du Mutter Gottes, Tempel des Herrn,*
> *Fackel, die nie mehr erlischt,*

goldenes Rauchfaß göttlichen Feuers,
in dir lodert die himmlische Glut,
die einst auf dem Tabor entbrannte,
in dir leuchtet das unbeschreibliche Licht,
das einst den Sinai umzuckte,
in dir ist aufgegangen die Sonne ohnegleichen,
die alle Völker umleuchtet,
aus dir ist aufgesproßt die nimmer welkende Rose,
und es entströmt ihr der Duft der Unsterblichkeit;
blühend ist jetzt der Garten und voll süßen Hauches.
Du Ruhestatt der herrlichen Dreifaltigkeit,
bitte bei Gott, dem unsterblichen König,
für den Frieden der Welt.

Kirche, erbarme dich unser!
Christus ist gekommen, der heilige Hohepriester.
In dich trat er ein, du lichterfüllter Tempel,
du Berg des Heils, du Haus Gottes.
Du Jungfrau mit vielen Kindern,
ohne Geburtsschmerzen trägst du im Schoß
das Geschlecht der Menschensöhne,
gebierst sie im heiligen Taufbrunnen
zur Annahme an Sohnes statt durch den himmlischen Vater.
Ihm allein sei Dank, Herrlichkeit und Ehre,
jetzt und immer und in alle Ewigkeit.

Hymnus zu Ehren der Kirche und Marias;
Tyciak, Maria in der Sicht des christl. Ostens, 226–228

Die Wesensgemeinschaft von Kirche und Maria ist begründet im Wirken des Heiligen Geistes. Bei der Menschwerdung Christi hat er Maria geheiligt und sie zur Mutterschaft befähigt. In gleicher Weise ist er bei der Kirchwerdung der Jünger auf diese herabgekommen, hat sie gestärkt und geheiligt und zur fruchtbringenden Gemeinde geformt. Diese Parallelität, die aus dem Wirken des einen Gottesgeistes herrührt, hat

Tafel XXV:
Geisterfüllte
Kirche: Maria
und die Jünger
Christi

239

der Schöpfer des Kachelgemäldes dadurch ins Bild gesetzt, daß er Maria in das Pfingst-geschehen einbezieht. Der biblische Bericht der Apostelgeschichte erwähnt Maria bei der Ausgießung des Geistes nicht (Apg 2,1–13). Die Miniaturmalerei zu diesem Er-eignis stellt deshalb, wie auf Tafel XVIII ersichtlich, auch nur die zwölf Apostel unter die Feuerzungen des Gottesgeistes. Doch bei der Gestaltung der Kachel hat der Künst-ler Maria einen zentralen Platz inmitten der Jünger zugewiesen. In dieser Anordnung kommt eine weiterführende Sicht von Kirche und Maria zur Sprache: Maria ist der betende Mittelpunkt der Jünger; in ihr ist personhaft und betend Kirche gegenwärtig; sie und die Jünger sind geisterfüllte Kirche.

Diese Würde und Stellung Mariens ist ein Gnadengeschenk Gottes und begründet in der Menschwerdung Christi. Da Gottes WORT, die Zweite Person in Gott, in ihr Wohnung nahm, ist sie Kirche geworden. In den Gesängen zur Geburt Christi feiert deshalb die Kirche auch Maria, die uns Gott geboren hat; die Christenheit ehrt sie mit dem Titel »Gottesgebärerin«:

Unbefleckte Gottesgebärerin,
das anfanglose WORT empfingst du
und den unbegreiflichen Gott hast du geboren,
den Unbegrenzten trugst du auf deinen Armen,
richte an ihn ohne Unterlaß
Fürsprache für unsere Seelen!

Wir bitten dich, heil'ge Jungfrau Maria,
Gottesgebärerin,
durch des Höchsten Macht Überschattete,
durch des Heiligen Geistes Herabkunft Erleuchtete,
die du aller Dinge Schöpfer empfingst
und gebarst auf unaussprechliche Weise,
bitte den aus dir Mensch Gewordenen,
daß er unsere Seelen errette.
Zwei Eingangslieder zum Weihnachtsfest;
Steck, Liturgie, 24 f.

In einem Hymnus zum Fest der Verkündigung feiert Nerses die Mutterschaft Mariens: Sie hat den neuen Adam geboren, der den alten Adam und die von ihm abstammende Menschheit erneuert hat. Sie hat Gott in ihrem Leib getragen und überragt wegen dieser Erwählung alle Mächte des Himmels. Nerses feiert in diesem Hymnus aber auch Mariens bleibende Jungfräulichkeit, die nicht vordergründig nur als biologische Unversehrtheit zu verstehen ist, sondern vielmehr als geistgewirkte Heiligkeit und gottgeschaffene Neuheit. Zu ihr gibt es keine Parallelen in der Natur; aber die geisterleuchteten Propheten des Alten Bundes haben auf sie schon hingewiesen. Allerdings konnten sie dieses gottgewirkte Geheimnis nur in paradoxen Bildern und Vergleichen ausdrücken. Ihre Bilder sind in Maria zur Wirklichkeit geworden: Sie ist Jungfrau und Mutter zugleich. Sie ist der wahre Dornbusch, den Mose schaute; unter der Glut des in ihr wohnenden Gottes ist sie dank seiner Gnade nicht verbrannt:

Mutter Gottes, Maria,
Tochter Davids aus königlichem Stamme,
du gebarst im Fleische den neuen Adam,
der erneuert hat den alten Adam.

Die Gottesgebärerin bekennen wir,
den geborenen Gott predigen wir,
mit dem Engel rufen wir dir zu,
erhebend das erhabene Wort.

Du Himmel der Himmel hocherhaben,
die Cherubim überragend,
durch der Seraphim Flügel
verhülltes Geheimnis des Geborenen.

Des Unermeßlichen Wohnung,
der Sonne Herberge,
des furchtbaren Feuers Heimstätte,
des stofflosen WORTES Gebärerin.

Dich haben die Seher geschaut,
Mose als Dornbusch nicht verbrennend,

Jesaja als Jungfrau empfangend,
Ezechiel als verschlossene Pforte.

Als felsengebärenden Berg Daniel,
als Weihrauchhügel Salomo,
als versiegelte Quelle des Wächters,
als verschlossenen Garten des Pflanzers.

Dem Vliese ähnlich Gideon,
David dem Regen gleich,
und Micha als die Stätte
des zu Bethlehem Geborenen.

Noes lebengewährende Arche,
Abrahams Zelt,
des Bundes Lade,
unsagbaren Lichtes Leuchter.

Garten Gottes blumenreich,
wohlriechende Narde im Geiste,
herrliches Tal der Lilien,
der vier Paradiesströme Quelle.

Rauchfaß mit duftendem Weihrauch
der vierfach duftenden Mischungen,
durch das altehrwürdige Scharen
weihen die Gebete deiner Worte.

Dich flehen wir an, Mutter des Lebens,
zu läutern uns von Sünden
durch dein Gebet zum Herrn der Welt,
dem als Lobpreis sei gewidmet das Dreimal-Heilig.

Nerses Schnorhali, Hymnus zum Fest der Verkündigung;
Theol. Quartalschrift 81,100 f.

Wie die armenischen Christen die Kirche mit ihren Martyrern und Heiligen als die vollendete Gemeinde sehen und sie als himmlische Braut Christi und als Mutter der Gläubigen ansprechen, so feiern sie auch Mariens Aufnahme in den Himmel und preisen sie als Mutter des Lebens. Die Texte zum Fest zeigen, daß Mariens Aufnahme nicht aus apokryphen Erzählungen hergeleitet wird, sondern biblisch begründet und theologisch durchdacht ist: Gott hat Maria zur Wohnung seines Sohnes erwählt. Seine Erwählung aber ist total; er macht sie nicht rückgängig, sondern vervollkommnet sie in der Weise, daß Maria zum »Brautgemach des Lichtes« wird, d. h. in der Herrlichkeit ihres Sohnes lebt. Als der Engel ihr bei der Verkündigung das »Freue dich!« zusprach, war das gleichsam das Angeld auf die ewige Freude. Als Mutter des Lebens und Mutter ihrer Kinder auf Erden wird sie auch, so vertraut der große Bischof und Poet Nerses, betend vor ihren Sohn treten; ihre Fürsprache erwirkt der Kirche unerschütterliche Glaubenstreue und dem Beter des Hymnus ebenfalls die Aufnahme in den himmlischen Hochzeitssaal:

Heute kam der Erzengel Gabriel
in der Hand den Lorbeerkranz,
die Siegeskrone für die Jungfrau.
Heute rief er heim zum Herrn des Weltalls
den Tempel des Allerhöchsten,
die Wohnung des Heiligen Geistes.
Gesang zur Liturgie am Fest der Aufnahme Marias in den Himmel;
Steck, Liturgie, 15

Unbefleckter Tempel und Brautgemach des Lichtes,
Mutter, unvermählt, Gottesgebärerin, allzeit Jungfrau,
auf dich haben Propheten weissagend gewiesen
als den Baum des Lebens inmitten des gottgepflanzten Gartens.
Von dir hat Abraham im Zelt vernommen
die Geburt der Verheißung durch das WORT, das geboren werden sollte.
Dich hat Mose unverbrannt im Dornbusch geschaut
und als das goldene Gefäß, mit Manna gefüllt.
Gideons Vlies, süßen Taues voll,

und versiegelte Quelle, von Salomo geschaut.
Dich hat Jesaja verkündet als Jungfrau empfangend,
als versiegeltes Buch und als leichte Wolke.
Als Pforte verschlossen, verriegelt, hat Ezechiel dich gezeigt.
Als Felsen gebärenden Berg hat Daniel dich geschaut.
Dir hat Gabriel, zur Vollendung erschienen,
des Evangeliums Freude mit lauter Stimme verkündet.
Du hast den Untragbaren im Leibe getragen
und hast im Fleisch geboren den vom Vater Gezeugten.
Pforte im Osten den Garten Eden eröffnend
und als Sonne der Gerechtigkeit erstrahlend,
dich hat heute dein eingeborener Sohn, der kam,
versetzt von der Erde in die himmlischen Zelte.
Staunend sahen die Chöre der Geister
einen Leib aus Staub erhoben zum Himmel.
Dir zu Ehren kamen dir entgegen
die Scharen der Seraphim, bedeckend mit den Flügeln das Antlitz.
Um dich haben die viergestaltigen Wesen einen Reigen gebildet.
Dir dienten die Chöre der Engel.
In die himmlischen, gottgebildeten Wohnungen,
die mit mannigfacher Herrlichkeit gezierten, tratest du ein.
Dich priesen die Versammlung der Apostel
und der Chor der Jungfrauen mit frohlockender Stimme.
Dich feiern heute die Kinder der Kirche
und bekennen dich als Gottesgebärerin, Jungfrau immerwährend.
Vernimm die Bitten derer, die auf dich vertrauen,
und sei Fürsprecherin beim eingeborenen Sohn.
Laß dich in Demut verehren uns zum Frieden.
Gib Antwort, Mutter des Lebens, dem, der Gutes erbittet.
Quelle der Tränen, uns zum Heile
ströme reichlich, du hast ja den geboren, der die Menschen liebt,
daß er die heilige Kirche unerschüttert bewahre auf ewig,

damit die Gläubigen ungefährdet in ihr weilen.
Und beim Erscheinen des aufleuchtenden großen Lichtes
mögen auch wir eintreten ins Hochzeitsgemach als kluge Jungfrauen,
um würdig zu werden mit den Chören der Engel,
Glorie zu jubeln der Dreieinigkeit auf immer!
Nerses Schnorhali, Hymnus am Fest der Aufnahme Marias;
Theol. Quartalschrift 81,101–103

Mariens Eintreten für die Gläubigen und ihre machtvolle Hilfe ist von fürbittender Art. Wie sie auf der Hochzeit zu Kana für die Brautleute bei ihrem Sohn vorsprach, so wendet sie sich auch im Himmel an ihn und erfleht sein Erbarmen für seine Jünger, seine Braut auf Erden. Nicht als ob Christus nicht selbst um die Nöte seiner Gemeinde auf Erden wüßte, aber christliches Leben und Jüngerschaft ist nur in der Weise möglich, daß alle Gläubigen sich als Glieder eines Leibes verstehen, dessen Haupt Christus ist, und daß sie sich füreinander verantwortlich wissen. Auch Maria ist Glied am Leibe Christi. Ihre besondere Nähe zum Haupt verleiht ihr größere Verantwortung, aber auch größere Macht. Der Maler des Kachelbildes stellt uns Maria in der Weise der byzantinischen Hodegetria, der Wegweiserin, vor Augen. In dieser ehrwürdigen Darstellung, die die Kirche von Konstantinopel entworfen hat, trägt Maria ihren göttlichen Sohn auf dem linken Arm. Während er seine Rechte zum Segen erhoben hat, weist sie mit ihrer Rechten auf ihn hin; Maria ist die Wegweiserin zu Christus, sein Thron, seine Dienerin. Mit der Gebärde ihrer Hand und dem geneigten Haupt tritt sie aber auch vor ihren Sohn als die fürbittende Mutter. Die Blumen zu ihrer Seite erweisen sie als die himmlische Königin, zu der ihr Sohn sie erhoben hat.

Tafel XXVI: Maria, Wegweiserin zu Christus und Fürsprecherin bei ihm

Diese Königin des Himmels preist der große Beter der armenischen Kirche, Gregor von Narek, mit Bildern, die ihm die Heilige Schrift bietet, und mit Vergleichen, die ihm seine Liebe zu Maria eingegeben hat. Die Mutter, die das Leben geboren hat, ist auch die »fürsorgende Fürsprecherin« der Jünger Jesu; zu ihr nimmt der Beter seine Zuflucht, denn ihre Bitte findet »unfehlbare Erfüllung«. Da ihre Kinder auf Erden noch in der Bewährung stehen, bedeutet deren Rettung zum ewigen Leben aber auch für die Mutter größere Ehre. Zur letzten Vollendung gelangt Maria, wenn die ganze Kirche, deren personhaftes Abbild sie ist, die Fülle des Lebens erreicht:

Heilige Gottesgebärerin,
du Engel unter den Menschen,
Cherub im sterblichen Fleisch,
himmlische Königin,
klar wie die ätherische Himmelsluft,
rein wie die Strahlen des Lichtes,
makellos gleich der leuchtenden Morgenröte,
erhabener und verschlossener als das Allerheiligste,
glückseliger Thron der Verheißung,
lebendiges Paradies der Wonne,
Baum des unsterblichen Lebens . . .,
dich überschattete die Kraft des allerhöchsten Vaters;
geheiligt und bereitet wurdest du
durch die Herabkunft des Heiligen Geistes,
geschmückt und hochgeehrt
durch den Aufenthalt des Sohnes in dir,
des Eingeborenen des Vaters und deines Erstgeborenen,
Sohn wegen der Geburt und Herr wegen der Schöpfung.
Da du in unbefleckter Reinheit
die makellose Anmut und Güte selbst bist,
in makelloser Heiligkeit
unsere fürsorgende Fürsprecherin bei Gott bist,
nimm mein Gebet huldreich an:
Meine Zuflucht nehme ich zu deiner jungfräulichen Mutterschaft.
Allberühmte Mutter des Lebens,
eile auf den Flügeln deiner Fürsprache
mir zu Hilfe und beschirme mich,
zumal dann, wenn ich aus diesem Tränental scheiden muß . . .
Wie du von den Geburtsschmerzen der Töchter Evas frei bliebst,
so mache mir den Tag des Entsetzens zum Festtag der Freude . . .
Wie ich an deine unfaßbare Jungfräulichkeit glaube,
so auch an die unfehlbare Erfüllung deiner Bitte . . .

246

Reiche, himmlischer Tempel, mir deine mächtige Hand.
Verherrliche, Magd und Mutter des Herrn,
deinen Sohn dadurch, daß du ihn bewegst,
als Gott ein Wunder an mir zu wirken
der Verzeihung und Barmherzigkeit.
Laß deine Ehre durch mich erhöht werden
und meine Erlösung durch dich zur Vollendung gelangen.
Allerheiligste, Allerheiligste, Huldreichste,
immerdar reinste Jungfrau, von Gott Hochbegnadete,
Tilgerin des alten Fluches, Stätte heiliger Ruhe,
Friedensstifterin, Hochgebenedeite, Zerstörerin des Todes,
unsere Mittlerin, lebendiges Licht!
Von den reinen Zungen der glückseligsten Geister Gebenedeite,
laß einen Tropfen deiner jungfräulichen Güte auf mich tropfen;
er würde genügen, mir das Leben zu geben.

Gregor von Narek, Gebet eines Sünders;
Lexikon der Marienkunde, 360 f.

5. Der Hirtendienst der Priester und Lehrer

Seit jeher kommt den Laien in der armenischen Kirche ein besonderes Gewicht zu:
Sie stellen die Mehrzahl der Delegierten, die den Katholikos bzw. den Patriarchen
oder Bischof oder Pfarrer wählen; ihnen obliegt auch die religiöse Unterweisung der
Gläubigen, die von den Vardapeten wahrgenommen wird. Der Vardapet ist ein theo-
logischer Lehrer, dessen Amt, ohne sakramentale Weihe, eingebettet ist in die hierar-
chische Struktur der Kirche. Der Vardapet lebt zölibatär und nach Möglichkeit in klö-
sterlicher Gemeinschaft. Es gibt vierzehn Grade in zwei Klassen; aus der oberen werden die Bischöfe, die im Gegensatz zu den Priestern unverheiratet sein müssen, gewählt.[30] Die Vardapeten verstehen sich als die Nachfolger der schon in apostolischer
Zeit in der Gemeindeunterweisung bewährten Lehrer und Propheten (1 Kor 12,28).
Sie stehen an der Seite der Priester und ergänzen deren liturgischen und pastoralen

Dienst; den Bischöfen sind sie unentbehrliche Helfer. Zusammen mit den Geistlichen sind sie die anerkannten Führer des armenischen Volkes. Wie bei anderen Völkern im Orient sind Volkszugehörigkeit und religiöse Konfession auch bei den Armeniern nahezu identisch, so daß sich armenische Christen in der Diaspora höchst selten anderen christlichen Kirchen zuwenden. Sie scharen sich immer wieder um ihre Priester und Vardapeten. Bei ihnen finden sie religiösen Halt und sakramentale Betreuung, ebenso aber auch Anregungen, Kultur und Brauchtum zu pflegen.

Mit Beginn der großen monastischen Bewegung im 4. Jahrhundert kamen auch nach Palästina Armenier, um dort im asketischen Leben unterwiesen zu werden. Auf ihr Wirken gehen die ersten Auslandsgemeinden zurück. Wie die armenischen Mosaikfußböden in und um Jerusalem beweisen[31], die Ende des vorigen Jahrhunderts freigelegt wurden, gab es hier schon im 5. Jahrhundert eine angesehene und rege Armeniergemeinde. Sie wurde von einem Bischof geleitet, dem seit dem 14. Jahrhundert der Rang eines Patriarchen zukommt. Als Omar, der zweite Nachfolger Mohammeds, 638 Jerusalem eroberte, bestätigte er den Bestand der armenischen Kirche von Jerusalem. Trotz der wechselnden und für die christliche Bevölkerung oftmals bedrückenden Herrschaft von Arabern, Ägyptern und Türken hat das Patriarchat in ununterbrochener Folge bis ins 20. Jahrhundert das Bild Jerusalems mitgeprägt. Zu ihm gehören heute etwa 5000 Gläubige in Israel und Jordanien; die Hälfte von ihnen lebt in Jerusalem. Geistliches Oberhaupt ist seit 1964 Erzbischof Elisäus II. (Yeghishe Derderian); religiöses und kulturelles Zentrum ist das Jakobuskloster in der Altstadt von Jerusalem, zwischen Davidsturm und Benediktinerabtei auf dem Zion. Dieses Kloster, das ins 5. Jahrhundert zurückreicht, birgt die Reliquien der beiden Apostel, Jakobus des Älteren, der Ostern 44 unter Herodes Agrippa den Martyrertod erlitt, und Jakobus des Jüngeren, der als „Bruder des Herrn" bezeichnet wird und erster Bischof der heiligen Stadt war. Der armenische Patriarch, den wir hier mit seinen Bischöfen und Vardapeten, umgeben von den Gläubigen, bei der Vesperliturgie zu Ehren des Erstmartyrers Jakobus (am 28. Dezember) sehen, gilt bei den Armeniern als apostolischer Nachfolger des Erstbischofs Jakobus.

Wie die Väterpredigten deutlich machen, legen die ersten Väter und Prediger Armeniens großes Gewicht auf die religiöse Unterweisung des Volkes. Mesrop, der zehn

Pflichten eines Gemeindevorstehers aufzählt, nennt an erster Stelle die Aufgabe, die Gemeinde im Glauben zu festigen. Dabei wird dem Wort und der Hilfe in leiblichen und geistigen Nöten eine besondere Bedeutung beigemessen. Zu jener Zeit der Missionierung kamen dem Gemeindevorsteher naturgemäß vor allem die Dienste des Vardapeten, des Lehrers und Helfers, zu. An zehnter Stelle erscheint der Dienst des Altares, woraus gewiß nicht zu folgern ist, daß der Liturgie nur eine untergeordnete Bedeutung beigemessen wurde:

Die erste Aufgabe der Vorsteher, vor allen anderen, besteht darin, daß sie die Gläubigen in der Wahrheit festigen, im Glauben an den Vater, den Sohn und den Heiligen Geist, durch die Liebe und die Hoffnung. Dieser Dienst hat die ersten Heiligen zu Martyrern gemacht. ... An zweiter Stelle folgt die Predigt über die wahre Lehre, damit sie die Verirrten wiederfinden und die Gefundenen bewahren. Diese Aufgabe reiht sie ein in die Gemeinschaft der Engel, die zum Dienst derer gesandt sind, welche das Heil und auf Hoffnung hin die Seligkeit des ewigen Lebens erben sollen (vgl. Hebr 1,14). Drittens sollen sie durch die Klarheit der Gedanken zu einer Quelle guter Taten werden, zu Wohltaten gegen Entfernte und Nahe ermuntern; sie sollen den Leib mit seinen Bedürfnissen und den Geist mit seinem Verlangen wie Felder bewässern, so daß die Gerechtigkeit von den Wurzeln an wächst und vielfältige Früchte trägt und zum unsterblichen Leben führt. Viertens sollen sie selbst die Gabe der Zustimmung, des Hinhörens und des gemeinschaftlichen Handelns besitzen, damit sie unter dem Wehen des Heiligen Geistes die Gläubigen in Einigkeit zum Lobpreis Gottes versammeln können, sie anleiten, mit uneigennütziger Hilfe einander beizustehen, und sie zum seligen Leben geleiten. Ihre fünfte Aufgabe besteht darin, daß sie in reiner und glühender Liebe für einen jeden entsprechend seinen Bedürfnissen sorgen, den Ausgeraubten und Leidenden und, was es sonst noch an Elend gibt, helfen und denen beistehen, welche für Seele oder Leib der Hilfe bedürfen. ... Sechstens sollen jene, denen Gott die Wahrheit anvertraut und die er zu Verwaltern der Überlieferung bestellt hat, den Gläubigen zu rechter Zeit auch geistige Hilfe gewähren, damit sie die Gaben der Seligkeit und die Geschenke des Gottesreiches erlangen. Siebtens sollen sie die Gabe der Reinheit und der Wachsamkeit besitzen und in allen Tugenden bewährt sein, so daß sie wachsam sein können gegen alle heim-

lichen Schlingen des Bösen, der die Sündlosen in Sünde ertöten will; in allen Tugen-
den erstarkt und siegreich über die Hinterlist des Bösen, werden sie die Krone der
Unsterblichkeit erlangen. Achtens sollen sie demütigen Herzens sein und von sanft-
mütiger Art und friedfertig gegen jedermann, gegen Ferne und Nahe, um Christus,
dem Sanftmütigen und Demütigen, zu gleichen, damit wir, wenn wir auf den Füh-
rer des Glaubens schauen und ihm nachfolgen, zu seiner Ruhe gelangen (vgl.
Mt 11,29). Neuntens sollen wir uns durch Maßhalten und Bescheidenheit freihalten
von aller Schuld, indem wir uns leiten und ermahnen lassen durch die Erlösung zu
unserem Heil. So werden wir zur Pforte des Lebens gelangen und in die ewigen
Wohnungen der Ruhe eintreten, die unser Erlöser einem jeden entsprechend seinem
Wandel bereitet hat (vgl. Joh 14,2 f.). Zehntens sollen sie Vertraute und Einge-
weihte des heilbringenden Opfers Christi sein, an dem sie in Würdigkeit und Rein-
heit mit Gebet und Flehen und unter anmutigen Tränen, vom heißen Verlangen des
Geistes und reiner Liebe erfüllt, teilnehmen. Mit den himmlischen Engeln nahen sie
sich Gott ... und werden befähigt, in wohltätiger und reiner Liebe im Guten Fort-
schritte zu machen und auch die anderen zu den verheißenen Gütern und zum Le-
ben zu führen.

Mesrop, 18. Rede: Lob für Gottes Wohltaten;
nach Schmid, 210–212

Würde und Dienst des Priesters macht ein Hymnus zu Beginn der Meßfeier deutlich. Der Priester ist Diener Christi, der als Erneuerer der Welt und der adamitischen
Menschheit Gott die ewige Liturgie darbringt, und Diener der Gemeinde, für die er
die »Hände fürbittend« erhebt:

Tiefes Mysterium, unerforschlich, anfanglos,
du hast deine himmlische Herrschaft geschmückt
für das Brautgemach des unnahbaren Lichtes
und mit glorreicher Herrlichkeit
die Chöre der feurigen Engel geziert.

Mit unaussprechlich wunderbarer Macht
hast du Adam gebildet als Ebenbild des Herrn

und mit überaus großer Herrlichkeit ihn
für den Garten Eden, den Ort der Freude, bekleidet.

Durch die Leiden deines Eingeborenen
wurden alle Geschöpfe erneuert,
und von neuem wurde der Mensch unsterblich gemacht
und mit dem unverderblichen Gewande geschmückt.

Gnadenüberströmender Kelch, feuerströmender,
über die Apostel wurdest du ausgegossen im heiligen Saal;
gieße auch über uns, Gott Heiliger Geist,
mit diesem Gewande deine Weisheit aus.

Deinem Hause gebührt Heiligkeit;
denn du bist gekleidet in Schönheit
und umgürtet mit Heiligkeit und Herrlichkeit:
umgürte uns mit Wahrheit.

Deine schöpferischen Arme
hast du gegen die Sterne ausgebreitet;
festige unsere Arme mit Kraft,
damit wir unsere Hände fürbittend zu dir erheben können.

Durch das Diadem auf dem Haupt bewahre den Geist
und die Sinne behüte durch die kreuzförmige Stola
wie bei Aaron, strahlend von Gold,
zur Zierde des Heiligtums.

Aller Herren Herr, Gott,
du hast uns das Meßgewand angelegt mit Liebe,
damit wir Diener deines heiligen Mysteriums seien.
Himmlischer König, erhalte deine Kirche unerschütterlich
und die Anbeter deines Namens bewahre in Frieden.

Hymnus bei der Anlegung der Meßgewänder; Steck, Liturgie, 7f.

An die Hirten der Herde, die Priester, Vardapeten und Bischöfe, richten die Väter strenge Reden; sie halten ihnen ihre Saumseligkeit vor und leiten sie zugleich zu echter Hirtensorge an. In einer Zeit politischer Unfreiheit und religiöser Unterdrückung durch die persischen Machthaber, etwa im 7. Jahrhundert, hatten offenbar viele Geistliche den Weg der Anpassung beschritten und ihre Gemeinden vernachlässigt. Mit harten Worten und anschaulichen Vergleichen geißelt Johannes Mandakuni das Verhalten der Priester und Lehrer, die sich recht wenig an Jesus orientieren und sich weit vom Martyrermut der ersten Glaubensboten entfernt haben. Über den Tadel hinaus entwickelt Johannes in seiner Predigt aber auch ein eindringliches Bild vom wahren Seelsorger:

Ihr Hirten der Herde, ihr Vorsteher der Kirche, der Hürde für die Herde, seht, wie Satan vorgeht und wie Christus bekämpft wird, wie die Kirche verachtet und von den Wölfen verfolgt wird. Und doch schweigt ihr, Hirten der Herde; ihr seid nachlässig und verkündet nicht unablässig die Gebote, damit alle sie hören! Die Heere sind von Feinden eingeschlossen; und du, Feldherr, ruhst dich aus und schläfst! Das Schiff wird von den anstürmenden Wogen hin und her geschleudert; und du, Kapitän, sitzt ruhig und sorglos herum! Wilde Tiere brechen in den Weinberg ein und verwüsten ihn; und du, Arbeiter im Weinberg, schaust zu und kümmerst dich nicht darum! Diebe sind herbeigeschlichen und brechen von allen Seiten ins Haus ein; und du, Wächter, schläfst und schnarchst! Die Gemeinde ist zu Tode verwundet; und doch ist kein Arzt zugegen. Von Wölfen sind die Herden zerstreut, in Abgründe sind sie versprengt und stürzen über die Felswände, Raubvögel zerreißen sie grausam, zerstreut liegen sie da in ihrem Blut; doch die Hirten sind nicht zu sehen. Weckt euch nicht der Gedanke an den Oberhirten, der sagt: »Richten will ich Schaf um Schaf und Widder um Widder« (Ez 34,17)? ... Sieh doch, wie hart der Fluch und die Drohung Gottes über die lauen Priester sind; fürchte dich vor seiner furchtbaren Strafandrohung und sei nicht saumselig in der Sorge um die geistige Herde Gottes, sondern arbeite Tag und Nacht unablässig an ihrer Rettung und an deiner Heiligung. Bedenke, welche Sorgfalt Mose, Aaron und Samuel zeigten, die auch Vorsteher solcher Herden waren. Bedenke auch, wie Paulus und Petrus sich mühten, die ebenfalls Vorsteher dieser Herden waren. Denke auch an die Heiligen, die nach ihnen kamen und genauso diese Herde leiteten. Mit Feuer und Schwert wurden sie gequält und gefoltert, weil sie über die Herde wachten. Unter Schlägen, in Fesseln und unter vielen Qualen verließen sie die Welt, weil sie Gott liebten und sich in Liebe und Sorge der Herde angenommen hatten. Nach diesen Vorbildern sollt auch ihr, Priester und Lehrer, stets handeln, besonders wenn jemand von euch aus freiem Entschluß das Bischofsamt übernommen hat. Das ist ja lobenswert, weil er nicht um sein eigenes Leben besorgt ist, sondern mutigen Herzens sich entschlossen hat, das Werk der Erbauung und des Heiles vieler auf sich zu nehmen. ...

Jeder, der das Priesteramt bekleidet, muß unter großem Einsatz und unablässig für das Heil der Herde arbeiten. Wenn schon Jakob vernunftloser Schafe wegen Frost und Hitze mit Geduld ertrug und sich den Schlaf versagte, wieviel mehr mußt du ohne Unterlaß für die vernunftbegabte Herde arbeiten und wachen und um sie bangen und besorgt sein. Ja, zärtlicher noch als ein liebevoller Vater und die Mutter eines neugeborenen Kindes mußt du für sie sorgen, sie lieben, mußt suchen sie zu retten. Immerfort mußt du sie durch die Verkündigung des Wortes Gottes unterweisen, jeden einzelnen wie auch die versammelte Gemeinde. Was aber jemand durch sein Wort lehrt, muß er auch durch seine Tat bestätigen; denn das Wort ist ohne Segen, wo Taten es nicht begleiten. – Jesus wirkte erst und dann lehrte er es (vgl. Apg 1,1). »Wer die Gebote tut und lehrt, wird groß heißen im Himmelreich« (Mt 5,19). – Bedenke, daß die Lampen an brennenden Feuern angezündet werden, nicht an erloschenen. So wird auch das Volk durch heiligmäßige Priester geheiligt, nicht aber durch sündhafte; denn der Priester ist in seiner Gemeinde wie das Auge im Leib: Er muß auf alle ein Auge haben, muß alle zur Gemeinschaftlichkeit führen und vom Schmutz der Sünde reinigen. Er ist wie das Licht auf dem Leuchter: Er muß die dichte Finsternis verscheuchen und das ganze Haus erhellen. ...

Sei darum wachsam, ermahne immer, rufe unablässig, prüfe alles und achte auf alles. Mahne und predige fleißig, mal mit Tadel, mal mit Bitten; hier ermutige, indem du ihnen die Freuden des heißersehnten Reiches schilderst, dort schüchtere ein durch den Hinweis auf die bösen, schrecklichen Qualen; die einen ermahne inmitten der Kirche, so daß es alle hören, die anderen tadle unter vier Augen, damit sie sich nicht aus Scham vor der Öffentlichkeit abwenden und den Tadel verachten. Wenn sich aber manche aus deinem Wort nichts machen, so trete ihnen nicht mit Geschrei entgegen; denn der Diener des Herrn darf nicht streitsüchtig sein, er sei vielmehr freundlich gegen jedermann, damit er sie womöglich doch noch zur Umkehr bewege. – Zeige dich dabei aber nicht überheblich; verachte vielmehr den Ruhm der Welt und gib nichts auf das Lob der Schmeichler. Denke an die Strafe, die Herodes empfing, der sich auch huldigen ließ. Hebe dich darum selber nicht hervor und suche für dich keine Ehre, sondern ehre die anderen und diene ihnen und nenne dich Diener. Erinnere dich, daß auch Christus gedient hat, als er sich eine Schürze umband, Wasser in ein Becken goß und seinen Jüngern die Füße wusch (Joh 13,4 f.), nicht ein Mensch den Menschen, sondern Gott den Menschen. . . . Ihm sollst du gleichen, und dir soll deine Herde gleichen! So spricht ja auch Paulus: Werdet mir ähnlich, wie auch ich Christus ähnlich bin (vgl. 1 Kor 4,16). Siehe, wenn du predigst, bist du der gleiche Paulus, und die Herde, die du unterweist, ist die gleiche. . . . Nach dem Vorbild Pauli sei schwach mit den Schwachen, weine über die Sünder, trauere mit den Verführten, stärke die Schwachen, zeige ihnen deine Sorge, durchziehe ihretwegen Länder und Meere. Schrecke nicht vor der Arbeit zurück, verzage nicht in der Schmach, laß dich durch Drohungen nicht einschüchtern; nein, wenn du Hungers sterben oder vor Durst verschmachten müßtest, um sie zu retten, ertrag es mit Freuden! . . .

Bereite der Herde das Heilmittel der Barmherzigkeit, für Greise, Männer und Frauen, für Diener und Herren, für Kranke und Mühselige; unterlasse und versäume keine Gelegenheit, sondern predige unablässig! Ein Wächter bist du, darum rufe; ein Aufseher bist du, darum sei eifrig; ein Führer bist du, darum führe zur Kirche; ein Hirte bist du, darum weide sie im rechten Glauben; ein Arzt bist du, darum heile die Wunden ihrer Sünden; ein Kapitän bist du, darum errette das Schiff aus der Sturmflut! Ein Pfand ward dir anvertraut, darüber mußt du Rechenschaft ablegen, ob du auch nur eine Kleinigkeit vernachlässigt hast. Fürchte den Oberhirten und suche die verlorene geistliche Herde, sammle alle, festige sie durch deinen Rat und deine Belehrung, söhne die Feinde mit Gott aus. Die durch den Teufel Versprengten führe zur Einheit, die von der Kirche Getrennten führe zu ihr zurück. Die Säumigen ermahne in Eifer zum Gebet; die von der Wahrheit Abgeirrten und Verlorenen suche; die Verführten führe zurück zur Gerechtigkeit. Heile die Kranken von den Lei-

den des Feindes; heile die vom Teufel Verwundeten; die durch Sünde Gefallenen richte wieder auf. Die durch Unwissenheit Umnachteten erleuchte; die den Geboten Gottes Entfremdeten mache wieder heimisch in ihnen. Die vom Götzendienst Befleckten reinige; die Sünder führe durch die Buße zur Gerechtigkeit. Die Hungrigen speise mit dem Leibe Christi; die Durstigen tränke mit seinem Blute! Mache sie alle würdig, durch Werke der Tugend in das himmlische Jerusalem zu gelangen.
Johannes Mandakuni, Reden, Die Verantwortung der Hirten für das Volk Gottes; nach Blatz, 124–135

Nicht nur an die Seelsorger, sondern auch an die Gläubigen richtet Mandukani mahnende Worte; sie dürfen sich kein Urteil über ihre Hirten anmaßen. Es ist aber nicht so, als ob der Kirchenvater sie unter ein Tabu stellt und so berechtigter Kritik entzieht, vielmehr sieht er seine Warnung vor Urteil und Verurteilung unter dem Mandat Christi, der in seiner Bergpredigt davor warnt, über den Bruder ein Urteil zu fällen, da jeder Mensch ein Sünder ist und Gott allein das Richteramt zukommt. Selbst ein unwürdiger Priester ist noch als Bote Gottes zu ehren. Er handelt in seinem Dienst nicht aus eigener Machtfülle; denn die Gaben, die er den Gläubigen mitteilt, sind Gnaden des Heiligen Geistes, der sich bei der Heiligung des Gottesvolkes auch unwürdiger Priester und Lehrer bedienen kann. Auch ein schlechter Priester spendet die Sakramente gültig. Verbreitet jedoch ein Priester, selbst wenn sein Lebenswandel noch so gut ist, falsche Lehren und untergräbt damit die Grundlage des Glaubens und des christlichen Lebens, so muß man ihn meiden: »Den Glauben zu prüfen ist deine Sache; über den Lebenswandel zu richten ist Sache Gottes.« Statt über schlechte Priester herzuziehen, sollen die Gläubigen lieber für ihre Seelsorger beten. Denn Christen bilden eine Familie, in der einer sich für den anderen einsetzt. Auf vielfältige Weise dienen Priester und Lehrer den Gläubigen, und diese erweisen ihnen wieder ,,Liebesdienste" verschiedener Art, nicht zuletzt den des Gebetes. Dem Dienst des Priesters muß der für den Priester entsprechen:

Obwohl du wegen deiner Sünden selbst dem Gerichte Gottes verfallen bist, fürchtest du dich nicht und schreckst nicht davor zurück, über andere das Urteil zu fällen. Mit dieser Tat hast du nicht nur einen Menschen geschmäht und beleidigt, sondern sogar Gott; denn du hast dir widerrechtlich seine Ehre und seine Macht angemaßt

und hältst über ihn Gericht, da du das Wort des heiligen Evangeliums nicht beach-
test, in dem es heißt: »Richtet nicht, damit ihr nicht gerichtet werdet. Mit dem Ur-
teil, das ihr fällt, werdet ihr gerichtet« (Mt 7,1 f.). Sache der Heiligen wäre es zu
richten, und dem Makellosen stände es zu zurechtzuweisen; dies soll aber unter vier
Augen geschehen und in der Form einer Bitte. Nicht auf offener Straße darf man je-
mandem seine Sünden vorhalten, noch darf man ihn hinterrücks in seiner Abwesen-
heit bei anderen verleumden. Das sind furchtbare Sünden und Vergehen gegen das
Gesetz. Denn wenn jemand selber lahm ist und andere wegen ihrer Lähmung belei-
digt, beleidigt der nicht tatsächlich mehr sich selbst als die anderen? Wenn er aber
zehntausend Fehler hätte, ist er doch froh, wenn sie nur verborgen bleiben. Hat da-
gegen sein Bruder sich auch nur im geringsten verfehlt, dann regt er sich auf, geht
umher und bringt es allen zu Ohren und wird zum harten Folterknecht und bitter-
bösen Späher für die Sünden seines Mitbruders. In seinem Auge steckt ein Balken,
aber er verbirgt ihn; dagegen sucht er den Splitter im Auge seines Bruders (vgl.
Mt 7,3). ... In einem fort speit seine Zunge das Feuer der Verleumdung gegen die
Mitbürger. Aber all die Strafen, die für die Sünder bereitet sind, werden auch die
Verleumder treffen. Warum machst du dich also dieser Qualen schuldig oder wel-
chen Vorteil ziehst du aus deinen Schmähungen? Hast du damit das Verlangen dei-
nes Herzens gestillt oder deinen Reichtum vergrößert? Ist es dir gar gelungen, durch
Verleumdungen den Hunger zu stillen oder die Nacktheit zu bedecken. Nicht das
Geringste hast du gewonnen, wohl aber sind die Gedanken der Verleumder wie die
des Satans, da sie immer voll des Bösen sind und darauf sinnen, es fortzupflanzen.
Wie Gebärende kreißen sie und setzen Verleumdungen in die Welt. Geradewegs
laufen sie umher und verbreiten Verleumdungen über den Mitbruder. Mal bilden sie
aus ihren eigenen schlechten Gedanken sich eine Meinung, mal übernehmen sie die
anderer und streuen den schlimmen und befleckenden Samen in die Ohren anderer
und machen den Mitbruder bei allen verhaßt. ...

Welchen Strafen müssen aber erst jene anheimfallen, die nicht nur ihre Brüder,
sondern sogar ihre Lehrer und Priester verleumden! ... Deine Priester halte hoch in
Ehren und die Fürsten deines Volkes verachte nicht. Mag auch einmal ein Priester
unwürdig sein, so sieht doch Gott, daß du seinetwegen auch die unwürdigen achtest
und ehrst. Wenn du einen unwürdigen Priester ehrst, so geschieht diese Ehrung

wegen des heiligen Gottes. Der unwürdige ist keineswegs verächtlich, denn auch er ist ein Bote des allmächtigen Gottes. Verachtest du ihn aber, so versündigst du dich gegen Gott, der ihm die Weihe gab und durch ihn die Taufe und das eucharistische Sakrament vollzieht. Wenn solche Priester darum auch unwürdig sind, sich dem furchtbaren Geheimnis des Altares zu nahen, so hält Gott in ihnen die Gnaden des Heiligen Geistes nicht zurück im Hinblick auf die Heiligung des Volkes. Wenn er sogar durch den heidnischen Priester Bileam und seinen Esel zur Rettung seines Volkes sprach (vgl. Num 22,28–35), wird er dann nicht auch durch unwürdige Priester alles tun, um uns zu retten? Wenn nur du in Reinheit am heiligen Sakrament Anteil nimmst, schadet dir die Sündhaftigkeit des Priesters nichts, wie andererseits die Heiligkeit des Priesters dem nichts nützt, der sich in Unreinheit naht. Glaubst du aber, daß durch die Hände eines fehlerhaften Priesters die Gnade des Heiligen Geistes nicht auf das Opfer herabsteigt und Gott durch ihn nichts verwandle, dann wisse, daß du die Lehre der Kirche und deinen Christennamen preisgibst. Wenn du recht hättest und das Opfer kein Opfer ist, wie du behauptest, dann wäre auch die Weihe keine Weihe und der priesterliche Stand ohne Fundament. Demnach wäre auch deine Hoffnung als Christ eitel; denn wir alle wären noch von Sünden umstrickt.

Darum kümmere dich nicht um dergleichen und durchforsche nicht die Lebensführung deines Vorstehers und verleumde nicht deine Priester und Lehrer. Du bist nicht beauftragt, jemandes Sünden aufzuspüren, geschweige denn jene des Priesters. Gottes Sache ist es, zu prüfen und zu richten; warum also willst du prüfen, richten und verleumden? Wenn du nicht einmal den Auftrag erhalten hast, über deinen Nächsten zu richten oder ihn zu prüfen und zu schmähen, um wieviel weniger über die Priester und die Lehrer! Dein Leben durchforsche vielmehr, darüber richte, nicht aber über das deiner Vorsteher! Ist er dagegen im Glauben verwerflich und lehrt er etwas Falsches, dann fliehe ihn, nahe ihm nicht, speise nicht mehr mit ihm und brich auch die eucharistische Gemeinschaft mit ihm ab; komme mit ihm nicht mehr in Berührung. Denn wessen Glauben fehlerhaft geworden ist und wer etwas Verkehrtes lehrt, mit dem brich den Verkehr ab, selbst wenn es Paulus oder ein Engel wäre. Es geht nicht ohne Strafen ab, mit ihm Gemeinschaft zu pflegen, als ob nichts geschehen sei. Den Glauben zu prüfen ist deine Sache; über den Lebenswandel zu richten ist

Gottes Sache. Wenn ein Priester zuverlässig im Glauben ist, folge ihm nur, seines Lebenswandels wegen schmähe ihn nie! ... Denn deinetwegen müht sich der Priester ab in der Kirche; deinetwegen betet er und vollzieht den Gottesdienst; deinetwegen trägt er die Lesungen vor und predigt; deinetwegen erhebt er die Hände und feiert das Geheimnis; deinetwegen bringt er beständig das Opfer dar und bringt deine Gelübde vor Gott; deine Feste feiert er stets; die von dir Verführten belehrt er und führt sie wieder zurück; deine Kinder tauft er; die, welche in der Gefahr der Sünde schweben, unterweist er; Verzeihung erfleht er für die Büßer und die Entschlafenen segnet er zur Reise ein; deine Ehe und die deiner Kinder verherrlicht er und segnet sie mit den Kronen der Freude; er betet für dein Leben; beständig fleht er zu Gott um Abwendung deiner Strafen; in einem fort bittet er inständig für dein Heil, um dich mit deinem Herrn auszusöhnen; unablässig fleht er für dich um Barmherzigkeit und Verzeihung deiner Sünden; jederzeit ist er in Sorge um deine Seele; sogar für dein leibliches Wohl ist er besorgt. Mehr als ein um Silber gekaufter Sklave ist er dir zu Diensten. ....

Dieser Wohltaten wegen solltest du darum dem Priester dienen, für ihn beten und flehen; du und deine Kinder sollen ihm zu Diensten sein, ihn fürchten wie Gott, ihm ehrfürchtig wie einem Vater begegnen, ihn wie einen Wohltäter ehren, ihn wie sich selbst und sein Leben lieben, ihn in seiner Trauer aufrichten, seine Arbeit fördern, seine Lehrtätigkeit unterstützen, ihn in seiner Schwäche trösten, ihn speisen und kleiden, Sorge tragen für seine irdischen Belange und ihn ganz freistellen für die Seelsorge. Diese und andere Liebesdienste mußt du dem Priester erweisen zum Dank für seine Mühen – nicht aber Verleumdung und Hohn, Verachtung und Spott.

Johannes Mandakuni, Reden, Warnung vor Verleumdung und Verurteilung; nach Blatz, 137–145

6. Die Kirche als heilige Gemeinschaft von Lebenden und Verstorbenen, Martyrern und Engeln

Durch Leben und Tod Christi hat Gott die Welt mit sich versöhnt. Diese Versöhnung umfaßt alle Geschöpfe, die Gott als ihren Vater bekennen: Engel und Menschen, die Heiligen in der Vollendung und die Verstorbenen, die noch auf die Fülle des

Lebens warten. Sie alle bilden als himmlische und als irdische Gemeinschaft die eine Kirche, die eine Gemeinde des Kyrios Christus, der das Haupt seines Leibes ist. »Alles im Himmel und auf Erden wollte Gott zu Christus führen, der Friede gestiftet hat am Kreuz durch sein Blut« (Kol 1,20). Ausdrucksstarkes Zeichen der weltumfassenden Versöhnung ist das Kreuz, das mit seinem senkrechten Balken von der Erde zum Himmel und mit seinem Querbalken von Horizont zu Horizont weist.

Seit frühesten Zeiten stehen überall in Armenien Kreuze als Symbole der Erlösung und des Gottesfriedens; es sind die Katschkare mit ihrem filigranartigen Netzwerk und dem Endlosband des Rankenmusters, mit denen sie öffentlich Zeugnis ablegen von dem Einbruch göttlicher Schönheit und Ewigkeit in die Dunkelheit menschlicher Geschichte und Todesverfallenheit. Die Kreuzsteine sind die verwüstlichen Hoffnungszeichen inmitten eines gequälten Volkes, die still, aber unübersehbar die Botschaft verkünden: »Verschlungen ist der Tod vom Sieg!« (1 Kor 15,54).

Tafel XXVIII: Katschkar in Etschmiadzin mit dem Kreuz als Lebensbaum und Versöhnungszeichen

Leben und Sieg Christi begründen ein neues Verhältnis der Menschen zueinander und zu Gott. Wie Jesus seine Jünger nicht mehr Knechte, sondern Freunde nennt (Joh 15,15), so bilden auch die Menschen, die ihm folgen eine neue Gemeinschaft: »Es gibt nicht mehr Juden und Griechen, nicht Sklaven und Freie, nicht Mann und Frau; denn ihr alle seid einer in Christus Jesus« (Gal 3,28). Vorbild dieser in Christus begründeten und auch durch den Tod nicht mehr aufhebbaren Gemeinschaft ist seine Familie, die ihm in Bethlehem und Nazareth zur Heimat geworden ist. Ihre umsorgende Liebe war der menschliche Wurzelgrund, in dem Jesu Liebe und Opferbereitschaft gedeihen und sich entfalten konnten. Der unbekannte Steinmetz hat den Sockel des Katschkars mit zwei ausdrucksvollen Szenen geschmückt, die uns die wohltuende und heitere Zuneigung im Elternhaus Jesu plastisch vor Augen führen. Im linken Bildfeld wiegt Maria ihr Kind, während die Hirten auf den Flöten ihre Wiegenlieder begleiten und Engel Mutter und Kind unter ihren Schwingen schützend bergen. Im rechten Feld herzen Josef und Maria ihr Kind und werfen es sich zu in einem Spiel, das in den Kindern, wenn sie von den starken Armen der Eltern aufgefangen werden, Freude hervorruft und in ihnen ein tiefes Vertrauen weckt. Die Freude der Menschen aneinander und ihre Gemeinschaft mit Gott, der ihnen in Jesus erschienen ist, werden in

Tafel XXIX: Die Familie Jesu, irdischer Wurzelgrund seiner Opferbereitschaft und Vorbild der kirchlichen Gemeinschaft (Ausschnitt aus Tafel XXVIII)

diesen beiden Szenen des Katschkars, der im 15./16. Jahrhundert geschaffen wurde und heute neben der Kathedrale von Etschmiadzin steht, erlebnisstark zum Ausdruck gebracht.

Seit dem 2. Jahrhundert gedenkt die irdische Kirche der Heiligen im Himmel, die einst mit ihr auf Erden weilten und in der Treue zu Christus zur Vollendung gelangt sind. Sie beruft sich dabei auf das Wort Jesus: » Wenn einer mir dienen will, folge er mir nach; und wo ich bin, dort wird auch mein Diener sein. Wenn einer mir dient, wird der Vater ihn ehren« (Joh 12,26). Als Heilige verehrte man zunächst die Blutzeugen, später, nach dem Aufhören der Verfolgungen, auch jene Männer und Frauen, die durch ihr Leben Zeugnis für Christus abgelegt haben. Viele Texte der armenischen Liturgie weisen noch auf jene Frühzeit der Kirche zurück, da in ihnen vor allem der Martyrer gedacht wird.

Bei jeder Taufe bekennt die Kirche Christus als den Herrn, Erlöser und Richter. Sie gedenkt auch der Heiligen und bittet Christus, daß dem Täufling durch die Aufnahme in die irdische Gemeinschaft der Kirche Heimatrecht in ihrer himmlischen Gemeinde gewährt werde; diese doppelte Aufnahme möge beim Gericht bestätigt werden:

Die Tore deines Erbarmens öffne über uns, Herr,
und mache uns würdig deiner Wohnungen im Lichte,
in der Gemeinschaft mit deinen Heiligen.

In den Wohnstätten, die du deinen Heiligen, Erlöser,
bereitet hast, nimm auch uns auf und schreib ein
als Söhne unsere Namen in das Buch des Lebens.

Wenn du sitzt auf dem Richterstuhl, schrecklicher Richter,
schone deine Geschöpfe
auf die Fürbitten und Gebete der heiligen Asketen.
Hymnus zu Ehren der Heiligen bei der Taufe;
Thon, Ordnung der Taufe, 118

Am Fest des Erstmartyrers Stephanus redet die feiernde Gemeinde die Kirche als ihre Mutter an. Sie ist im ursprünglichen Sinn des Wortes wahrhaft »katholisch«, da

Christus sie zur Mutter bestellt hat »für alle Menschen und für alle Zeiten«; sie ist Mutter ihrer auf Erden lebenden Kinder und ihrer heiligen Söhne und Töchter im Himmel. Stephanus, dessen Name Siegeskranz bedeutet, ist gleichsam ihr Erstgeborener im Himmel, da er in einzigartiger Weise Christus gefolgt ist. Wie Christus vor der Kreuzigung mit einem Kranz aus Dornen und Stacheln gekrönt wurde, so empfing Stephanus, der durch Steinigung zu Tode kam, einen Kranz aus Steinen; sie wurden sein Siegeskranz:

Freue dich heute, freue dich!
Frohlocke, katholische, heilige Kirche
bei der Gedächtnisfeier des heiligen Stephanus,
des ersten Blutzeugen Christi, des Zeugen des Vaters,
der durch sein Gebet den Himmel geöffnet hat,
welchen Adam verschlossen hatte.
Mit engelhaftem Antlitz hat er das Gleichbild des Vaters
in der Gestalt Adams geschaut,
sitzend auf dem Throne der Herrlichkeit.
Wie Christus Dornen und Stacheln,
so hat er viele Steine wie Blumen gepflückt
und seinen Siegeskranz vollendet.
Sein Martyrerblut vermischte er mit dem Erlöserblute Christi,
das aus dessen Seite geflossen war.
Deshalb erhoben zu größerer Herrlichkeit als alle Heiligen,
erflehe auch uns von dem himmlischen Geber
das Geschenk des ewigen Lebens und das große Erbarmen.
Eingangslied zur Messe am Stephanusfest;
Steck, Liturgie, 23 f.

Als ihre Erstmartyrerin verehren die Armenier die Jungfrau Rhipsime, auch Hripsime bei Verwendung lateinischer Buchstaben geschrieben. Sie hat Ende des 3. Jahrhunderts gelebt. Was über ihr Leben und ihr Martyrium berichtet wird, hat die Legende geformt. Danach war sie ein ausgesprochen schönes Mädchen und trat in Westarmenien, das damals zum Römischen Reich gehörte, in ein Kloster ein. Als Kaiser Diokletian, der von ihrer Schönheit gehört hatte, nach ihr verlangte, floh sie mit der Oberin Gajeane und 35 Schwestern in die Gegend des Ararat, wo sie in den Herrschaftsbereich des damals noch heidnischen Königs Trdat (Tiridates III.) gelangte. Da sie sich auch hier weigerte, in den Harem des Königs zu kommen, ließ dieser sie unter qualvollen Martern (Herausschneiden der Zunge, Ausstechen der Augen, Rösten über einem Feuer, Herausreißen der Eingeweide, Abschneiden der einzelnen Glieder) zu Tode foltern. Ihre Mitschwestern und die Oberin wurden enthauptet; sie werden unter der Bezeichnung Rhipsimeanen mit Rhipsime als Heilige verehrt. Als Katholikos Komitas um 619 zu Ehren Rhipsimes und ihrer Gefährtinnen eine Kirche erbauen ließ, dichtete er auch zu ihrem Gedächtnis einen Hymnus, in dem er sie feiert als »die heiligen Steine«, aus denen die Kirche errichtet ist. Die Kirche erscheint als »Mutter Zion« und die heiligen Martyrerinnen als ihre Töchter. Die Kraft, aus der Mutter und Töchter leben, stammt vom Lebensbaum im Paradies, der durch Christi Tod am Kreuz zu neuem Leben erblüht ist und nun seine ersten Früchte in Armenien getragen hat. Vom Kreuz Jesu kommt auch die versöhnende Gnade, die Engel und Menschen in heiliger Feier zu einer Gemeinde zusammenführt:

Seelen, geweiht der Liebe Christi,
himmlische Kämpfer und kluge Jungfrauen,
in eurem Ruhm erhöht, begeht ein Fest
die Mutter Zion mit ihren Töchtern.

Himmlische Klänge haben die Erde erfüllt,
da ihr süßen Duft ausgehaucht in Christus,
geistige Brandopfer und Opfer der Erlösung
und unbefleckte, Gott dargebrachte Lämmer.

Wieder von neuem schmückt sich schöpferische Kraft
und wiederum Eden, das gottgepflanzte;
denn der Baum des Lebens ward im Paradies gepflanzt
und brachte uns als Frucht die selige Rhipsime.

Die Heerscharen der Engel haben mit den Menschen gefeiert,
und Frauen sind im Himmel als Krieger eingeschrieben worden.

In Jungfräulichkeit mit dem Tode Krieg führend haben sie gesiegt,
Kreuzgenossen geworden des jungfraugeborenen Schöpfers.

Rhipsime, großes Geheimnis und begehrenswerter Name,
auserlesen auf der Erde und gereiht unter die Engel,
du wardst ein Vorbild für die Reinheit der Jungfrauen
und eine Lehre für gerechte Männer.

Dir zu gleichen, ersehnen sich alle Seelen,
die vereint durch Reinheit und die Liebe Christi.
Denn durch euren Tod habt ihr uns den Weg gewiesen,
auf dem jeder Mensch zu Gott zu gelangen vermag.

Geschickte Steuerführerinnen mit geistiger Erfahrung,
mit leichtbelastetem Leib und Geist hineilend
über weite Räume meerflutgleichen Lebens
seid ihr schadlos dahingesegelt und zu Christus gelangt.

Christi wahren Rebstocks Früchte und Trauben,
gepreßt vom himmlischen Winzer,
wurdet ihr hart ausgetreten in eurer Kelter,
auf daß ihr euch erfreuet des unsterblichen Kelches.

Klugheit der weisen Jungfrauen,
die nicht Trägheit, nicht Schlaf besiegte,
die vielmehr wachsam geblieben und bereit für die himmlische Hochzeit,
auf daß sie eingingen in das Brautgemacht des unsterblichen Bräutigams.

Sie sind die heiligen Steine, auf der Erde errichtet,
die der Prophet im voraus sah und ankündigte.
Aus diesem Material ward die katholische Kirche erbaut,
erhöht in Ruhm zur Ehre des Kreuzes.

Um eurerwillen, selige Vorkämpferinnen,
haben sich die Heerscharen der Engel, der leiblosen Himmelswächter,

aus dem Himmel über die Erde verbreitet
und sich die Menschen in die Schar der Krieger Christi, Gottes, eingereiht.

Laßt uns in Wahrheit feiern in ihren Keltern,
damit wir getränkt werden durch den unsterblichen Kelch.
Denn sie verleihen Heilung den Seelen und Leibern
und himmlische Gaben ihren Lieben.

Mit Jubel laßt uns ihr Andenken feiern,
auf daß wir teilnehmen an ihrer Erlösung;
laßt uns vom Schöpfer die himmlischen Gaben erbitten,
auf daß wir unter sie eingereiht werden in den lichten Wohnstätten.

Mögen dir, du Jubel, Christus, Gott,
du Freude aller Gerechten,
süß werden unseretwegen die Bitten der Heiligen,
auf daß du uns Vergebung gewährst für die vielen Missetaten.
Komitas, Hymnus zu Ehren Rhipsimes und ihrer Gefährtinnen;
Finck, Geschichte der arm. Literatur, 100–103, gekürzt

Die Heiligen im Himmel und die Gläubigen auf Erden bilden eine heilige Gemeinschaft. So darf der Beter gewiß sein, daß sich die Vollendeten auch für sein Schicksal interessieren und für ihn beim gemeinsamen Herrn Fürbitte einlegen. Es ist nicht so, als ob Christus nicht wüßte, wessen die Jünger auf der Pilgerschaft bedürften und erst durch die Heiligen darauf aufmerksam gemacht werden muß; vielmehr kommt gerade in der Verehrung der Heiligen durch die irdische Kirche und in der Fürbitte der himmlischen Kirche für das pilgernde Gottesvolk der paulinische Gedanke zum Tragen, daß alle Christen Glieder eines Leibes sind und füreinander einstehen müssen (1 Kor 12,12–27). Dieser Überzeugung hat der Katholikos Nerses in seinem Hymnus Ausdruck verliehen, in dem er der Heiligen und ihres Wirkens für die Kirche gedenkt und sie bittet, für ihn beim Richter Christus Fürsprache einzulegen:

Durch das Gebet der Gottesmutter,
der unbefleckten, allzeit reinen Jungfrau,

und das Gebet des Vorläufers Johannes,
der Stimme, die gerufen aus der Wüste,
durch das Gebet der heiligen Scharen,
besonders der Apostel,
die aus dem Strom des Geistes tranken
und die uns tränken insgesamt,
des obersten der Jünger,
des heil'gen, unbeirrbaren Glaubensfelsens (Petrus),
und dessen, der des WORTES auserlesenes Gefäß gewesen (Paulus),
der reinen Zebedäussöhne,
die aus der Höhe donnerten,
Andreas', deines Kreuzgenossen,
Matthäus', der das Wort gepredigt,
Philippus', nach dem Vater fragend,
Bartholomäus', der uns (Armenier) hat berufen,
Jakobus', der genannt ward nach Alphäus,
Thomas', des Zwillingsbruders,
Simeons', des Eiferers,
und Judas', des Jakobussohnes,
nach deinem Bruder zubenannt
sowie nach dem gerechten Patriarchen,
der sieben Heiligen, die sie gewählt,
der Diakone für die kleine Herde,
in deren Reigenchor der erste jener war,
des Name Krone (Stephanus) ist,
und der von dir erwählten Siebenzig,
der Jünger, Prediger des Wortes,
und derer, die gefolgt auf sie,
ein jeglicher zu seiner Zeit,
der Patriarchen ganzer Schar,
der Lehrer rechten Wortes,
die dich, des Vaters eingebor'nen Sohn,

uns lehrten zu bekennen,
der Diener heiligen Geheimnisses,
der in der Kirche waltenden neun Ämter,
den Engelchören ähnlich,
die Gottes Lob besingen, –
durch all die Hehren, die im Himmel weilen,
durch ihr Gebet erbarm dich meiner.
Sie flehen ja zu dir für mich,
daß du nicht deiner Hände Werk verwirfst.
Durch all die Martyrer ohne Zahl,
die je ihr Blut für dich vergossen,
gib mir die Gnade, Klagetränen
statt ihres Blutes zu vergießen –
vom ersten heil'gen Zeugen an,
der dich noch schaute, Stephanus,
bis hin zum allerletzten Zeugen,
der durch den Antichrist vollendet wird.
Durch alle ihre Qualen
gib Rettung von den Peinen Satans,
durch ihren frei gewollten Tod
Rettung vom Tode ohne Ende.

Nerses Schnorhali, Jesus, der Sohn, III, 425–479;
Theol. Quartalschrift 80, 268 f.

Der Dienst der Heiligen für die irdische Kirche zielt darauf, daß Gott verehrt werde und die Menschen in der Nachfolge Christi bei ihm ihre Vollendung erreichen. Wegen ihrer Glaubenstreue und ihrer großen Liebe zu Gott hat dieser ihnen die Gnade geschenkt, bei ihm Fürsprache für ihre Brüder auf Erden einlegen zu dürfen. Wenn ihre Reliquien verehrt werden, wird Hilfe nicht von diesen erwartet, wie es abergläubische Praktiken nahelegen; vielmehr ist es Gott selbst, der seine Liebe und Macht durch jene erweist, die ihn geliebt haben: »Wisset: Wunder vollbringt Gott an seinen Getreuen« (Ps 4,4).

Der Wille der Heiligen ist darauf gerichtet, daß durch ihre Fürsprache das Volk zur Verehrung Gottes ermuntert werde, damit es von der allerheiligsten Dreifaltigkeit den Lohn seiner Mühen empfange. Schon Paulus und Barnabas haben im Namen des Herrn Jesus Christus Wunderzeichen vollbracht, als sie einen vom Mutterleib an Gelähmten heilten und alle Umstehenden in Erstaunen setzten, so daß man sie für Götter hielt, die in Menschengestalt vom Himmel herabgekommen seien. Als man sie daher wie Götter mit Opfer ehren wollte, zerrissen sie ihre Kleider und schrien: Wir sind Menschen wie ihr und Diener des höchsten Gottes, der Himmel und Erde gemacht hat und alle anderen Geschöpfe; in seinem Namen wurde dieser Mann hier geheilt (vgl. Apg 14,8–18). Nach diesen Worten brachten sie nur unter großem Einsatz das Volk zum Schweigen. Sie waren bereit, lieber zu sterben als die Ehre, die allein Gott gebührt, für sich in Anspruch zu nehmen und sich von den Menschen anbeten zu lassen. ...

Alle Heiligen führen durch ihre wahre Demut jene, die an Gott glauben, zum Herrn in der Höhe. Sie sollen der Erlösung durch den Herrn aller Menschen würdig werden und auf ihre Fürsprache hin Nachlaß der Sünden erlangen, so daß sie sich nicht mehr den schlechten Sitten Satans zuwenden, sondern den Heldenmut und die vollkommene Liebe der Heiligen bewundern. Diese Liebe war ja im Hinblick auf Gott Grund ihrer Hoffnung und befähigte sie zur Nachfolge Christi in Geduld bei Feuer und Kälte, Wasser und Eis, Eisen und Schlägen, in Gefängnis und Ketten, bei Hunger und Durst, durch Schwert und Tod, unter Drohungen und Bitten, mit welchen die Furchtsamen eingeschüchtert und die Mutigen schwach gemacht werden sollten. Doch die Leiden unter solch schmerzhaften Quälereien und die Bedrängnisse und Gefahren, denen der Leib ausgesetzt war, konnten die heilige Liebe zur allerheiligsten Dreifaltigkeit nicht auslöschen und austilgen. Da ihre Liebe zu Gott sogar noch wuchs, verlieh ihnen der Herr die Gnade, voll Zuversicht bei ihm Fürbitte einlegen zu dürfen. Denn die grausamen Qualen der Feinde ertrugen sie mit großer Geduld dank der gütigen und heiligen Liebe dessen, der das Menschengeschlecht liebt und zu sich heimgerufen hat.

Laßt uns also den Spuren der Heiligen in inniger Liebe folgen; suchen wir unter heißen und anmutigen Tränen die Ruhe dort oben durch die Mühen hier unten; löschen wir das Feuer der Begierden mit dem Feuer des Heiligen Geistes und reinigen

die sichtbaren Sinne des Leibes und die unsichtbaren Regungen des Herzens von bö-
sen Vorwürfen. Dann werden wir, bewährt in der Liebe zu Gott, nach Beendigung
unseres Lebens in der Welt der heiligen Verheißungen würdig und können an der
Versammlung der Heiligen teilnehmen und mit ihnen ein Fest zum Ruhm des all-
mächtigen Gottes feiern, der ihnen den Sieg über die bösen Tyrannen verliehen hat.
Jetzt werden sie im Himmel und auf Erden immerfort verherrlicht. ...

Die Fürsprache der Heiligen für das gläubige Volk gründet in ihrem Glaubens-
zeugnis. Sie haben ja auf Erden ihren Leib zur Ehre Gottes wie lieblichen Weihrauch
geopfert. Ihre reinen Seelen bewegen in geistiger Fürsprache Gott, der Welt Barm-
herzigkeit zu erweisen. Die Reliquien ihrer Leiber aber bringen dem gläubigen Volk
die Gnaden der Erlösung. Wie es allen verständlich ist, soll die Liebe Gottes sich
durch ihre Reliquien wirkmächtig erweisen und an den Wundern auf Erden erkannt
werden. ... Diese Gnaden hat Gott den Aposteln, Propheten, Martyrern und allen
auserwählten Heiligen hier auf Erden und im Himmel verliehen. Denn durch ihre
anleitenden Tugenden und ihre tugendhaften Sitten sollen auch wir Gott wohlgefäl-
lig werden. So sind uns die Heiligen stets aufgrund ihrer Fürsprache die Ursache der
Erlösung und des Lebens. Preisen wir also die selig, die Gott selbst verherrlicht hat,
welche aus Liebe zu Gott sich dem Leiden und dem Tode übergeben haben und
dafür vom unsterblichen König Ehre und unvergängliche Geschenke erhalten ha-
ben!

Mesrop, 16. Rede: Die Fürsprache der Heiligen;
nach Schmid, 196–199

Zur Gemeinschaft der heiligen Kirche gehören auch die Verstorbenen, deren Lebensvollzug nicht den Schluß zuläßt, daß sie schon beim Tod wie die Martyrer in die
göttliche Lebensfülle heimgekehrt sind. Für sie bringt die Kirche Gott das Versöhnungsopfer dar, das Christus ihr anvertraut hat. Christus selbst, der Mittler zwischen
Gott und den Menschen, erwirkt den Verstorbenen Gottes Barmherzigkeit und
Versöhnung:

Zum Gedächtnis der Verstorbenen
nimm, heiliger, liebevoller Vater,

dieses Opfer an und geselle ihre Seelen
der Schar deiner Heiligen in deinem Reiche zu.
Besonders da wir im Glauben
dieses Opfer darbringen,
werde deine Gottheit versöhnt
und verleihe Ruhe ihren Seelen.
Heilig-Gesang in Meßfeiern für die Verstorbenen;
Steck, Liturgie, 51

Über das Schicksal der Verstorbenen bis zum Weltgericht braucht sich niemand
Sorge zu machen. Da Gott der Herr ist über alle Bereiche seiner Schöpfung, sind weder die Seelen noch die Leiber der Verstorbenen verloren. Nach altchristlicher Auffassung, der sich auch die armenische Kirche angeschlossen hat, sind die Seelen aller
Toten bis zum Weltgericht in Gottes Obhut; doch je nach ihrem Lebenswandel empfangen sie schon ahnungsvollen Anteil an der künftigen Herrlichkeit bzw. Verurteilung. Erst bei Christi Wiederkunft wird das endgültige Urteil gesprochen. Bei der
Neugestaltung der Welt und der Auferweckung der Toten werden die Seelen der Verstorbenen mit ihren Leibern vereinigt und empfangen dann vom Richter Christus die
Seligkeit göttlichen Lebens oder die Verdammnis in ewige Gottferne. Der Urteils-
spruch Christi hängt vom Verhalten der Menschen während ihres irdischen Lebens ab.
Wer sich der Notleidenden angenommen hat, dessen nimmt sich auch Christus an.
Der Lohn derer, die Christus gefolgt sind, wird Gott selbst sein:

Die Seelen der Freunde Gottes, wo immer sie auch sind, stehen im Buche seiner
heiligen Liebe und erfreuen sich seiner lebenschenkenden Fürsorge. Aber auch ihre
Leiber sind dank seiner Fürsorge in seinen Büchern für das Leben bewahrt, ob sie
nun in der Erde oder im Wasser oder sonst wo bestattet sein mögen. Denn unser Gott
ist im Himmel und auf der Erde, im Meer und in den Tiefen, sagt der Prophet; und
weiterhin heißt es: »Steige ich in den Himmel hinauf, so bist du dort; bette ich mich
in der Unterwelt, bist du zugegen. Nehme ich die Flügel des Morgenrots und lasse
mich nieder am äußersten Meer, so wird auch dort deine Hand mich leiten und deine
Rechte mich in Liebe halten« (Ps 139,8–10). Unterwelt nennt er das moderne Grab,
welches durch Gottes Sorge bewahrt wird in der Hoffnung auf die Auferstehung; die

Leiber werden von ihm neugestaltet zum ewigen Leben und mit ihren Seelen ver-
eint. Die Reinen werden dann bei Christus sein, der sagt: »Wo ich bin, wird auch
mein Diener sein« (Joh 12,26). Aber auch die Leiber und Seelen der Sünder, wo sie
auch sind, bewahrt Gott und er wird seinen Tadel an ihnen offenkundig machen am
Tage des großen Gerichtes und der Auferstehung der Toten. Denn sie haben sich
gegen die Gebote der Gerechtigkeit gestellt und das Böse geliebt...

Alle Geschöpfe sind im Innern seiner Macht geborgen. Seine Freunde und jene, die
seinen Willen tun, bewahrt er in seiner tiefen Liebe vor allen Gefahren. Es gibt aber
auch Wohnungen für jene, die seine Gebote mißachtet und in bösen Begierden dem
vielfältigen Bösen gedient haben; sie erben die äußerste Finsternis. Diese Finsternis
ist auf Erden bereits das Böse, das Verstand und Sinne verdunkelt und dem künfti-
gen Leben entfremdet, wie der Apostel sagt (vgl. Röm 1,21–32). – Und wo sind sie
im künftigen Leben? – Im Feuer der Hölle, wo Weinen ihnen die Augen verfinstert,
so daß sie niemanden sehen, und wo auf sie die Qualen warten, welche den Dämo-
nen und Unreinen bereitet sind...

Wenn das irdische Leben im Tod sein Ende findet, wird die Seele zu Gott geleitet,
der sie erschaffen hat, und der Leib kehrt zur Erde zurück, von der ihn der Schöpfer
genommen hat. Den reinen und gerechten Seelen kommen dann die Engel und die
Heiligen entgegen und führen sie unter Psalmen, Preisliedern und geistlichen Ge-
sängen zu Gott, damit sie die Allmacht und Herrlichkeit der allerheiligsten Dreifal-
tigkeit loben und der wohltätigen Güte Gottes Dank sagen. ... Solche Ehre wird uns
zuteil, wenn wir die Gefangenen befreien, den Schuldnern vergeben, den Notlei-
denden Hilfe gewähren, und was es sonst noch für Wohltaten gibt, etwa im Hinblick
auf die künftige Erlösung das Fürbittgebet unter heißen Tränen, mit dem wir die
Sünder zur Hoffnung des ewigen Lebens in Christus geleiten. Denn durch das Für-
bittgebet wird der barmherzige Vater, der gütige Sohn und der fürsorgende Heilige
Geist versöhnt. Gott ist auch den Sündern gnädig, die aufrichtig in Bekenntnis und
Buße umkehren; er nimmt ihre Seelen je nach Verdienst in seine Wohnungen auf und
teilt ihnen entsprechend seiner Vorsehung einen Ort der Ruhe zu. ...

Diese Gnaden sind unaussprechlich; das Ohr kann sie nicht hören, denn sie lassen
sich nicht vernehmen, der Verstand kann sie nicht erfassen, denn sie sind unbegreif-

lich denen, die sie erforschen wollen. Schon die Beschaffenheit des Lebens im Mutter-
leib kann niemand erklären; auch das menschliche Leben in den Höhen, auf der
Erde und auf dem Meere ist von der Fürsorge Gottes umfangen. Noch viel weniger
kann das Ziel unserer Hoffnung, das ewige Leben, erklärt werden. Doch die Schrift
verheißt das Himmelreich den Gläubigen und ermuntert die Rechtschaffenen, in
Hoffnung darauf zuzugehen. Denn da Gott Himmel und Erde geschaffen und sie
mit Gütern zur Ernährung aller Menschen ausgestattet hat, noch bevor es einen
guten Menschen auf Erden gab, so mag man daraus ersehen, daß der gütige Herr
seine Verheißung wahr macht für jene, die ihn lieben. Jene, die Gott lieben, können
die zukünftige Welt nicht beschreiben; aber in einem Ausspruch des Herrn heißt es:
»Die Gerechten werden im Reich ihres Vaters leuchten wie die Sonne« (Mt 13,43).
Wie die Finsternis nicht dem Sonnenlicht gleicht, so ist auch das Sonnenlicht nicht mit
dem lebendigen Licht der göttlichen Herrlichkeit vergleichbar. Die Heiligen werden
umkleidet sein mit schattenlosem, ewigem, unveränderlichem Licht, das von
lebendigmachender Güte ist. Was im Bereich der Sinne die Sonne ist, das ist in der
geistigen Welt Gott, der alle erleuchtet.
Mesrop, 12. Rede: Die Fürsorge des gütigen Schöpfers;
nach Schmid, 162–166

Mehr als um die Verstorbenen machen sich die Väter der Kirche Sorge um die
Lebenden, die ihren toten Angehörigen nachtrauern. Das Heidentum wirkte auch im
christlichen Armenien noch weiter; die Überlebenden oder die von ihnen nach orientalischer Sitte bestellten Klageweiber übten Bräuche, die letztlich die Übermacht des
Todes anschaulich verherrlichten. Christen dürfen sich derartiger Praktiken nicht hingeben, da sie damit ihre in Christus begründete Auferstehungshoffnung leugnen
würden. Wer als Christ gestorben ist, geht der Erneuerung des Lebens entgegen; er
wird deshalb unter Segensgebeten zum ewigen Leben begleitet. Wer den Verstorbenen
aber noch über den Tod hinaus Gutes erweisen will, soll an den Lebenden die Werke
der Barmherzigkeit üben und für die Toten das eucharistische Opfer darbringen
lassen:

Über das Leben im Lichte Gottes maßlos nach Heidenart zu klagen und zu
trauern ist Torheit; schon Paulus hat sich gegen solche Trauer ausgesprochen und

gemahnt: Trauert nicht über die Entschlafenen wie die anderen, die Heiden, die Gott nicht kennen (vgl. 1 Thess 4,13). Wenn ihr in Trauer, Klagen und Wehgeschrei ausbrecht, habt ihr noch viel mehr als die Heiden Tadel verdient. Denn denen, die an Christus glauben und in der heiligen Taufe erleuchtet wurden, auf die der große und Ehrfurcht gebietende Name der heiligen Dreifaltigkeit herabgerufen wurde und die in der Firmung durch die Besiegelung mit dem Kreuz Gott geweiht wurden, ist solches Verhalten verboten. Wer Gott geweiht wurde, darf sich nicht nach heidnischer gottloser Weise entehren, darf sich nicht die Haare zerzausen oder ausreißen und keine Asche auf sein gesalbtes Haupt streuen. Fern sei ihnen das gottlose, teuflische Geheul und Wehgeschrei und das gottlose Zerschlagen ihres Leibes..., wie es dumme Weiber in heuchlerischer Art zur Schau aufführen. Sie führen sogar über verstorbene Christen das Werk der Götzendiener aus, stoßen Geschrei und Klagegeheul aus und zerfleischen sich wie Verzweifelte übel den Leib. Die Christen soll man unter Psalmengesängen und Segensgebeten hinausgeleiten und mit Liedern für das ewige Leben ehren. – Warum entwürdigt ihr durch schmachvolle und schändliche Trauerszenen den, der Christus verwandt ist und den Heiligen Geist in sich trägt? ... Schämen sollt ihr euch vor Juden, Heiden und Sektierern, die euch eures Glaubens wegen höhnen und sagen: Wo ist eure Auferstehungshoffnung, wenn ihr bei solchem Geheul, mit solcher Verzweiflung und Trauer und in schamloser Entehrung euch die Adern aufreißt und Blut vergießt, Wehrufe ausstoßt, die Haare abschneidet, in Geschrei und lautes Klagen ausbrecht, und das noch über jemanden, der Christ heißt? ...

Der Tod des Gerechten ist für alle voller Freude und Glück; denn er wird frei von den sündhaften, eitlen Sorgen der Welt und wird in Ruhe und Geborgenheit den Lohn für sein beharrliches Bemühen um ein tugendhaftes Leben empfangen und bewahren. Und wenn er noch nicht die vollkommene Freude erreicht haben sollte, so wollen wir ihm zu Hilfe kommen durch Mitleid den Armen gegenüber; wir wollen seinetwegen Werke der Barmherzigkeit üben und das erhabene Sakrament (der Eucharistie) feiern. Das ist ein Lösegeld vor dem gütigen Gott, der dem Verstorbenen dann Liebe erweist in dem Maße, wie er selbst es für gut befindet. Darum achte auf diese Worte und vertreibe aus deinem Herzen die finstere Trauer. Hoffe

auf den ernsten Tag der Auferstehung! Verbannt seien aus deinem Munde die törich-
ten Schwätzereien und Klagen; denn man nennt dich Christ! Lebe nur ganz in dieser
freudigen Haltung und hoffe auf das ewige Leben. Tröste die anderen und sage ih-
nen: Deine Verstorbenen trifft nicht mehr der zweite Tod in furchtbaren Qualen. ...
Für den Christen bringt der Tod ja nicht den Untergang, sondern die Erneuerung
zum ewigen Leben. Deswegen begleiten wir auch unsere Verstorbenen unter
Psalmengesängen und Segensgebeten zum Leben; wir bringen sie Gott dar wie
Weihegaben.
Johannes Mandukani, Reden, Trostbrief wegen der Verstorbenen;
nach Blatz, 235–242

Zur Kirche gehören schließlich auch die Engel. Wie die Priester in der irdischen
Kirche Gott das eucharistische Lob darbringen, so vollziehen sie im Himmel die überzeitliche Liturgie zur Ehre des Schöpfers. Einst wird die Zeit kommen, wo die Kirche
der Engel und die Kirche der Menschen gemeinsam in ewiger und kosmischer Lob-
und Dankfeier Gott verherrlichen und darin ihre Seligkeit erleben:

Heute freuen sich die Priester der Kirche auf Erden,
da sie auf wunderbar herrlicher Weise
das Fest der Priester im Himmel begehen;
es feiern die unkörperlichen geistigen Chöre
mit den körperhaften irdischen Ordnungen.
Heiliger Gabriel und Michael,
ihr Großen, Erzengel des Höchsten,
ihr steht vor dem Throne der Gottheit:
Werdet unablässig unsere Fürbitter beim Herrn,
daß er uns alle erhebe zu euch in das Reich des Himmels
und wir mit einer Stimme seine Herrlichkeit besingen.
Eingangsgesang am Fest der Engel; Steck, Liturgie, 33

Die Tatsache, daß es Engel gibt, hat Gott uns geoffenbart. Da Engel aber nicht dem
Erfahrungshorizont der Menschen angehören, kann über ihr Wesen nur in Vergleichen und Bildern gesprochen werden. Sie leben in Gottes Gegenwart, und der

Lobpreis seiner Herrlichkeit ist ihre Seligkeit. Gottes Wille ist es, daß sie auch den Menschen, ihren Brüdern auf Erden, dienen und sie beschützen, damit sie ihr Heil in Gott erreichen. Dann wird die Gemeinschaft der Kirche aus Engeln und Menschen, deren Haupt Christus ist, Gott den ewigen Lobpreis darbringen. »Denn aus ihm und durch ihn und auf ihn hin ist die ganze Schöpfung. Ihm sei Ehre in Ewigkeit!« (Röm 11,36):

> *Von den Engeln sagt die Schrift: »Er hat seine Engel zu Winden gemacht und seine Diener zu Feuerflammen« (Ps 104,4). Winde nennt sie sie wegen ihrer Schnelligkeit, um zum Ausdruck zu bringen, daß sie schneller sind als Winde. Denn im Hebräischen, Griechischen und Syrischen gibt es für Geist und Wind das gleiche Wort; auch im Armenischen ist es ja so... Und Feuerflammen nennt sie sie wegen ihrer Gewalt, wie es an anderer Stelle heißt: »Gewaltig an Kraft, die seine Befehle vollstrecken« (Ps 103,20). (Das ist bildlich gesprochen und bedeutet nicht, daß sie ihrer Natur nach Wind oder Feuer sind.) Denn besäßen sie die Natur des Windes oder des Feuers, dann müßten sie mit Recht materiell und nicht geistig genannt werden. ...*
>
> *Aus der heiligen Schrift wissen wir, daß die Engel zum Dienst für die Menschen, Völker und Staaten bestellt sind. Denn sie sagt: »Er hat die Gebiete der Völker festgelegt nach der Zahl der Engel Gottes« (Dtn 32,8), und im Evangelium spricht der Herr: »Verachtet keines von diesen Kleinen; denn ihre Engel sehen stets das Angesicht meines Vaters im Himmel« (Mt 18,10). Somit ist klar, daß jedem Menschen ein Engel als Schützer zur Seite steht. ... Auch der Apostel sagt: »Sind sie nicht alle dienende Geister, ausgesandt um derer willen, welche das Heil erben sollen?« (Hebr 1,14). Diener Gottes sind sie und uns werden sie Helfer des Heiles.*
>
> Eznik von Kolb, Wider die Irrlehren, I, 23, 26;
> nach Schmid, 74 f., 85 f., und Weber, 70 f., 80

> *In seiner großen Menschenfreundlichkeit sorgt Gott auf vielfältige Weise, wie es seiner Güte und Vorsehung entspricht, für seine Geschöpfe. Die Heere der unsterblichen Engel hat er als vernunftbegabte und denkende Wesen und als seine Diener erschaffen, damit sie seine Allmacht und Herrlichkeit preisen und im Hinblick auf das Menschengeschlecht seinen Willen vollziehen. Denn sie sind dienende Geister, ausgesandt im Dienst des göttlichen Wortes (vgl. Hebr 1,14). Alle Geschöpfe haben*

von ihm ihre Aufgabe erhalten und werden von ihm umfangen; sie preisen die große
Herrlichkeit Gottes und dienen ihm. Durch die Engel lädt er die Menschen ein und
ruft sie in sein Reich und in seine Herrlichkeit.
Mesrop, 15. Rede: Gottes Vorsehung für die Menschheit; nach Schmid, 188, und Weber, 311

7. Buße und Gebet
als Grundhaltungen christlicher Existenz

Sein öffentliches Wirken begann Christus mit dem Ruf zur Umkehr: »Er verkündete das Evangelium Gottes und sprach: Die Zeit ist erfüllt, das Reich Gottes ist nahe. Kehrt um, und glaubt an das Evangelium!« (Mk 1,15). Obwohl der Christ durch die Teilhabe an Tod und Auferstehung seines Herrn in der Taufe grundsätzlich in Christus zu einem neuen Menschen geworden ist, kann er doch immer wieder durch den Mißbrauch seiner Freiheit in Sünde und Schuld fallen; er steht deshalb unter dem Anruf Christi zu ständiger Umkehr. Obwohl Glied am Leibe Christi, hat er die Möglichkeit, die personale Beziehung zu seinem Haupt und zu seinen Mitbrüdern zu stören oder gar aufzuheben. Die Liebe Gottes zum Menschen kann ohne Antwort bleiben, der aus dem Stamm des Weinstocks aufsteigende Saft keine Früchte am Rebzweig tragen (vgl. Joh 15,1–8), Eigensinn den Weg zu Gott und zum Nächsten versperren. – Trotzdem bleibt Gottes Heilswille ungebrochen und in Christus bietet er den Menschen immer von neuem die Chance der Umkehr. Solange der Christ sich mit dem Volk Gottes auf Pilgerschaft befindet, bedarf er dieser Chance, durch Buße zum Heil in Christus zu gelangen. Ist die Bekehrung zu Christus und der Eintritt in die Gemeinschaft der Heiligen bei der Taufe grundsätzlicher und daher einmaliger Art, so ist die Umkehr in der Buße eine Art wiederholbarer, aber harter Taufe, eine Möglichkeit zu neuem Anfang »unter Tränen«. Die Väter nennen die Buße Tränentaufe. Auch sie empfängt ihre erneuernde und heilschaffende Kraft aus dem Todesleiden Christi. Aufgabe der Kirche ist es, an Christi Statt die Glieder seines Leibes und ihre Kinder immer wieder zu mahnen: Laßt euch mit Gott versöhnen; er verzichtet darauf, wegen der grundlegenden Versöhnungstat seines Sohnes die Übertretungen anzurechnen: »Wenn jemand in Christus ist, dann ist er eine neue Schöpfung: Das Alte ist vergangen, Neues ist geworden. Aber das alles kommt von Gott, der uns durch Christus mit sich versöhnt und uns den Dienst der Versöhnung aufgetragen hat. Ja, Gott war es, der in Christus die Welt mit sich versöhnt hat, indem er den Menschen ihre Verfehlungen nicht anrechnete und uns das Wort der Versöhnung anvertraute. Wir sind also Gesandte an Christi Statt, und Gott ist es, der durch uns mahnt. Wir bitten an Christi Statt: Laßt euch mit Gott versöhnen! Er hat den, der keine Sünde kannte, für uns zur Sünde gemacht, damit wir in ihm Gerechtigkeit Gottes würden« (2 Kor 5,17–21).

Tafel XXX:
Der „alles erlösende" Christus auf dem Katschkar von 1279 in Etschmiadzin

Den Katschkar, der heute neben der Kathedrale von Etschmiadzin steht, hat im Jahre 1279 ein unbekannter Künstler geschaffen. Umgeben von einem Rankenwerk, das als Endlosband mit seinen verschiedenen pflanzlichen Motiven Symbol der Ewigkeit ist, füllt das Kreuz mit dem übergroßen Christus fast den ganzen Stein aus. Den Gekreuzigten nennt das armenische Volk wegen seiner Haltung »alles Erlösender«. Christus hat sein Todesleiden vollendet; tot und mit geneigtem Haupt, doch aufrecht und mit wachen Augen steht er als Mensch und Gott am Kreuzesholz, das durch ihn zum Lebensbaum wurde. In Trauer haben sich seine Getreuen um ihn versammelt, um ihn vom Kreuz abzunehmen. Rechts oben steht Maria, seine Mutter, links unten als Vertreter aller Jünger Johannes, den Jesus seiner Mutter als Sohn anvertraut hat; beide sind erkennbar am Heiligenschein. Nikodemus und Josef von Arimathäa lösen Jesus vom Holz; der eine kniet zu seinen Füßen, der andere hat gerade seine Rechte vom Kreuz befreit und hält sie in Verehrung und Dankbarkeit an seine Wange. Über dem Kreuz sind Sonne und Mond über einem Vogel und einem Widder zugegen: Die ganze belebte und unbelebte Schöpfung ist einbezogen in diese Trauer um ihren Herrn, der durch seinen Tod der ganzen Welt Leben schenkt und sie von neuem ausrichtet auf Gott, den Ursprung ihres Seins, in dem sie auch ihre Vollendung findet. Die Erniedrigung Christi in den Tod bedeutet für die Menschen und die ganze Schöpfung Erneuerung und Erhöhung zum ewigen Leben. Christi Tat hat kosmische Dimensionen; aus ihr fließen der Welt immer wieder Erneuerungskräfte zu, auch jene Erlösungskräfte, die den Menschen in der Buße zuteil werden.

Die großen armenischen Väter bekannten sich in tiefer Demut als Sünder vor Gott. In ihren an den biblischen Vorbildern orientierten Bußgebeten stellen sie sich in eine

Reihe mit dem verlorenen Sohn, dem Zöllner und dem Schächer am Kreuz, an denen Jesus in seinen Bildreden wie im Verzeihungswort die väterliche Barmherzigkeit Gottes den heimkehrenden Sündern gegenüber so überzeugend dargestellt hat. Sein meditatives heilsgeschichtliches Gedicht »Jesus, der Sohn« beginnt der Poet unter den Vätern, Nerses Schnorhali, sogleich nach der begrüßenden Anrede mit dem Bekenntnis seiner Sündhaftigkeit, und Mesrop, der ernste Prediger, erbittet für sich Gottes Erbarmen:

Jesus, der Sohn, der Eingeborene des Vaters
und seines Lichtes Abglanz,
der Urform unnennbarer Sproß,
von dem, der dich gezeugt, untrennbar,
von dem das Seiende gebildet wird,
das Geistige in Erscheinung tritt,
die Körperwesen und die Körperlosen,
das Unvernünftige samt der Vernunft,
das Lebende, das sproßt,
und Lebloses, das sich regt.
Von ihnen samt dem Vater, der dich liebt,
Danksagungen dir werden dargebracht
und samt dem Geiste, der dir wesensgleich,
Lobpreisungen geweihet werden
von Auserwählten, Herzensreinen,
die eingehn unter deinem Dache.
Nimm, Herr, mit ihnen an auch mich,
der nicht gehorchte dem Gebot,
der ähnlich dem Verschwender sich gemacht
und dem, der seines Vaters Gut vergeudete,
mich, der verkannt die Ehre,
die du mir verliehen,
mich, der dem Unvernünftigen ist gleich geworden,
der auf dem Felde der Dämonen

die Schweineherden hütete
und der jetzt hungert – nicht nach Brot,
das Wort des Herrn vielmehr zu hören,
der sich mit heißem Ungestüme sehnt,
der süßen Sünde bitter Buß' zu kosten.

Nerses Schnorhali, Jesus, der Sohn, I, 1–29;
Theol. Quartalschrift 80, 249 f.

Der Zöllner erhielt die Vergebung
wegen seines Seufzens im Tempel;
mit der gleichen Stimme rufe auch ich dich an:
Erbarme dich meiner, Gott!

Der Räuber rief dich an am Kreuz:
Erinnere dich meiner, Herr!
Mit der gleichen Stimme rufe auch ich dich an:
Erbarme dich meiner, Gott!

Der verlorene Sohn bat dich flehend:
Vater, ich habe gesündigt gegen den Himmel und vor dir.
Mit der gleichen Stimme rufe auch ich dich an:
Erbarme dich meiner, Gott!

Mesrop, Bußlied; Ter-Mikaëlian, Hymnarium, 94 f.

Die Sünde stammt aus dem Mißbrauch der Freiheit, da der Mensch in egoistischer Weise sich und seine Interessen zum Maßstab seines Handelns macht und so die Rechte und die Würde der Mitmenschen mißachtet. Elische nennt vier falsche Grundhaltungen, die des Menschen Herz verkehren und aus denen die einzelnen bösen Taten hervorgehen. Wer seine Stellung vor Gott und im Kreis seiner Mitmenschen verläßt, erreicht keine höhere Würde, sondern sinkt in Wahrheit in untermenschliche, für Elische tierische Verhaltensweisen ab; er zerstört in sich das Bild Gottes:

Die Sünden bemächtigen sich auf vielerlei Weise des Menschen, als Zorn, als Be-
gierlichkeit, als Lügenhaftigkeit, als Überheblichkeit. Frucht des Zornes ist der

Mord, der Begierlichkeit Unzucht, der Lügenhaftigkeit Falschheit, der Überheblichkeit Geiz. Diese vier ergänzen sich einander, umschlingen den Menschen und bereiten in ihm Wohnungen Satans. Man kann sie als wilde, vielköpfige Tiere bezeichnen, die nur einem Willen folgen. Wer der Begierlichkeit nachgeht, mästet den Leib mit reichlichen Speisen und verschiedenartigen Getränken, schläft auf weichen Ruhebetten und verbringt, ohne sich um die anderen zu sorgen, schweinartig sein Leben. Wer so lebt, vollbringt nicht nur den Willen eines oder zweier Teufel, sondern aller Teufel und läßt sich durch sie heimlich und offenkundig von Gott abwenden. Wer dem Zorne nachgibt, gibt die Menschlichkeit auf und wird im Toben, Rauben und Mißhandeln seiner Mitmenschen zu einem reißenden Tier; zugleich zerstört er das Bild Gottes. Der Lügenhafte aber, der Falschheit übt, wird gottlos und vollbringt schamlos alles Böse; er ist nicht bloß ein Gefäß der Teufel, sondern beteiligt sich auch an ihren bösen Plänen. Wer aber der Überheblichkeit sich hingibt, vollbringt den Willen unseres ersten Feindes, durch welchen der Tod in die Welt kam und sich über alle Menschen ausbreitete. Die in derartige Haltungen verstrickt sind, bemühen sich nicht um ihre Heilung; denn die Teufel plagen sie nicht offenkundig, sondern innerlich vernichten und zerstören sie die Söhne der Unsterblichkeit.

Elische, Kanones, Über die Besessenheit;
Theol. Quartalschrift 30, 638 f.

Ihren Dienst an den Gläubigen verstehen die Väter auch als eindringliche Ermahnung zur Umkehr und Buße. Unter allen Übungen, die nach außen hin die Bekehrung des Herzens bekunden, kommt nach Johannes Mandukani der Barmherzigkeit die größte Bedeutung zu; denn in ihr sagt der Sünder sich von seinem egozentrischen Verhalten los und wendet sich wieder den Mitmenschen zu. Die Buße gleicht einer heilsamen Medizin; wenn aber ein Kranker keine Kosten scheut, seinem Leib Heilung zu verschaffen, darf der Sünder nicht minder um die Rettung seiner Seele besorgt sein. Wie es viele Wege zur Sünde gibt, so stehen auch viele Heilmittel der Buße zur Verfügung; sie alle führen zu Gott, der nicht Richter, sondern Arzt ist, nicht Henker, sondern Vater:

Die Wurzeln der Heilkräuter heilen die Leiden des Körpers, und die Flut der Reuetränen heilt die Seele von ihren Sündenwunden. Das gilt in besonderer Weise, *wenn man seine Bußübungen noch unterstützt durch Werke der Barmherzigkeit und des Mitleids gegenüber den Armen. Es gibt viele Wurzeln, die, im richtigen Verhältnis zu Arzneimitteln vermischt, die Leiden beseitigen; einige jedoch erweisen sich wirksamer als andere zur Linderung der Schmerzen. So gibt es auch unter den Arzneien für die Seele mancherlei asketische Bußübungen zur Reinigung von Sünden; die Barmherzigkeit gegen die Armen jedoch ist zur Tilgung der Sünden und zur Heilung der Wunden geeigneter und wirksamer als alle Tugendübungen samt den Klagen, Seufzern und Tränen des Mitleids. Zögert daher nicht und verschiebt die Rückkehr und Buße für die Sünden nicht von einem Morgen auf den anderen. Wartet nicht bis auf den letzten Tag mit dem Almosen der Barmherzigkeit aus euren Gütern gegen den Nächsten. Denn jener Tag ist ein Dieb; ein Räuber ist der letzte Tag. Unbemerkt kommt der Weggang aus der Welt, unerwartet und gewaltsam. Er läßt keine Frist zum Bitten und Flehen, zum Weinen und Klagen, zur Wohltätigkeit oder zu Bußübungen. Er packt zu wie eine Falle und raubt wie ein Löwe; wie ein gefangener Sklave wirst du unbarmherzig abgeführt. Du magst flehen unter Tränen und bitterlich klagen, du findest keine Hilfe. Denn du hast von einer Stunde auf die andere gezögert und die Zeit zur Buße verstreichen lassen, in der du Gelegenheit hattest, dich von der Sündenlast zu erleichtern, den Unrat der Sünde auszufegen, in die Gemeinschaft der Gerechten aufgenommen und ein Kind des himmlischen Vaters und Erbe der ewigen Güter zu werden. ...*

Lernen wir aus dem Leiblichen für das Geistige und ziehen wir aus dem Sichtbaren Lehren für das Unsichtbare! Buße wollen wir üben aus Furcht vor den schrecklichen Strafen und aus Sehnsucht nach den unvergänglichen Gütern. Bei dem Schmerz der Seelenwunden muß sich die Buße orientieren an den Schmerzen der Leibeswunden. Unablässig klagt ja der Kranke über die Bedrängnis und Unruhe, die ihm die Körperschmerzen bereiten, und er weint bitterlich über die ununterbrochenen und heftigen Leiden, beständig seufzt und stöhnt er über die schrecklichen und furchtbaren Heimsuchungen. ... Den Ärzten verspricht man ein hohes Honorar und kauft teure Heilkräuter, um die Schmerzen rasch zu stillen. Und all diese Mühen läßt man sich etwas kosten nur des verweslichen Leibes wegen, der ja doch sterben muß, mag er auch jetzt geheilt werden. Was aber sollen wir anfangen angesichts der ewigen Schmerzen im furchtbaren Höllenfeuer, welches bereitet ist für unsere so vielfach verwundete Seele, welche beständig an den Sünden leidet und ohne Heilung auf dem Krankenlager für das Vergehen hingestreckt liegt. Dabei verletzen und verwunden die Vergehen und Sünden immer tiefer, und die schmerzlichen Qualen und Leiden peinigen immer schärfer. Und trotzdem seufzen und klagen wir nicht, beten nicht beharrlich zu Gott, weinen nicht über unsere Sündenschmerzen und waschen uns nicht rein von den Verwundungen, die uns unsere Vergehen und Sünden geschlagen. Wir unterlassen es, unsere Untreue gegen Gott inständig zu beweinen und die ewigen, qualvollen Schrecken zu beklagen. Nein, wir häufen Wunden auf Wunden und heilen sie nicht durch das Heilmittel der Buße. Wir suchen keinen Arzt auf und erproben keine Heilmittel. Wir wenden nichts auf und bieten kein Entgelt für die Heilung unserer Wunden und der unerträglichen Leiden der Ungerechtigkeit. ...

Wenn du willst, kannst du schon durch ein einziges Heilmittel gerechtfertigt werden. Viele wurden allein durch ein aufrichtiges Bekenntnis gerettet; andere wieder sind erlöst worden durch ihre Trauer und Klage über die Sünden. Viele haben nur in Sack und Asche Buße getan; andere haben sich mit Gott unter Tränen und Seufzer ausgesöhnt. Manche haben Buße getan durch Fasten und Gebet; andere haben durch die Werke der Barmherzigkeit bei Gott Barmherzigkeit gefunden. Manche haben Verzeihung gefunden wegen ihrer Menschenfreundlichkeit, da sie den Schwachen in liebevoller Weise dienten; andere haben durch Demut und Gehorsam Verzeihung ihrer Sünden erlangt. Denn wie es verschiedene Wege zur Sünde gibt, so sind auch verschiedene Heilmittel der Buße vorhanden, durch die du von deinen Sündenkrankheiten vollständig geheilt werden kannst. Nicht durch eine große Zahl von Jahren und nicht durch eine noch so lange Lebenszeit kannst du Rettung finden, sondern allein dadurch, daß du aufrichtig umkehrst und dich von Herzen vom Laster lossagst. ... Zu Gott allein nimm deine Zuflucht. Er ist nicht Richter, sondern Arzt, nicht der tötende Henker, sondern der zärtliche Vater. Er kommt dir entgegen wie dem verschwenderischen Sohn; er fällt dir um den Hals, wenn du in Buße umkehrst. Augen und Mund küßt dir der himmlische Vater; das einstige Kleid der Unschuld läßt er dir anziehen und mit Schuhen gegen ein weiteres Gift des Feindes rüstet er dich aus. Beim Meßopfer darfst du wieder den Leib des Gottessohnes ge-

nießen; darüber freuen sich mit dir die auserwählten Diener und alle Heiligen singen
und jubeln, weil du dich von der Ausschweifung abgewandt hast.

Johannes Mandakuni, Reden, Brief über die Buße;
nach Blatz, 58–67

Der Kirchenvater Mesrop erwähnt, wenn er von der Notwendigkeit der Buße
spricht, auch die verschiedenen Stufen des Bußweges. Es liegt ihm dabei aber fern,
Systematisierung oder Wertung vorzunehmen. Am Anfang steht das in aufrichtiger
Reue gesprochene Bekenntnis; es legt gleichsam die Wunden frei, so daß die entsprechende Arznei gesucht werden kann. Die folgenden Bußübungen sollen so gewählt
werden, daß sie den sündhaften Verhaltensweisen entgegengesetzt sind und den Büßer
zu einer Lebensweise im Sinne Christi umerziehen. Diese notwendige Neuorientierung kann wie ein körperlicher Heilungsprozeß mehr oder weniger langwierig und
schmerzhaft sein; sie wird als Tränentaufe bezeichnet. Die Mühen und Tränen vergleicht Mesrop mit dem befreienden Frühlingsregen, der den winterharten Boden
aufweicht, so daß er wieder Blüten und Früchte tragen kann. Schließlich wird dem
Sünder »als Geschenk für die gnadenreiche Buße« die Verzeihung zuteil. Hatte die
Sünde ihn »von der Kirche, vom Volk Gottes und vom Tisch des Altares« getrennt, so
darf er nun wieder »das heilschaffende Fleisch und Blut Christi« empfangen. In diesen
Gaben der Versöhnung eröffnet Christus dem Büßer wieder den Zugang zur Freude
und zur Gemeinschaft der Heiligen:

Der gütige Wille des liebevollen Schöpfers verläßt die Sünder nicht, die zu ihm zu-
rückkehren. Er öffnet ihnen die Pforten der Barmherzigkeit und nimmt sie in seinem
Mitleid und seiner wohltuenden Liebe wieder auf; er nimmt sie unter seine Obhut,
wenn sie zu seiner Barmherzigkeit ihre Zuflucht nehmen. Wenn der Sünder ein auf-
richtiges Bekenntnis ablegt und mit demütigem und reuevollem Herzen Buße tut,
hat der Erlöser Mitleid mit ihm, erbarmt sich seiner und blickt gnädig auf ihn. ...
Das Wort des Herrn ruft jene, die schwer zu tragen haben, zum Bekenntnis und zur
Buße; es ruft die, welche durch die Sünde in Finsternis geraten sind, zum Licht der
Gerechtigkeit, die Verirrten zur Erkenntnis der Wahrheit; es will die, die vom Wege
abgekommen sind, auf den Weg der Gerechtigkeit zurückführen und die todbrin-

gende Lebensweise durch das Bekenntnis wandeln zum erneuerten Leben und so alle List Satans zunichte machen. ... Denn das Bekenntnis legt die Wunden frei und macht die Größe der Schmerzen offenkundig; es legt durch die Reue die Buße als Heilmittel auf die Wunde. Die Buße fleht mit glühendem Geist und in beständigem, unaufhörlichem Gebet unter Tränen bei Tag und Nacht Gottes Erbarmen herab. ...

Die aufrichtigen Bekenner und Büßer werden von ihren Sünden erlöst durch das heilschaffende Fleisch und Blut Christi. Denn er ist unsere Hoffnung und die Ursache der Verzeihung. Durch ihn wird uns die Befreiung geschenkt und der Zugang eröffnet zur Freude und zum Erbe der Gerechten dank seiner wohltätigen heiligen Liebe. Er rechtfertigt die Sünder, die Buße tun. ...

Das Wort der göttlichen Menschenliebe erweist sich an denen nicht wirkungslos, die Buße tun und die in Gottesfurcht zum Gehorsam Gott gegenüber zurückkehren und den Sünden die Rechtschaffenheit entgegensetzen: dem Unrecht das Recht, der Unreinheit die Reinheit, dem Stolz die Demut, dem Zorn die Sanftmut, der Völlerei die Nüchternheit, der Nachlässigkeit die Sorgfalt, der Lüge die Wahrheit, dem Ungehorsam den Gehorsam, dem Geiz die Großzügigkeit, der Heuchelei die Aufrichtigkeit, dem Meineid das Nichtschwören, der Habgier, die Wohltätigkeit, der Rache das Nichtnachtragen, der Härte die Milde, dem Haß die Liebe, der Unbußfertigkeit die Buße unter Tränen, der Verhärtung des Gewissenlosen das Bekenntnis der Sündenlast, der Hoffnungslosigkeit die Hoffnung, dem Unglauben den Glauben; sie festigen diese Tugenden in ihrer Seele und verkünden die Wahrheit darüber auch den anderen. Dies ist die wahre Art der Buße: alles zu tun, was den Sünden entgegengesetzt ist, in jeder Beziehung Gerechtigkeit zu üben in der Öffentlichkeit wie in geheimen Gedanken. ...

Wie Kleinkinder nicht durch Worte die Befriedigung ihrer Bedürfnisse von der Mutterliebe erhalten, sondern durch Tränen auf sich aufmerksam machen und so das Notwendige erhalten – sie hören nicht auf zu weinen, bis sie in allem von den Müttern versorgt sind; dann erst hören sie auf, freuen und beruhigen sich –, ebenso müssen auch wir uns gegenüber dem mitleidigen Herrn verhalten, der uns auf geheimnisvolle Weise mit seiner schöpferischen Liebe umsorgt. Auf geistigem Thron sitzt er und sorgt in seiner Wohltätigkeit für seine Geschöpfe. Schon durch die Vorväter hat er uns zur Gotteserkenntnis geführt und durch die Propheten auf die verschiedenen Wege der Buße hingewiesen für die, die sich bekehren wollen. Ja, bei seiner Menschwerdung hat er uns die Pforte der Barmherzigkeit geöffnet und gesagt: »Ich bin nicht gekommen, Gerechte zu berufen, sondern Sünder« (Mt 9,13) zur Buße und zum Bekenntnis zu führen durch die schöpferische, fürsorgende Liebe, damit wir seinem Rufe und seinen Verheißungen folgen und als Geschenk für die gnadenreiche Buße die Verzeihung erlangen von dem, welcher unsichtbar die Seelen und sichtbar die Sinne heilt.

Erstmals wurde in der Taufe Verzeihung denen gewährt, die an die allerheiligste Dreifaltigkeit glauben und das Bekenntnis zu ihr ablegten. Christus sagte ja zu den Jüngern: »Gehet... und taufet die Glaubenden im Namen des Vaters und des Sohnes und des Heiligen Geistes und lehret sie, alles zu befolgen, was ich geboten habe« (Mt 28,19 f.). Denn jene, die in Christus getauft wurden, haben Christus angezogen (Gal 3,27), sind Kinder des Lichtes (Eph 5,8) und Erben des Reiches (Jak 2,5) geworden durch die Wiedergeburt. Durch die Gnade wurden sie Kinder des Tages, bei nächtlicher Geburt befreit von der Herrschaft der Finsternis, und sollen in erleuchtetem Wandel auf Erden leben dank der Hilfe des gütigen Christus. Entsprechend den unterschiedlichen Wirkungen seiner Gnaden macht er die Fernen sich nahe und die Entfremdeten zu Vertrauten, bewährt im Glauben und reiner Liebe. Und die, welche von Satan in Sünden gefangen und wegen der Sünden dem Tod verfallen sind, macht er gerecht und schenkt ihnen Leben. Er lädt sie ein in sein Reich und seine Herrlichkeit, welche er denen bereitet hat, die ihn lieben (vgl. 1 Kor 2,9).

...

Fortan wird das Tor zum Leben wegen der Buße nicht mehr geschlossen bis zum Ende der Welt. Die ständig wiederkehrenden Fehler sollen wir stets durch die Tränentaufe waschen und reinigen, und da wir immer in Gedanken und Worten, mit Augen und im Wandel sündigen, darf das Gebet und die Reinigung durch Tränen niemals aufhören. Die Sünden, die die Schrift anprangert, trennen uns von der Kirche, vom Volk Gottes und vom Tisch des Altares. Der Größe des Schadens muß auch die Größe der Genugtuung entsprechen. Wer nur wenige Fehler hat, soll sich

durch Tränen reinigen. Wo aber der Schmutz in die Tiefe des Herzens gedrungen ist und die Glieder verdirbt, dort sind Tränenbäche und das Feuer und der Eifer des Geistes nötig, der von den Sünden reinigt, sie vertreibt und entfernt. Wer nur geringe Sünden hat und unfreiwillig gefehlt hat, soll bereuen und seufzen und sich durch Tränen davon reinigen. Wessen Sündenwunden aber tief sind und wer in ihnen freiwillig gefangen ist, vor allem der, welcher durch Weihe vom Herrn Namen und Rang hat, soll sich seine Drohungen vergegenwärtigen. Viele Mühen, heiße Tränen und Zerknirschung des Herzens sind da notwendig entsprechend den Sünden, damit der rauhe und harte Winter der Sünden weiche und der geistige Frühling beim Wehen des südlichen Windes in der Seele aufbreche, damit von oben herab wie kräftiger Regen die Ströme der Tränen fließen, die Erde von neuem Pflanzen und Blüten hervorbringe und die Bäume, Blätter und Früchte Könige und Volk erfreuen. Ähnlich ist es, wenn jemand in seiner Seele erglüht und Ströme von Tränen vergießt und die Fesseln der winterharten Sünde löst; dann entfalten sich die Pflanzen der Tugend und es reifen die Früchte am Baum der Gerechtigkeit, worüber sich die Engel im Himmel und die Menschen auf Erden zur Ehre Gottes erfreuen.
Mesrop, 19. Rede: Ermahnung zur Buße; nach Schmid, 213–222

Im Fasten erblickt die Kirche mit dem Alten wie mit dem Neuen Testament eine heilsame Arznei gegen das verkehrte, egoistische Verhalten des Menschen. Es ist eine pädagogische Maßnahme, die jene, die sie üben, dazu befähigt, ihren Hang zum Haben- und Besitzenwollen zu mäßigen. Wer in rechter Weise Enthaltsamkeit übt, schützt sich am besten vor dem zur Sünde führenden Egoismus und bewahrt sich in Freiheit und Offenheit für ein christliches Leben:

Als der Widersacher aus Neid den Ersterschaffenen, Mann und Frau, falsche Tatsachen vorspiegelte, ließen sie sich von den schmeichelhaften Verlockungen betören und wurden in ihrer falschen Erwartung, Götter zu werden, betrogen; sie bewahrten das Bild des Schöpfers nicht in sich, wurden aus dem Paradies der Freude vertrieben und handelten sich den Tod ein. Zuvor war ihnen geboten, das Paradies zu bearbeiten und dadurch zu hegen, daß sie in Enthaltsamkeit und durch Verzicht von bestimmten Früchten nicht essen. Ebenso wurde auch uns eine Fastenordnung gege-

ben, nach der wir an bestimmten Tagen fasten sollen und an anderen nicht. So haben es schon die Propheten, die Apostel und die Väter geboten, die ja Gott nahestanden. ...

Wie ein Pädagoge die Kinder unterweist, so erzieht das Fasten die Menschen dazu, dem Schädlichen fern zu bleiben, beim Nützlichen zu verweilen und sich nicht in Unenthaltsamkeit mit Unnützem abzugeben. Das Fasten wurde uns auferlegt, weil es den Schaden der Unenthaltsamkeit und die Neigung zur Sünde an Seele und Leib beseitigt, damit wir in Gottesfurcht ein reines Leben führen und in den unerforsch-lichen Frieden, der den Fastenden zuteil wird, hinübergehen. ...

Das Fasten ist für uns wie ein Arzt. Wer Enthaltsamkeit und Fasten übt, wird von dem befreit, was sich durch Unenthaltsamkeit beim Kosten der Sünde als Abfall in Seele und Leib angehäuft hat und sich durch ausschweifende Gedanken und unreine Sitten dort als Faulstoff ansammelt. Er wird gereinigt von den Resten der Sünde und wird zur Wohnung der Reinheit. Das Fasten gibt den Enthaltsamen die Mittel zur Gesundheit; es vertreibt durch das Bemühen des Geistes und durch die Liebe den Rest an Häßlichkeit; es erhebt zur Tugend, macht liebenswert dank guter Gesittung und gibt den Kranken, welche durch die Sünde geschwächt sind, Gesundheit. ...

Das vollkommene Fasten unterstützt tatkräftig den wahren Glauben. Es führt zum Vertrauen auf Gott und schenkt Hoffnung auf Gesundheit, welche die makellos reinen Wohltaten der göttlichen Liebe gewähren. Durch das heilige Fasten hören das Abschweifen des Geistes und die Begierde der Sinne auf; es führt die Augen zum Sehen, die Ohren zum Hören, die Hände zum Arbeiten. Allen gibt es ein recht-schaffenes Herz und fördert den Geschmack an der Mäßigung; es rottet den begier-lichen Willen der Sinne von der Wurzel an aus, erweckt durch die Strahlen der Gottesliebe das Gute und führt dazu, sich von schlechten Gewohnheiten und Sünden loszusagen. ...

Das Fasten zieht verborgene Krankheiten aus dem Körper. Wie ein Brechmittel Gallensäfte heraustreibt und so zur Gesundheit führt, ebenso treibt auch das Fasten die Sünde aus. Bei der Verminderung des Essens kommt der Leib zur Ruhe und wird gereinigt. Wer den Trieben des Leibes folgt, erwirbt sich das Verderben für die Seele; wer der Seele folgt, erwirbt sich ewiges Leben im Herrn. Das Fasten stärkt die geist-

vollen Gewohnheiten und hebt die fleischlichen Regungen auf; denn wenn das eine erstarkt, wird das andere geschwächt. Wie Vögel, die Aas verzehren, vom übermäßigen Fraße im Flug ermatten und von den Jägern leicht zu Tode gefangen werden; wie die Vögel, die wenig fressen, leicht fliegen können und sich von den nachstellenden Jägern nicht so leicht fangen lassen – ebenso ist es mit denen, die schwelgen bzw. mit denen, die im heiligen Fasten das Maß finden.

Auch der Prophet Elija ermahnt uns zu strengem Fasten. Vierzig Tage und Nächte fastete er und gab den leiblichen Regungen und Bedürfnissen nicht nach; er wurde der Erscheinung Gottes gewürdigt (1 Kön 19,1–13) und fuhr in einem feurigen Wagen in den Himmel auf (2 Kön 2,1–11). Ebenso fastete auch Mose vierzig Tage und Nächte, nicht nur einmal, sondern sogar dreimal, damit er seine Bedürfnisse verminderte und so Gottes Zorn über das Volk, das bei Speise, Trank und Spiel das Kalb anbetete und deshalb getötet werden sollte, abwendete, so daß der Heilige Israels durch sein Fasten wieder Gesetzgeber wurde (Ex 32). Johannes übte das Fasten sogar während seines ganzen Lebens; er trank und aß keine zubereiteten Speisen, sondern befriedigte seine Bedürfnisse in der Wüste mit Heuschrecken und wildem Honig (Mt 3,4). Gereinigt durch Fasten, wurde er, wie das Evangelium berichtet, Wegbereiter Christi und schaute unaussprechliche Geheimnisse. Selbst der Herr wurde nach der Taufe durch Fasten gestärkt und führte in seinem mit Gott geeinten Leib den Kampf gegen den Feind (Mt 4,1–11); so lehrte er die Menschen, sich durch Fasten gegen den Ansturm des Feindes zu wappnen und, in vollkommener Tugend gestärkt, die Gabe des Sieges zu erlangen und den Versucher zu besiegen. ...

Das Fasten ist wie Salz, das aus der Erde kommt und die Speisen schmackhaft macht. Das Fasten verhindert Fäulnis und Häßlichkeit der Sünden an Seele und Leib und würzt mit dem köstlichen Willen des Heiligen Geistes für ein makelloses Leben. Wie Speisen durch Salz gewürzt werden und durch Kochen für die Menschen schmackhaft werden, so wird der Wille des Verstandes und des Leibes durch heiliges Fasten mit den Gnaden des Geistes gewürzt und zubereitet für die große Herrlichkeit, wo er Frieden erlangt. Denn der Heilige Geist wird ja beleidigt durch ausschweifende Völlerei, zügellose Leidenschaft und den Vergnügungen der Trunksüchtigen, die sich der Schwelgerei hingeben. Wie Eva und Adam durch ihre Unent-

haltsamkeit Fluch und sogar Tod über sich brachten, so kommen auch ihre Nach-
kommen, wenn sie sich gleicher Unmäßigkeit hingeben, durch Völlerei zu Fall. Zum
Glück haben aber das Fasten und die Enthaltsamkeit des Erlösers die Feindschaft
zwischen Gott und den Menschen beseitigt, und Gott hat sich dank des Kreuzes und
des freiwilligen Leidens seines Sohnes mit den Menschen versöhnt, die der lebenbrin-
genden Predigt und ihrem Anruf zur Erneuerung des Lebens geglaubt haben.

Das Fasten ist wie eine feste Mauer und ein starker Turm, der vor der Schädigung
des Geistes und vor dem hinterlistigen Feind schützt. Seien wir nicht unmäßig wie
Elis Söhne (1 Sam 2,12–17), die Gottes Zorn über sich, ihren Vater und das ganze
Gottesvolk brachten, sondern vielmehr maßvoll wie Samuel, der sich von Kindheit
an im Fasten übte und das Haupt der Propheten wurde (1 Sam 3). Das Fasten löscht
das brennende Feuer der Begehrlichkeit aus. Wie Feuer bei Ermangelung von
Brennmaterial erlischt, so wird auch beim Aufhören der Völlerei und Trunkenheit
die Flamme der Begehrlichkeit gelöscht; an ihrer Stelle wird die Flamme der Reinheit
und Gerechtigkeit durch strenges Fasten entzündet. ...

Das Fasten ist wie ein ruhiger Hafen in den stürmischen Wogen der Laster und
aller schädlichen Dinge; es geleitet zum Hafen des Lebens, damit der Mensch nicht
durch Völlerei und Trunkenheit zu Schaden und gar zu Tode kommt, wenn er im
Meer der Sünden umhergetrieben wird. Das Fasten beruhigt die Leidenschaften und
bringt den Dienern Christi Ruhe; es führt zur Erkenntnis und befähigt, an den
Himmel zu denken. Das Fasten ist wie ein Zügel für jene, die wild und ungehemmt
sich dem Unrecht hingeben. Wie dem Pferd die Zügel in das Maul gelegt werden, so
daß sein ganzer Körper gebändigt wird und es sich dem Willen des Reiters fügt, so
verhält es sich auch mit dem geistigen Kampf.

Mesrop, 9. Rede: Der Wert des Fastens; nach Schmid, 106–113

Zum Schluß dieses Abschnittes folgen zwei Bußgebete von Johannes Mandakuni
von ergreifender Innigkeit und poetischer Schönheit; sie machen deutlich, daß die
armenischen Väter nicht nur über den Wert der Buße als christlicher Grundhaltung zu
sprechen wissen, sondern sie auch selbst üben. In einer Meditation beklagt Johannes
zunächst seine Untreue gegen Gott und die daraus erfolgte Hinwendung zu bösen
Taten; er bedenkt, wie schwer es ihm der Feind macht, sich wieder Gott zuzuwenden

und das Gute zu tun; er befürchtet, daß er diese Wende bis zum Lebensende aufschieben könnte; doch niemand verfügt über jenen Zeitpunkt, so daß es notwendig ist, sogleich »den verderblichen Weg« zu verlassen. In einem hymnischen Gebet preist Johannes Mandakuni Gott, den Schöpfer aller Dinge und den Herrn aller Wesen, wegen seiner Milde, Nachsicht und Langmut. Er vergleicht sich mit dem verlorenen Sohn; doch ist es nicht das Elend, das ihn heimkehren läßt, sondern vielmehr die unstillbare Sehnsucht nach der Liebe des Vaters. Niemand anders kann ihn aus seiner Verlorenheit retten als sein Schöpfer und Herr: »Zu wem sollte ich denn gehen?«

Verwundet bin ich von vielen Pfeilen des Bösen, bin besiegt und der Schuld verfallen. Ich bekenne meine Schuld und gebe meine Untreue gegen Gott zu. Ich offenbare meine zahlreichen Sünden und leiste für meine furchtbare Ungerechtigkeit Abbitte. Denn die Schmerzen meiner Sünden zwingen mich zu sprechen und die Unruhe über mein Unglück drängt mich, um Verzeihung zu bitten und Heilmittel für meine Wunden zu suchen. Meine Tränen mögen fließen, daß sie meine Sünden abwaschen und meine Wunden heilen. . . . Ich kenne wohl das Gute, tue aber das Böse; kenne die Gerechtigkeit, verübe aber Unrecht; ich rede von Rechtschaffenheit und denke an das Laster; ich erscheine nach außen rein, stürze mich aber in Unreinheit; ich kenne die Wahrheit, folge aber der Lüge; ich sehe das Licht, sehne mich aber nach Finsternis. . . .

Unsterbliches Leben wurde mir verheißen, ich aber bleibe im Tode. Zum Himmel wurde ich eingeladen, ich aber stürzte mich hinab in den Abgrund der Hölle. Gott hielt für mich bereit das liebliche Paradies, Leben und ewige Herrlichkeit, und ich erwählte die stechenden Dornen und tötete mich durch meine Sünden. Welche Trauer ist solcher Verschuldung angemessen? Welches Wehklagen, welch tränenvolles Seufzen, welche Gebete, welche Bußübungen oder welche guten Werke können meine Wunden heilen? . . . Wenn ich an den großen Tag des furchtbaren Gerichtes und an die Schrecken des furchtbaren Richterstuhles denke, dann zittert meine Seele vor Furcht und mein Geist erstarrt vor Entsetzen. Mein Herz ringt nach Seufzern, und meine Augen verlangen nach Tränen. Die Furcht vor dem schrecklichen Gericht hält mich zur Buße an, doch die Gaukeleien des Bösen machen mich immer wieder träge. So werde ich von beiden Seiten bedrängt und hin- und hergerissen. In Sünden verbrachte ich meine Tage, in Ungerechtigkeit verzehrte sich mein Leben. Niemandem habe ich Gutes erwiesen, mir keine Tugend erworben, sondern alle meine Glieder durch meine zahlreichen Vergehen verdorben und zugrunde gerichtet. Meinen Mund habe ich durch Lästerungen verunreinigt und meine Zunge mit unnützen Worten befleckt, meine Ohren durch Anhören böser Taten, meine Augen durch unreine Blicke und mein Herz durch unreine Gedanken; meine Seele ließ ich Gefallen finden an schlechten Gewohnheiten. Meinen Leib bewahrte ich nicht unversehrt und wahrhaft nicht mein Herz. Wegen meiner Sünden erdulde ich nun Schmerzen und wegen meiner Verfehlungen leide ich an Krankheiten.

Ich will bereuen und bekennen, aber der Feind hält mich zurück. Ich will ein Leben der Buße führen, doch der Feind nimmt mir die Kraft. Ich will mich vor Gott niederwerfen, aber der Feind hält mich davon ab. Ich will aufrichtig flehen und bitten, doch der Feind verhärtet mich. Ich möchte seufzen und Tränen vergießen, doch der Feind läßt mich ertrocknen. Ich möchte den Armen Wohltaten erweisen, aber der Feind hält mir meine eigene Armut vor Augen. Ich möchte mich in Fasten verzehren, aber der Feind läßt mich an den Verlust meiner Leibeskräfte denken. Ich möchte in Demut dem Bruder gehorchen, doch mein Herz verhärtet sich in Stolz. So wird alles, wodurch ich mich von meinen Sünden befreien könnte, zum Fallstrick verdreht durch die Bosheit des Feindes. ...

Meine sündige Seele, ... warte nicht bis zum Lebensende und vertröste dich nicht auf das Greisenalter mit seinen Mühen; rechne nicht auf viele Jahre in der Welt und denke nicht: Später werde ich Buße tun. Der Feind ist ein Dieb und Betrüger; er betrügt dich und richtet dich zugrunde, indem er dich zum Aufschub verleitet. Jetzt, sagst du, will ich arbeiten, später will ich Buße tun; in der Jugend will ich genießen und im Alter büßen; heute will ich leben und lustig sein und morgen will ich fasten; jetzt will ich ausgelassen sein und später tugendhaft; jetzt will ich Güter sammeln, später will ich sie austeilen an die Armen. – Das sind die Listen des Feindes, durch die er uns betrügt und ins Verderben stürzt, indem wir es Jahr um Jahr so machen und die guten Taten von einem Tag auf den anderen verschieben. Lassen wir uns doch durch solche falschen Einflüsterungen nicht betrügen. Ungewiß ist der Tag des Todes, unbekannt der Fortgang aus der Welt. Wie Geburtswehen überfällt er dich, *und du findest keine Zeit zur Reue und zur Buße. Er kommt wie ein Dieb in der Nacht und läßt dir keine Zeit, zu weinen und zu büßen. Wie das Netz des Vogelstellers packt er dich plötzlich und gibt dir nicht mehr Zeit, jemandem eine Wohltat zu erweisen. Wie ein brüllender Löwe stürzt er sich auf dich und beraubt dich, und du kannst nichts mehr machen. Was wirst du dann tun, meine Seele, was wirst du dann beginnen, da du doch an das Gute denkst, es aber nicht übst, Wohltaten spenden willst, es aber verschiebst, bereuen willst, aber nicht wie David dein Lager mit Tränen benetzt. . . . Du bist bereit zu fasten, gehst aber nicht in Sack und Asche wie die Leute von Ninive. . . . Du möchtest Tränen vergießen und weinen, aber du klagst nicht mit jener Ergriffenheit wie die Ehebrecherin. Du willst den Bedrängten Wohltaten spenden, aber nicht wie die Witwe, die alles aufwendete. . . .*

Darum eile und zögere nicht, meine sündige Seele! Wache auf aus dem erdrückenden Schlaf, wende dich ab von dem verderblichen Weg! Verscheuche die Finsternis deiner Unbelehrbarkeit, mache dich frei von deinem törichten Irrtum und gehe in dich! Wirf von dir die Last deiner Sünden, erleichtere dich von dem Druck der Ungerechtigkeit. . . . So wirst du, geheiligt und geläutert an der Seele und geschmückt und strahlend am Leibe, in Freiheit und Freude hinübergehen zu den Scharen der königlichen, gewaltigen Engel und vor dem großen furchtbaren Richterstuhle Gottes bestehen. Von ihm wirst du dann vor der ganzen weltweiten Versammlung das süße Wort der Seligpreisung hören: »Kommt, ihr Gesegneten meines Vaters!« (Mt 25,34). Tretet ein und empfangt die Freuden der himmlischen Güter mit dem Vater und dem Sohn und dem Heiligen Geist! Ihm sei Ehre und Ruhm in alle Ewigkeit.

*Johannes Mandakuni, Reden, Unterweisung zum Bekenntnis;
nach Blatz, 50–58*

*Du Ungewordener, Unerschaffener,
du Schöpfer aller Geschöpfe!
Die Erde vermag dich nicht zu fassen
und der Himmel kann dich nicht umschließen;
denn du bist größer als der Himmel
und überragst seine Grenzen.
Doch wir alle sind von dir umschlossen,*

die sichtbaren wie die unsichtbaren Geschöpfe.
Du herrschst über alle Wesen,
und dein Befehl lenkt alle Geschöpfe.
Du stürzst in Armut und führst zum Reichtum (Lk 1,52).
Du bist der Trost derer, die vom Teufel gefährdet sind,
du machst den gesund, der in Sünde erkrankt ist.
Du nimmst die auf, die dich bitten,
und erhörst ihr Flehen.
Neige, Herr, dein Ohr mir zu
und höre auf deinen Diener.
Schau auf meine Niedergeschlagenheit
und nimm mich in Milde auf.
Ermahne mich nicht in deinem Zorn
und in deinem Grimme weise mich nicht zurecht.
Du bist ja der Gott der Erbarmungen,
habe auch mit mir Sünder Erbarmen. ...

Milder und nachsichtiger Gott,
langmütig gegen die Sünder heißt du;
denn du hast gesagt: »Wenn der Sünder umkehrt,
will ich der Vergehen, die er verübt hat,
nicht mehr gedenken« (vgl. Ez 18,21 f.).
Siehe, ich bin gekommen
und werfe mich vor dir nieder,
dein sündiger Knecht.
Ich wage es nicht,
dich um Erbarmen anzuflehen.
Meiner vielen Sünden gedenke nicht
und zürne mir nicht ob meiner Ungerechtigkeiten,
ob ich nun freiwillig oder unfreiwillig gesündigt habe,
ob ich mit Worten oder Werken
oder ungeziemenden Gedanken mich befleckt habe,

ob ich in Unwissenheit oder Trägheit
oder durch Vergeßlichkeit gesündigt habe.
Denn du, Herr, bist gewohnt,
Mitleid und Erbarmen zu üben
und die vielen Sünden nachzulassen
und alle Ungerechtigkeiten zu tilgen. ...

Nach dir, gütiger Herr, sehne ich mich;
nach dir, meinem barmherzigen Vater, verlange ich.
Habe Mitleid mit mir Sünder
und nimm mich auf wie den ausschweifenden Sohn.
Stille meinen Hunger mit deiner Liebe
und meinen Durst mit deiner überreich fließenden Gnade.
Denn immer verlange ich, mich dir zu nahen,
ich sehne mich, stets zu dir aufzuschauen.
Immer sehne ich mich nach deiner Gnade,
stets bin ich deiner Barmherzigkeit bedürftig. ...
Deswegen wage ich es, in einem fort zu dir zu rufen,
dich zu bitten und zu beschwören;
bist du doch mein Vater und Herr,
mein Schöpfer und Bildner.
Zu wem sollte ich denn gehen,
von wem sollte ich Hilfe erbitten?
Johannes Mandakuni, Reden, Gebete;
nach Blatz, 243–246

Kann man die Buße als Neuorientierung am Heilswillen Gottes bezeichnen, so ist das Gebet die ständige Orientierung an Gott nach dem Beispiel Jesu. Im Gebet, das nach Paulus »ohne Unterlaß« (1 Thess 5,17) sei, fragt der Mensch immer wieder nach dem Willen Gottes, seines Schöpfers und Vaters, und betrachtet sich und seine Welt aus der Perspektive Jesu. So kann er sein Leben als Christ bestehen und mit Christus die Vollendung finden. Jesu Leben war vom Beten gleichsam wie vom Sauerteig durchdrungen. Lobpreis, Dank und Bitte begleiteten sein Wirken in der Öffentlichkeit und in der Stille. Sterbend noch betete er am Kreuz für seine Peiniger und empfahl seine Seele dem Vater. Als er sein Leben Gott zurückgab und dieser sein Wirken durch die Auferweckung bestätigte, wurde die Neugestaltung der Schöpfung und die Verklärung der Welt besiegelt. Im Beten erfährt auch der Mensch seine einzigartige Würde, die über alle Rechte hinausgeht, die ihm Mitmenschen oder Institutionen verleihen: Er wird zum dialogischen Partner Gottes und führt die Welt und ihre Menschen, seine Arbeit und seine Freuden heim vor das Angesicht des Vaters. Im Gebet des Menschen erfährt die Schöpfung geheimnisvoll schon etwas von jener Verklärung, die ihr bei der Vollendung zuteil werden soll.

Das Kreuz über der Weltkugel auf dem Katschkar des 15. Jahrhunderts in Etschmiadzin will diese erlösende und weltverklärende Kraft, die in Christus begründet ist und aus seiner Hingabe an den Vater stammt, im Symbol zum Ausdruck bringen. Wenn Ostern armenische Christen sich grüßen, sprechen sie ihre Überzeugung mit den Worten aus: »Christus ist auferstanden, und die Auferstehung der Toten hat begonnen.« Die Antwort lautet: »Und gesegnet sei die Himmelfahrt Christi.« Der in die Auferstehung hinein erfolgte Tod Christi bedeutet für die Schöpfung, den Kosmos und die Menschen, schon Anbeginn der Verklärung, insofern die ganze Welt zielgerichtet in Gott ihre Vollendung findet. Deshalb steht das Kreuz, Zeichen der Ganzhingabe an Gott, über der Weltkugel, der Lebensbaum über dem Kosmos, und darüber ist das Bild der Herrschaft Christi zu sehen. Das Kreisrund der Kugel, geschmückt mit dem Rankenwerk des Lebens und versehen mit einem Loch, durch das das Licht bis in ihr dunkles Inneres einströmen kann, ist endlich und unendlich zugleich. Gottes Schöpfung ist begrenzt und endlich, doch heimgeholt in die Herrlichkeit Gottes nimmt sie teil an seiner ewigen Lebensfülle. In der indischen Tradition, die nicht unerheblich die persische und armenische Kunst befruchtet hat, ist der Kreis als Symbol des Kosmos und der Sonne ein Meditationsdiagramm; es hilft bei der Kontemplation und Versenkung die Universalität Gottes zu erfahren. Bei seiner Menschwerdung ist Gott in seine Schöpfung eingekehrt; »die Sonne der Gerechtigkeit«

(Mal 3,20) ist »das Licht der Welt« (Joh 8,12) geworden, »das wahre Licht, das jeden Menschen erleuchtet« (Joh 1,9). So weisen Kosmos- und Sonnenkugel auf Gott zurück. Ihre Wiederholung finden sie in kleinerer Form direkt unter dem Kreuz; es ist die Erdkugel. Über dieser Erdkugel erhebt sich das Gesicht des Menschen, das Antlitz Adams, des »Lebewesens aus Erde«. Dem Menschen ist aufgetragen, die Erde, seine Welt, zu Gott heimzuführen, indem er sie im Sinne des Schöpfers verwaltet; doch sie ist sein Grab geworden, da er dem Auftrag Gottes nicht nachkam.

Über der Kosmos- und Sonnenkugel und herauswachsend aus der Erdkugel erhebt sich das Kreuz, das mit seinen ziselierten Schmuckzweigen und dem Rankenwerk zum Lebensbaum geworden ist. Christus, der selten auf Katschkaren abgebildet ist, wird die Ranke der Unsterblichkeit genannt. Seine Lebenshingabe und seine Erhöhung in die Herrlichkeit Gottes sind im Symbol des Kreuzes verdichtet; es steht für ihn selbst. Ein Kranz von Flechtwerkkreuzen, die zu achteckigen Diagrammen erweitert sind, umgibt Kosmos und Lebensbaum. Das Achteck ist das Zeichen der Vollendung und Auferstehung, Zeichen des ewigen Lebens: Die Hingabe Christi an den Vater führt ihn und die Schöpfung zum Leben in Gott.

Im oberen Bildfeld schließlich erscheint Christus nach der Himmelfahrt als der Kyrios, als der Herr, als wiederkehrender Vollender der Schöpfung. Die Rechte hat er zum Segen erhoben, die Linke hält das Buch des Lebens, das Evangelium und zugleich jenes Buch, in das seine Getreuen verzeichnet sind (vgl. Offb 20,12). Seinen Thron bilden die vier himmlischen Wesen, die nach der Apokalypse das Aussehen eines Löwen, eines Stieres, eines Menschen und eines Adlers haben; unablässig huldigen sie dem Kyrios: «Heilig, heilig, heilig ist der Herr, der Gott, der Herrscher über die ganze Schöpfung; er war, und er ist, und er kommt» (Offb 4,8). Diese vier Thronwesen tragen auf dem Katschkar ein Buch in den Händen; in ihnen sind deshalb auch die vier Evangelisten dargestellt: Markus im Löwen, Lukas im Stier, Matthäus im Menschen, Johannes im Adler. Mit Körben voller Weintrauben, den Zeichen der Fruchtbarkeit und des Dankes, und in anbetender Haltung treten von beiden Seiten vier Engel zum Thron Christi. Mit den Evangelisten, den Vertretern der irdischen Kirche im Himmel, huldigen sie Christus, der in Herrlichkeit wiederkehrt, um die am Kreuz begonnene Verklärung und Heimführung der Schöpfung zu Gott zu vollenden. So trägt Christus in seiner Hingabe an den Vater, die er im Beten wie im Kreuzesopfer bezeugt, die Welt heim zu ihrem Ursprung. Der Jünger Christi folgt seinem Meister; er bringt seine Welt im Gebet vor den Schöpfer, damit sie, von Gott gesegnet, ihm erträglich sei und er einst mit ihr verklärt werde.

Von seinem Beten fasziniert, baten die Jünger Jesus, sie beten zu lehren, und er schenkte ihnen das »Vaterunser«, das bis heute wie kein anderes Gebet alle Christen im Glauben an den gemeinsamen Herrn vereinigt. Der große Katholikos Nerses hat es in meditativer Weise nachgesprochen. Natürlich hat er über seinen erhabenen Inhalt hinaus nichts Neues sagen können; doch das Nachsprechen mit eigenen Worten kann den Inhalt verdeutlichen und den Beter davor bewahren, es gedankenlos aufzusagen:

Nun laß dein »Vater in dem Himmel«,
das du uns gabst in deiner Gnade,
mich wahrhaft beten bis zu End',
anflehn aus ganzem Herzen seinen Namen.
Das Reich des Herrn,
das komm', in mir zu herrschen,
und mög' an mir auf Erden
erfüllt sein Wille werden wie im Himmel.
Das täglich Brot und das des ewig Seienden,
des Leibes Kost wie die des Wortes
gewähre er im Überflusse den Bedürfnissen der Seele,
das Geistige, das Leibliche.
Vergeben mög' er die Vergehen meiner Schuld,
sowie dem Schuldner ich vergeb'.
Zumal dem Manne zu verzeihen, der mich bedrückte,
mög' mir die Gnade werden, damit auch ich Verzeihung finde.
Nicht laß er dem Versucher Raum,
daß er den Lässigen versuchen dürfe wie den Heldenhaften,
sondern bewahre uns vor dessen Schwert;
ja selber mög' gegen den Bösen er streiten.
Nerses Schnorhali, Jesus, der Sohn, II, 341–360;
Theol. Quartalschrift 80, 262

Der große Beter des armenischen Volkes, Gregor von Narek, der das private wie das liturgische Gebet maßgeblich geformt hat, hat uns ein Abendgebet voll tiefer Gläubigkeit geschenkt. Er lädt Christus ein, daß er ihn in seinem »Schlaf, der dem Tode so ähnlich ist«, behüte. In konkreten Vorstellungen von dem, was der Herr für ihn tun kann, bittet er um seine heilsame Gegenwart:

Grabe mit dem Kreuzeszeichen deinen Namen
auf den Türbalken meines Hauses.
Bedecke mit der Hand
das Dach meiner Behausung.
Bezeichne mit deinem Blut
Vorhang und Treppenstufen meiner Zellentür.
Drücke dein Siegel
auf die Fußspuren deines Bittstellers.
Stütze mit deiner Rechten
das Bett, auf dem ich ruhe.
Glätte jede Falte
der Decke meines Bettes.
Verteidige mit deiner Willenskraft
die Seele mein in ihrer Angst.
Erhalte unversehrt
den Odem, den du meinem Leib geschenkt hast.
Stelle rings um mich auf
die Truppen deiner himmlischen Streitmacht.
Ordne sie zu einer Schlachtreihe
gegen die Bande der Dämonen.
Gib mir eine süße Ruh'
in meinem Schlaf, der dem Tode so ähnlich ist,
während dieser tiefen Nacht
auf die Fürbitte deiner heiligen und göttlichen Mutter
und aller deiner Erwählten.
Gregor von Narek, Abendgebet, Le livre de prières, 104;
übers.: Baronian-Krikorian, Liturgie, 100

Von der Macht des Gebetes spricht Johannes Mandukani. Das Gebet, das Gott mit Gewißheit erhört, braucht nicht lang zu sein, es muß aber von der Liebe zum Mitmenschen getragen sein und das Heil des Beters zum Ziel haben. Ein solches Gebet ist wie ein unblutiges Opfer, mit welchem der Beter sich und seine Welt vor Gott hinträgt. Anschaulich schildert Mandakuni auch den Kampf zwischen dem Vorsatz zu beten und den angeblichen Hindernissen, die sich der Ausführung entgegenstellen. Es sind Erfahrungen, die auch heute noch viele Christen bestätigen können. Konkret stellt uns der Kirchenvater den Ablauf eines Sonntagmorgens vom Kampf mit dem Bett bis zum Ende der Meßfeier vor Augen. Manch einer wird sich in diesem Spiegel wiedererkennen:

Beim Beten muß man nicht viele Worte machen. Der Zöllner sprach nur ein einziges Wort, und sein Gebet war Gott wohlgefällig und erleichterte ihn von der schweren Last der Sünden (vgl. Lk 18,9–14). Mose betete ohne Worte und teilte so das Meer bis auf den Grund (Ex 14,21). Auch du kannst das Meer deiner Sünden trockenlegen und die Wogen seines Zornes stillen, wenn du aus ganzem Herzen betest. Wenn ihr von Gott nicht erhört werdet, so liegt es daran, daß ihr nicht inständig und aus ganzem Herzen betet oder weil ihr um etwas Schädliches betet. Wenn ihr aber unablässig um das betet, was zum Nutzen eurer Seelen ist, werdet ihr es unmöglich von Gott nicht erhalten. Denn durch das Gebet hat Elija den Himmel verschlossen und wieder aufgetan (1 Kön 17,1; 18,44 f.). Durch sein Gebet hat David das Schwert des Racheengels besänftigt (2 Sam 24,16). Jonas wurde auf Grund seines Gebetes wieder lebend aus dem Fisch ausgespien (Jon 2,2.11). Das Gebet der kanaanäischen Frau hat den bösen Dämon aus ihrer Tochter vertrieben (Mt 15,22–28). Das Gebet hat Besessene befreit, Kranke geheilt, Aussätzige rein gemacht, Blinde erleuchtet, Sünder gerechtfertigt. . . . Das ist die Macht des wahren Gebetes, wenn man es pflegt; es ist ein unblutiges Opfer, ein geistiges Opfer vor Gott.
Wenn du aber mit deinen Mitmenschen nicht in Liebe verbunden bist, ist dein Gebet kein wohlgefälliges Opfer, es dringt nicht zu Gott. Wenn jemand seinen Nächsten haßt, kann sein Gebet unmöglich zu Gott dringen. Wenn du aber mit liebendem Herzen betest, so wird er, noch bevor du ihn rufst, sprechen: »Siehe, ich bin da!« (Jes 58,9).

Satan weiß, daß im Gebet gewaltige Kräfte liegen und es unaussprechliche Güter bewirkt. Darum macht er sich immer wieder an den heran, der beten will. Zuerst bekämpft er ihn im Bett: Er läßt es ihm recht bequem erscheinen, macht den Schlaf so süß und den Leib so schwer; er rekelt sich und gähnt. Wenn er sich endlich erhebt, geht er voller Unlust zur Kirche, wo er vor Gott steht. Doch Satan umnachtet seinen Verstand: Er erinnert sich nicht mehr seiner zahlreichen Vergehen und merkt gar nicht, daß er vor Gott erscheint. Er achtet nicht auf das Lob der Großtaten Gottes und denkt nicht daran, ihn zu preisen. In sein Herz dringen nicht die Lehren der Lesungen. Über seine Sünden und seine Untreue gegen Gott klagt und weint er nicht. ...

Der böse Feind lenkt unseren Sinn hin auf die Sorgen und Zerstreuungen der Welt. Während wir das Gebet sprechen, das uns Hilfe und Nutzen bringen soll, gehen wir bösen und schlechten Gedanken nach. Wir werfen uns während des Gebetes zwar auf die Knie, aber unser Geist ist fern, schweift umher und gibt sich allerlei Träumereien hin. Wir denken voller Sorgen an Haus und Felder, berechnen ihren Ertrag und denken an die Einnahmen aus den Reben, wieviel Pfund Brot und wieviel Liter Wein ich erwirtschaften kann. Oder wir denken während des Gebetes an Rinder- und Schafherden, wieviel Ochsen und wieviel Schafe wir besitzen. Dann wieder denken wir an die Arbeiter und daran, wieviel Lohn sie bekommen; überlegen, ob unser Haus genügend lärmgeschützt sei. Wir denken sogar an das Unglück, das den Nächsten treffen mag, und sprechen uns so Gottes Urteil über uns in seiner Gegenwart zu (vgl. Mt 7,1 f.). Während wir die Gebete sprechen, beschäftigen wir uns in Gedanken mit Anklagen gegen den Mitbruder. Kaum aus dem Gottesdienst gekommen, beginnen wir damit, Anklage gegen einen Feind zu erheben, und verbittern so die Süße des Gebetes mit Galle.

Johannes Mandukani, Reden, Über das Gebet;
nach Blatz, 78–84

8. Klage über den Untergang Armeniens und hoffnungsvolle Zukunft in Christus

Von hohen Bergen, den Ausläufern des Kaukasus, umgeben liegt in Sowjet-Armenien in etwa 2000 m Höhe der Sewan-See, einer der größten Hochgebirgsseen der Welt. Auf einer Halbinsel im See erheben sich inmitten der Ruinen einer mittelalterlichen Klosteranlage zwei Kirchen in der für Armenien typischen Kreuzkuppelbauweise mit Pyramidendach; beide wurden im 9. Jahrhundert erbaut. Die kleinere Kirche ist Johannes dem Täufer geweiht, die größere den Aposteln. Das Kloster und die Mönche sind seit langem verschwunden, auch die Kirchen »arbeiten« heute nicht mehr, d. h. die Gläubigen, die in diesen Gotteshäusern beten wollen, stehen vor verschlossenen Türen. Sie zünden deshalb zu Füßen der vielen Katschkare, die überall im Klostergelände, unversehrt oder zerborsten, aufgerichtet oder im Boden versunken, zu finden sind, Talglichter an, die mit ihrem Ruß die Steine schwarz gefärbt haben. Die ganze Anlage erweckt den Eindruck der Zerstörung und des Unterganges, und doch bezeugen die Lichter, die wegen der verschlossenen Türen vor den Kreuzsteinen entzündet werden, den ungebrochenen Glauben des armenischen Volkes und seine Treue zu Christus. Die beiden verschlossenen Kirchen über dem stillen klaren See sind Sinnbild des Leides, das die Armenier seit Jahrhunderten ihres Glaubens wegen erdulden; sie bringen unübersehbar die Klage dieses Volkes zum Ausdruck, aber auch die unzerstörbare Zuversicht, die es immer wieder befähigt, durch alle Verfolgungen und Ungerechtigkeiten hindurch dem in Christus geschenkten Leben entgegenzugehen.

Die Klage über Armenien und sein Geschick durchzieht alle Jahrhunderte. Als im Jahre 1145 der muslimische Herrscher von Aleppo, Zangi, die Stadt Edessa (heute Urfa in der Südosttürkei) den Kreuzfahrern entriß, ließ er in dieser alten christlichen Metropole Syriens, in der damals 30.000 Armenier lebten, ein grauenvolles Blutbad anrichten; die Stadt wurde geplündert, die Kirchen wurden zerstört. Nerses, der begnadete Sänger aus dem benachbarten kilikischen Armenien, verfaßte darauf seine berühmte »Elegie über Edessa« mit 2.690 Zeilen, in welcher Heimatliebe und Treue zum Glauben der Väter miteinander wetteifern. Er erzählt vom Untergang der Stadt und vom Massaker unter der Bevölkerung, klagt aber auch die christlichen Fürsten an, die,

300

in Bruderzwist und Machtkämpfe verstrickt, ihrer Verantwortung für das Volk nicht gerecht geworden waren, und weist auf den moralischen Niedergang hin, der die Stadt reif gemacht hat für die Eroberung durch die islamischen Truppen. Nerses läßt Edessa wie eine Witwe über den Trümmern ihres Hauses Klage erheben; sie gedenkt ihrer großen christlichen Vergangenheit und bittet dann die Kirchen und Nationen des Westens und des Ostens, die Trauer mit ihr zu teilen:

Klagt, ihr Kirchen,
Bräute Christi im Hochzeitssaal,
meine geliebten Schwestern und Brüder,
die ihr zerstreut seid in der ganzen Welt,
Nationen und Rassen, die es auf der Welt gibt,
die ihr an Christus glaubt
und sein Kreuz verehrt.
. . .
Mein Herz ist in Ängsten,
und ich ringe mit mir selbst,
bin schmerzlich mit mir selbst gequält.
Meine Seele und mein Geist sind in Aufruhr,
wenn ich mir den letzten unseligen Tag in Erinnerung rufe
und das Morgen, das so dunkel ist.

Nerses Schnorhali, Elegie über Edessa;
Nersessian, Beispiel eines Heiligen, 64

Doch sind Klage und Trauer für den Kirchenvater nicht das letzte Wort. Zum Schluß seiner Elegie schaut er Edessa wieder als glückliche Mutter; ihre vielen Kinder kehren aus der Zerstreuung heim, und sie schließt sie in ihre Arme. In diesem Hoffnungswort erweist sich Nerses als Mann, der ganz vom Geist geprägt ist, der auch den Propheten Jesaja geleitet hat. In tröstenden Worten hatte dieser die Heimkehr der nach Babylon verschleppten Juden verheißen (Jes 40,1–11). Ihre Hoffnungsbilder und Trostworte weisen jedoch über den geschichtlichen Raum hinaus auf die eschatologische Vollendung der Welt, in der die Kirche als Braut Christi und glückliche Mutter alle Menschen in ihre Arme schließt:

Sie sollen kommen von allen Orten,
wohin sie, jetzt verfolgt, flohen und zerstreut wurden.
Meine Kinder, die ihr so weit weggelaufen seid
und von mir getrennt wurdet!
Ihr werdet wiederkommen
auf Reisewagen, von Pferden gezogen.
Wenn ich meine Augen von hoher Aussicht erhebe,
sehe ich euch alle versammelt und bin erfüllt von Entzücken.
Ich schließe euch in meine Arme.
Ich werfe die Trauerkleider fort;
ich ziehe neue Kleider an, rot und grün.

Nerses Schnorhali, Elegie über Edessa;
Nersessian, Beispiel eines Heiligen, 65

Die dem Moses von Chorene zugeschriebene »Geschichte Armeniens«, die in ihrer überlieferten Gestalt ein Werk des 9. Jahrhunderts ist, klingt aus in einer ergreifenden Rede, in der der Verfasser persönlich seine Heimat anspricht. Er ist zutiefst berührt von der durch die Arabereinfälle verursachten Verwüstung des Landes, bei der auch seine Eltern umgekommen sind, während er im fernen Byzanz zum Studium weilte, aber auch von der geistigen und moralischen Verwüstung seines Volkes, vor allem seiner Führer in Kirche und Regierung, die sich wie habgierige Wölfe gebärden. Der Autor sieht in den Verheerungen, die über Land und Seelen hereingebrochen sind, eine göttliche Strafe. Denn wer sich aus der von Gott gesetzten sittlichen Ordnung entfernt, darf sich nicht wundern, wenn ihn auch die Naturordnung nicht mehr trägt. Doch Christus kann die Rettung schenken:

Ich beklage dich, Armenien, ich beklage dich, erhabenstes aller nördlichen Län-
der; denn hinweggenommen ist dein König und Priester, dein Ratgeber und Er-
leuchter. Vernichtet ist der Friede, die Unordnung hat sich eingewurzelt, der wahre
Glaube ist erschüttert, der Irrglaube durch Unwissenheit verfestigt.
Ich beklage dich, armenische Kirche, da du des Lichtes, das aus deinem schmuck-
vollen Heiligtum aufstrahlte, und deines tapferen Hirten und seiner Gefährten be-
raubt bist. Ich sehe deine geistige Herde nicht mehr an grasreichen Plätzen weiden

302

und an Wassern sich lagern, nicht mehr versammelt in der Hürde, geschützt gegen Wölfe, sondern zerstreut in den Wüsten und an jähen Abgründen. ...

O Beraubung, ob unglückselige Geschichte! Wie werde ich es aushalten, die Leiden zu ertragen; wie meinen Geist und meine Zunge formen, um Dankworte meinen Eltern für meine Geburt und Erziehung zu sagen! Sie haben mich ja geboren und durch ihre Belehrung genährt; dann haben sie mich zu anderen zur Ausbildung geschickt. Und während sie auf meine Rückkehr hofften und ihren Ruhm in meinem allumfassenden Wissen und meiner vollendeten Geschicklichkeit suchten, bin ich gleich eilig von Byzanz heimgekehrt und habe auf die Hochzeit gehofft, um, geübt in lebendiger Schnelligkeit, zu tanzen und die Hochzeitslieder zu singen. Doch statt der Freude seufze ich jetzt und stoße voller Unglück über dem Grabe Wehklagen aus. Es war mir nicht einmal vergönnt, ihnen die Augen zu schließen, ihr letztes Wort zu hören und ihren Segen zu empfangen. ...

Wer wird an meiner Trauer teilnehmen und hiervon erzählen? Wer wird mir helfen, das Geschehene zu beklagen oder auf eine Säule zu schreiben? Wache auf, Jeremia, wache auf und beweine in prophetischen Klageliedern das Unglück, das wir erduldet haben und noch erdulden müssen. Weissage das Auftreten unwissender Hirten, wie es ehemals Sacharja in Israel getan hat.

Die Lehrer sind dumm und selbstgefällig, sich selbst die Ehre gebend und nicht von Gott berufen, durch Geld und nicht vom Heiligen Geist erwählt, geldgierig, eifersüchtig, ohne die Güte, in der Gott wohnt, zu Wölfen geworden, die ihre eigenen Herden zerreißen. Die Mönche sind heuchlerisch, stolz, eitel, mehr die Ehre als Gott liebend. Die Geistlichen sind stolz, Advokaten, Schwätzer, Faulenzer, Verächter der Wissenschaft und Lehre, Liebhaber von Händeln und Vergnügungen. Die Schüler sind träge zum Lernen und schnell zum Lehren, schon Theologen, bevor sie von der Theologie Kenntnis genommen haben. Die Laien sind wild, trotzig, Prahler, Müßiggänger, Spötter, böswillig, sie fliehen die Geistlichkeit. Die Soldaten sind ungerecht, Windbeutel, Verächter der Waffen, träge, vergnügungssüchtig, unmäßig, Räuber, Genossen der Diebe. Die Fürsten sind Rebellen, Genossen der Spitzbuben, Räuber, Geizhälse, schamlos geizig, geldgierig, Plünderer, Zerstörer des Landes, Lüstlinge, Sklavenseelen. Die Richter sind unmenschlich, falsch, betrügerisch, be-

stechlich, rechtsunkundig, unzuverlässig, streitsüchtig. Alle insgesamt sind der Liebe und Scham bar und ledig.

Was ist nun die Strafe für all dies, wenn nicht, daß Gott uns verläßt und die Natur und die Elemente sich ändern? Der Frühling ist trocken, der Sommer regnerisch, der Herbst winterlich, der Winter gewaltig eisig, stürmisch und lang. Die Winde bringen Schneestürme oder Hitze und verursachen Krankheiten. Die Wolken sind voller Gewitter und Hagel. Der Regen ist unzeitig und unnütz. Die Lüfte sind voller Staubregen und ansteckender Gefahren. Das Anschwellen der Gewässer ist ohne Nutzen und ihr Abnehmen übermäßig. Dazu kommen Unfruchtbarkeit des Bodens und Verminderung der Tiere, aber auch Erdstöße und Erdbeben. In jeder Hinsicht ist alles in Aufruhr nach dem Worte: »Die Gottlosen finden keinen Frieden« (Jes 48,22).

Die Könige sind Tyrannen und Übeltäter, erheben schwere und drückende Steuern, geben unerträgliche Befehle. Die Vorgesetzten bessern nichts und sind ohne Mitleid. Die Freunde sind Verräter und die Feinde mächtig. Der Glaube wird hingegeben für dieses nichtige Leben. Die Räuber kommen in Scharen von überall her: Plünderung der Häuser, Raub der Güter, Ketten für die Fürsten, Gefängnis für die führenden Männer, Vertreibung und Verbannung für die Adligen und unendliches Leid für das einfache Volk; Eroberung der Städte, Zerstörung der Festungen, Vernichtung der Burgen und Verbrennung der Gebäude; endlose Hungersnot, Krankheiten und Tod in vielerlei Gestalt; der Gottesdienst wird nicht mehr gefeiert und die Hölle ist im Anzuge!

Hiervor möge Christus, unser Gott, uns und alle bewahren, die ihn in der Wahrheit anbeten. Ihm sei Ehre von allen Geschöpfen!

Moses von Chorene, Geschichte Armeniens, 68. Kap.;
Lauer, Moses, Geschichte Groß-Armeniens, 236–240, und:
Finck, Geschichte der arm. Literatur, 92–95

Wenn wir die Geschichte Armeniens noch weiter zurückverfolgen, finden wir ähnliche Klagen über das dem Volk zugefügte Unrecht schon in seiner christlichen Frühzeit, doch ebenso die Zuversicht, die in Christus alles Leid überwindet. In den Jahren 449 bis 451 versuchten die Armenier das persische Joch abzuschütteln; damals standen sich der armenische Feldherr Wardan und der Perserkönig Jesdegerd II. gegenüber. Der Kampf verlief für Armenien unglücklich. Persiens Druck wurde noch stärker, vor allem, weil die Iraner versuchten, dem unterlegenen Volk die persische Staatsreligion des Mazdaismus aufzuzwingen. Nicht viel anders war die Lage um 571, als die Armenier sich wiederum unter ihrem Fürsten Wardan II. für ihre Freiheit gegen die Herrschaft des Perserkönigs Chosrau I. erhoben. Sie unterlagen auch diesmal, ebenso die Byzantiner, die den Frieden mit hohen Tributen bezahlen mußten. Trotz der militärischen Niederlagen hat ein unbekannter Verfasser den gefallenen Armeniern ein ehrenvolles Denkmal gesetzt. Er hat dafür die vom Vardapeten Elische verfaßte »Geschichte des armenischen Krieges« aus der Mitte des 7. Jahrhunderts umgearbeitet und die Ereignisse des Glaubenskrieges von 571 jenen des Jahres 451 angepaßt. Das Werk endet mit einer erschütternden Klage auf die Gefallenen und ihre hinterbliebenen Frauen. Es schildert das Leid der Witwen, die vergeblich auf die Heimkehr ihrer Männer warten. Doch ihre in Christus begründete Hoffnung erhebt sie aus dumpfer Trauer und läßt sie auf ein glückliches Wiedersehen im himmlischen Jerusalem hoffen:

Vieler Winter Eis zerschmolz; der Frühling kehrte ein, und von neuem trafen die Schwalben ein. Weltliebende Menschen sahen es und freuten sich. Doch konnten die Frauen nicht mehr jene schauen, nach denen sie sich sehnten. Die Frühlingsblumen brachten ihnen den Ehekranz und die treuen Gatten in Erinnerung; doch sehnten sich ihre Augen vergebens danach, die Schönheit ihres Antlitzes zu schauen. Die Jagdbracken starben aus, und die Jäger streiften nicht mehr durch die Flur. Auf Inschriften erwähnte man sie, aber kein Fest im Jahr ließ sie aus der Ferne heimkehren. Man blickte auf ihre leeren Plätze bei der Tafel und weinte; bei allen Versammlungen gedachte man ihrer Namen. Viele Denkmäler waren ihnen zu Ehren errichtet, und jeder Name auf ihnen verzeichnet.

Obwohl die Witwen in ihren Gedanken tief betrübt waren, folgten sie doch unablässig den himmlischen Tugenden. Nach außen erschienen sie als trauernde und gequälte Witwen, in ihrem Geist aber waren sie durch himmlische Liebe geziert und getröstet. Kam jemand aus der Ferne, pflegten sie ihn nicht mehr zu fragen: Wann werden wir wohl unsere Geliebten wiedersehen? Die Wünsche ihrer Gebete waren vielmehr darauf gerichtet, daß sie das, was sie begonnen hatten, auch tapfer zu Ende führten mit göttlicher Liebe. – Mögen auch wir zusammen mit ihnen das himmlische Jerusalem, die Mutterstadt der göttlichen Güter, erben und erlangen, was Gott seinen Geliebten verheißen hat in Christus unserem Herrn.

Elische, Geschichte des armenischen Krieges; Finck, Geschichte der arm. Literatur, 99

Es ist erstaunlich, wie das armenische Volk trotz seiner jahrhundertelang währenden Leiden in Treue den Glauben an Christus bewahrt hat. Sicherlich muß man die Beziehung zwischen Leiden und Glauben von grundlegenderer Art sehen: Gerade aus dem Glauben an den gekreuzigten und auferstandenen Christus erwuchs ihm immer von neuem die Kraft, Unterdrückung und Verfolgung zu ertragen, ohne daran zu zerbrechen. Vertrieben aus dem westlichen Teil der Heimat, unfrei in ihrem östlichen Gebiet, zerstreut über die ganze Welt, haben die Armenier in ihrer Kirche die geistgeschenkte Heimat gefunden, aus der sie niemand vertreiben kann und von der sie überzeugt sind, daß sie zeitüberdauernd und unzerstörbar ist. Jedes Mal, wenn ein Kind getauft wird und im Glauben an Christus in der Kirche Heimatrecht findet, wird dieser Überzeugung Ausdruck verliehen in einem Gebet, das Tauf- und anschließende Kommunionfeier miteinander verbindet. Obwohl das Volk unter ethnischem Aspekt immer wieder aufgerieben wurde, wächst es ständig als Volk Gottes und schreitet durch die Geburt in der Taufe und die Stärkung mit dem Leib und Blut Christi dem Leben entgegen, das unzerstörbar ist:

Ehre dir, ewiger König!
Deiner Kirche schenkst du das Wachstum
und erfüllst sie mit dem Lichte des Glaubens
in unzählbaren Seelen, welche gerettet werden
durch die wahre Erkenntnis Gottes
in deinem Christus.
Durch die zweite Geburt machst du sie würdig,
als Söhne des himmlischen Vaters angenommen zu werden,
machst sie zu Teilhabern
an dem Leibe und Blute deines Eingeborenen.
Und jetzt, Herr, erhalte dieses Kind

in Reinheit durch deinen Heiligen Geist,
damit es deinen Willen ohne Makel erfülle
und, frei von Sünde, das ewige Leben erlange.
Und segne uns alle, die diesem Kinde nahestehen
dank der Gnade und Menschenliebe unseres Herrn Jesus Christus,
mit dem dir, dem Vater, und deinem Heiligen Geiste
Ruhm, Herrschaft und Ehre gebührt,
jetzt und allezeit
und in die Ewigkeit der Ewigkeiten.

Gebet zur Kommunion nach der Taufe;
Thon, Ordnung der Taufe, 123

ANHANG

Anmerkungen

1 Camelot, Ephesus und Chalcedon, 156 ff.; 263 f.
2 Nersessian, Die christologische Position, in: Die Kirche Armeniens, 78
3 Inglisian, Chalkedon und die armenische Kirche, 413
4 Bereits 1311 hatten die Ägypter für die Armenier in ihrem Herrschaftsbereich das Patriarchat von Jerusalem geschaffen.
5 Nirschl, Patrologie, 219–222
6 ebd., 223
7 ebd., 228
8 ebd., 234
9 Inglisian, Armenische Literatur, 166
10 ebd., 168
11 ebd., 173 f.
12 ebd., 174
13 Bardenhewer, Altkirchliche Literatur, V., 191
14 Inglisian, a. a. O., 178 f.
15 Grégoire de Narek, Le livre de prières, 31; Inglisian, a. a. O., 185 f.
16 zit. nach: Vrej Neressian, in: Heyer, Die Kirche Armeniens, 67
17 Heyer, Die Kirche Armeniens, 61–66; Inglisian, a. a. O., 193 f.
18 Vrej Nersessian, in: Heyer, Die Kirche Armeniens, 63
19 Baronian-Krikorian, Die Liturgie, in: Heyer, Die Kirche Armeniens, 93–98
20 Dalmais, Die Liturgie der Ostkirchen, 43
21 Ter-Mikaëlian, Das armenische Hymnarium, 3
22 Baronian-Krikorian, Die Liturgie, a. a. O., 112
23 zit. nach: Baronian-Krikorian, Die Liturgie, a. a. O., 111
24 Kleines Wörterbuch des Christlichen Orients, 28
25 Durnowo, Armenische Miniaturen, 12
26 zit. nach: Ipşiroğlu, Die Kirche von Achtamar, 18
27 ebd., 23. 26
28 ebd., 42
29 ebd., 77. 80
30 de Vries, Kirche der Armenier, 123; Müller, Apostolische Kirche Armeniens, 305
31 Armenian Art Treasures of Jerusalem, 21–28

Verzeichnis der Tafeln

Quellen und Literatur

1. Patristik und Väterlehre, Liturgie und liturgische Texte

Bardenhewer, Otto, Geschichte der altkirchlichen Literatur, Bd. 5, S. 177–219: Die altarmenische Literatur, Freiburg i. B. 1932

Baronian, Zareh, und Krikorian, Mesrop, Die Liturgie der Armenisch-Apostolischen Kirche, in: Die Kirche Armeniens, S. 93–115, Stuttgart 1978

Baumstark, Anton, Die christlichen Literaturen des Orients, Bd. 2, S. 61–99: Die armenische Literatur, Leipzig 1911

Bekdschian, Karekin, Die Armenische Apostolische Kirche und ihre Liturgie, in: Kyrios XII (1972), Berlin, S. 107–115

BKV I, 57; 58 = Bibliothek der Kirchenväter, Bd. 57 und 58: Ausgewählte Schriften der armenischen Kirchenväter, München 1927

Conybeare, F. C., Rituale Armenorum, being the administration of the sacraments and the breviary rites of the Armenian Church, Oxford 1905

Dalmais, Irénée-Henri, Die Liturgie der Ostkirchen (Der Christ in der Welt, IX, 5), Aschaffenburg 1960

Day, Peter D., Eastern christian Liturgies. The Armenian, Coptic, Ethiopian and Syrian Rites, Shannon (Irland) 1972

Denzinger, Henricus (Hrsg.), Ritus Orientalium, Coptorum, Syrorum et Armenorum in administrandis sacramentis, 2 Bde., Würzburg 1863/64; Nachdruck Graz 1961

Elisäus von Amathunik, Über die Besessenheit, übers. (in Auszügen) von Welte, in: Theologische Quartalschrift 30 (1848), Tübingen, S. 633–644

Elische, Erklärung des Vaterunsers und Worte der Ermahnung über die Einsiedler, übers. von Weber, Simon, in: BKV I, 58, München 1927

(Eznik von Kolb) Des Wardapet Eznik von Kolb Wider die Sekten, übers. von Schmid, Johann Michael, Wien 1900

Eznik von Kolb, Wider die Irrlehren, übers. von Weber, Simon, in: BKV I, 57, München 1927

Finck, Franz Nikolaus, Geschichte der armenischen Litteratur, in: Geschichte der christlichen Litteraturen des Orients, hrsg. von C. Brockelmann u. a., Leipzig ²1902; Nachdruck Leipzig 1972

Grégoire de Narek, Le livre de prières (Sources chrétiennes 78), Paris 1961

Inglisian, Vahan, Die armenische Literatur (Handbuch der Orientalistik, 1. Abt. 7. Bd., S. 156–250), Leiden, Köln 1963

Inglisian, Vahan, Das armenische Schrifttum, Linz a. d. D. 1929

Johannes Mandakuni, Heilige Reden, übers. von Schmid, Johann Michael, Regensburg 1871

Johannes Mandakuni, Reden, übers. von Blatz, Joseph, in: BKV I, 58, München 1927

Koriun, Beschreibung des Lebens und Sterbens des hl. Lehrers Mesrop, übers. von Weber, Simon, in: BKV I, 57, München 1927

Lexikon der Marienkunde, hrsg. von Algermissen, Konrad, Bd. 1, Art.: Armenien, Regensburg 1967

Mambre Verzanogh, Homilie über die Auferweckung des Lazarus, übers. von Weber, Simon, in: BKV I, Bd. 58, München 1927

(Mesrop) Ausgewählte Reden aus dem Hatschachapatum (Teppiche) des hl. Mesrop, übers. von Sommer, Eugen, u. Weber, Simon, in: BKV I, 57, München 1927

(Mesrop) Reden und Lehren des heiligen Gregorius des Erleuchters, Patriarch von Armenien (es handelt sich um ein Werk Mesrops), übers. von Schmid, Johann Michael, Regensburg 1872

Meßliturgie, Die heilige, nach dem armenischen Ritus, Wien 1948

Moses von Chorene, Geschichte Groß-Armeniens, übers. von Lauer, M., Regensburg 1869

(Nerses) Die biblische Elegie des armenischen Katholikos Nerses IV. Schnorhali, übers. von Vetter, Paul, in: Theologische Quartalschrift 80 (1898), Ravensburg, S. 239–276

(Nersès Schnorhali) Inni sacri di San Nerses il Grazioso, Venedig 1973

Nersès Šnorhali, Jésus fils unique du Père (Sources chrétiennes 203), Paris 1973

Nerses Schnorhali's Kirchenlieder, übers. von Vetter, Paul, in: Theologische Quartalschrift 81 (1899), Ravensburg S. 89–111

Nersessian, Vrej, Das Beispiel eines Heiligen: Leben und Werk des Hl. Nerses Clajensis mit dem Beinamen Schnorhali, in: Die Kirche Armeniens, S. 59–69, Stuttgart 1978

Nersessian, Vrej, Die christologische Position der Armenisch-Apostolischen Kirche, in: Die Kirche Armeniens, S. 71–92, Stuttgart 1978

Nirschl, Joseph, Lehrbuch der Patrologie und Patristik (3 Bde.), Mainz 1881/85; III, S. 206–262: Die syrischen und armenischen Schriftsteller des fünften Jahrhunderts

Steck, Franz Xaver, Die Liturgie der katholischen Armenier, Tübingen 1845

Ter-Mikaëlian, Nerses, Das armenische Hymnarium. Studien zu seiner geschichtlichen Entwicklung, Leipzig 1905

Theologische Quartalschrift 30 (1848), S. 633–644: Elisäus von Amathunik, Über die Besessenheit; 80 (1898), S. 239–276: Die biblische Elegie des armenischen Katholikos Nerses IV. Schnorhali; 81 (1899), S. 89–111: Nerses Schnorhali's Kirchenlieder, Tübingen, Ravensburg

Thon, Nikolaus (Übers.), Die Ordnung der Taufe in der Armenisch-Orthodoxen Kirche, in: Der Christliche Osten, XXIX (1974), Würzburg, S. 116–124

Tyciak, Julius, Maria in der Sicht des christlichen Ostens, in: Tyciak, Theologie der Anbetung, Sophia Bd. 14, S. 225–236, Trier 1976

2. Architektur und Malerei

Alemshah, G. M., Architecture religieuse arménienne du moyen âge, Venedig 1973

Armenian Art Treasures of Jerusalem (dt.: Armenische Kunst), hrsg. von Narkiss, Bezalel, u. a., Jerusalem 1979

Armenian Khatchkars, hrsg. von Holy See of Etschmiadzin, Yerevan 1979

Bachmann, Walter, Kirchen und Moscheen in Armenien und Kurdistan, Leipzig 1913

Buschhausen, H. u. H., und Zimmermann, E. (Hrsg.), Die Illuminierten Handschriften der Mechitaristen-Kongregation in Wien, Wien 1976

Byzanz und der christliche Osten (Propyläen Kunstgeschichte Bd. 3), Fernanda de'Maffei, Armenien (S. 334–347), Berlin 1968

Dournovo, L. A., und Drampian, R. G. (Hrsg.), Miniatures Arméniennes, Yerevan 1969

Durnowo, Lydia, A., Armenische Miniaturen, Köln 1960

Gombos, Károly, und Gink, Károly, Die Baukunst Armeniens, Budapest 1972/1973

Haghnazarian, Armen, Die kirchliche Baukunst in Armenien, in: Die Kirche Armeniens, S. 117–138, Stuttgart 1978

Ipşiroğlu, M. Ş., Die Kirche von Achtamar, Mainz 1963

Kleiss, Wolfram, Das armenische Kloster des Heiligen Stephanos in Iranisch-Azerbaidjan, in: Istanbuler Mitteilungen, Bd. 18, S. 270–285, Tübingen 1968

ders., Das Kloster des Heiligen Thaddäus (Kara Kilise) in Iranisch-Azerbaidjan, in: Istanbuler Mitteilungen, Bd. 17, S. 291–305, Tübingen 1967

Neubauer, Edith, Armenische Baukunst von 4. bis 14. Jahrhundert, Dresden 1970

Nickel, H. L., Kirchen, Burgen, Miniaturen; Armenien und Georgien während des Mittelalters, Berlin (Ost) 1974

Reallexikon zur byzantinischen Kunst, Bd. 1, Art.: Ani; Armenien; Etschmiadzin (A. Khatchatrian), Stuttgart 1963

Weitzmann, Kurt, Die armenische Buchmalerei des 10. und beginnenden 11. Jahrhunderts (Istanbuler Forschungen 4), Bamberg 1933

3. Geschichte

Atiya, Aziz S., A History of Eastern Christianity, S. 303–356: The Armenian Church, London 1968

Bauer, Elisabeth, Armenien, Geschichte und Gegenwart, Luzern 1977

Camelot, Pierre-Thomas, Ephesus und Chalcedon (Geschichte der ökumenischen Konzilien, Bd. 2), Mainz 1963

Hintlian, Kevork, History of the Armenians in the Holy Land, Jerusalem 1976

Inglisian, Vahan, Chalkedon und die armenische Kirche, in: Grillmeier und Bacht, Das Konzil von Chalkedon (3 Bde.), II: Entscheidung um Chalkedon, S. 361–417, Würzburg 1953

Krikorian, Mesrob, Die Geschichte der Armenisch-Apostolischen Kirche, in: Die Kirche Armeniens, S. 29–58, Stuttgart 1978

Kirschtschian, M., Deutschland und die Ausrottung der Armenier in der Türkei, Potsdam 1930

Lepsius, Johannes, Armenien und Europa, Potsdam 1897

ders., Bericht über die Lage des armenischen Volkes in der Türkei, Potsdam 1916

ders., Der Todesgang des armenischen Volkes, Potsdam 1930

Matfunian, Vartan Gerges, Die lateinische Mission in Großarmenien bis zur Mitte des 18. Jahrhunderts, in: Die Kirche Armeniens, S. 165–174, Stuttgart 1978

Ostrogorsky, Georg, Geschichte des Byzantinischen Staates (Byzantinisches Handbuch I, 2), München ³1963

Pasdermadjian, Hrand, Histoire de l'Arménie, Paris ³1971

Sarkissian, Karekin, The Armenian christian tradition in Iran, New-Julfa, Isfahan (Iran) ⁵1975

Weber, Simon, Die katholische Kirche in Armenien. Ihre Begründung und Entwicklung vor der Trennung, Freiburg 1903

Werfel, Franz, Die vierzig Tage des Musa Dagh, 2 Bde., Stockholm 1947

4. Lexika, Sammelwerke und Darstellungen

Heiler, Friedrich, Die Ostkirchen, S. 375–391: Die Armenische Kirche, München, Basel 1971

Kirche Armeniens, Die, hrsg. von Heyer, Friedrich, (Die Kirchen der Welt, Bd. 18) Stuttgart 1978

Kleines Wörterbuch des christlichen Orients, hrsg. von Aßfalg, Julius, u. Krüger, Paul, Wiesbaden 1975

Krikorian, Mesrob, Das Kirchenrecht der Armenisch-Apostolischen Kirche, in: Die Kirche Armeniens, S. 139–157, Stuttgart 1978

ders., Die kirchlichen Amtsstellen und Institutionen der Armenisch-Apostolischen Kirche, in: Die Kirche Armeniens, S. 215–222, Stuttgart 1978

Krüger, Paul, Die Bibel im Glaubensbewußtsein des armenischen Volkes, in: Der christliche Osten XXIX (1974), S. 43–50, Würzburg

LThK = Lexikon für Theologie und Kirche, 1. Bd., Art.: Armenien (M. v. d. Oudenrijn und H. Paulus), Freiburg ²1957

Matfunian, Vartan Gerges, Der Orden der Mechitaristen, in: Die Kirche Armeniens, S. 175–193, Stuttgart 1978

Müller, Detlef, Die Apostolische (Gregorianische) Kirche Armeniens, in: Heyer, Friedrich, Konfessionskunde, S. 284–308, Berlin, New York 1977

Nersessian, Vrej, An index of articles on Armenian studies in western journals (1896–1973), London 1976

RAC = Reallexikon für Antike und Christentum, Bd. 1, Art.: Armenien (G. Klinge), Stuttgart 1950

Sahagian, Daniel, Die evangelische armenische Kirche, in: Die Kirche Armeniens, S. 195–209, Stuttgart 1978

ders., Die Institutionen der evangelischen armenischen Kirche, in: Die Kirche Armeniens, S. 231, Stuttgart 1978

Setian, Nerses, Das Armenisch-Katholische Patriarchat, in: Die Kirche Armeniens, S. 222–231, Stuttgart 1978

ders., Eine Rechtfertigung der katholisch-unierten armenischen Kirche aus der Geschichte, in: Die Kirche Armeniens, S. 159–163, Stuttgart 1978

TRE = Theologische Realenzykloädie, 4. Bd., Art.: Armenien I: Alte Kirche und Mittelalter (Wolfgang Hage), Armenien II: Neuzeit (Bertold Spuler), Berlin, New York 1979

de Vries, Wilhelm, Die Kirche der Armenier, in: Konfessionskunde, hrsg. von Algermissen, Konrad, S. 114–125, Paderborn ⁸1966